臨床・病理
脳腫瘍取扱い規約
General Rules for Clinical and Pathological Studies on Brain Tumors

第 5 版　日本脳神経外科学会・日本病理学会 編

2023年10月　October 2023（The 5th Edition）
The Japan Neurosurgical Society
The Japanese Society of Pathology

金原出版株式会社

第5版　序

　脳腫瘍取扱い規約は1995年に初版が作成されて以来，その時代の最新の知見を取り入れながら改訂を重ね，今版で第5版となる．引き続き日本脳神経外科学会と日本病理学会の連携で改訂作業が行われ発刊の運びとなった．前回2018年の第4版では，脳腫瘍WHO分類の2016年版の改訂に伴い遺伝子異常に基づく分子診断が取り入れられたことが大きな改訂点であった．その後2021年に脳腫瘍WHO分類の第5版が発刊され，遺伝子異常に基づく分子診断の傾向がさらに強まった大幅な内容変更が行われた．様々な腫瘍で分子診断が行われ，脳腫瘍の診断のためにはその知識が必須のものとなった．腫瘍型の数は整理され前版より少なくなったが，例えば神経膠腫では小児の腫瘍と成人の腫瘍が明確に分けられるなど，22の腫瘍型が新規に採用された．悪性度についても，これまで腫瘍横断的指標であったものが，腫瘍型ごとに設定されるようになり，同一悪性度であっても腫瘍によって予後が異なることを認めるようになった．そのため，悪性度表示もローマ数字からアラビア数字に変更されている．これらの変更に呼応するべく，脳腫瘍取扱い規約第5版では，脳腫瘍WHO分類の第5版に対応して改訂が進められた．

　本取扱い規約が，第1部「脳腫瘍の分類および臨床画像診断」，第2部「脳腫瘍診断・病理カラーアトラス」，第3部「脳腫瘍の治療法」で構成されているのは前版までを踏襲している．今回，下垂体腫瘍は第4部「下垂体腫瘍」として外出しとなった．これは他臓器の神経内分泌腫瘍の分類に合わせ下垂体腺腫についてもWHO 2022 Endocrine Tumorsで詳細に記載されるようになり，下垂体神経内分泌腫瘍（Pituitary Neuroendocrine Tumor, PitNET）へ名称が変更されたことを反映している．

　以上のように大幅な改訂を施した今回の脳腫瘍取扱い規約第5版が，脳腫瘍の診断と治療，そして研究に従事される皆さまの座右の書として役立つことを大いに期待している．

　最後に本規約の作成にあたり，多大なご尽力をいただいた執筆者ならびに金原出版の皆さまに深く感謝申し上げる．

2023年10月

脳腫瘍取扱い規約改訂委員会
齊藤　延人
成田　善孝
園田　順彦
小森　隆司
横尾　英明
田中　伸哉
柴原　純二

第4版 序

　2016年に脳腫瘍WHO分類が9年ぶりに大改訂となり改訂第4版が刊行された。それに呼応して，日本病理学会と日本脳神経外科学会の連携のもと，『脳腫瘍取扱い規約 第4版』を刊行することとなった。今回の改訂による新分類では，多くの脳腫瘍の統合診断の確定には遺伝子異常の検討が必須事項となり，中には従来の形態診断より分子診断が優位として扱われる腫瘍系も登場し，形式は第4版の改訂版ながらも，病理診断には大きなパラダイムシフトが起こった。今回の改訂の基本理念としては，診断名の範疇をできる限り狭義に設定し，より客観性と正確性を持たせることに重点が置かれた。従来の脳腫瘍病理診断では，病理医による診断の乖離が少なからず発生したり，形態診断と分子診断が相違することで，診断名が不確定になる混乱が発生することも多々あったが，今回の新分類では分子診断を大幅に取り入れたことにより，この混乱を収束させ，統合的診断名のもとに，層別化や個別化医療が進み，治療法の選択性や予後予測をより正確に解析できるような努力がなされた。しかし，あくまでも脳腫瘍診断は丹念な病理形態の詳細な検討が基本であることに変わりはなく，分子診断が全てを凌駕したわけではない。今回の改訂では，本書の本来の目的である「病理診断」に軸足を置き，その診断に必要な情報を網羅できるように細心の注意を払った。第1部では，脳腫瘍分類の種類と頻度および臨床画像診断手法と診断・治療および効果判定の用語の定義を概説し，その統一性を図った。第2部では，新規脳腫瘍分類に基づき，その分子診断と病理診断の手技手法や要点を概説し，各種脳腫瘍の病理を重視した組織型の概説を組み入れた。第3部では，各種治療法について概説し，さらには腫瘍別に異なる各種治療法についてそれぞれ概説した。なお，治療内容については，本書の本来の役目を熟考した結果，現時点での必須事項のみに限定することとした。

　この改訂版規約が脳腫瘍病理診断医の日常診療の良き座右の銘となり，正確性と客観性の高い診断名のもと，脳腫瘍の治療を受ける患者さんの大きな福音となるとともに，脳腫瘍に関連する基礎および臨床研究にも拍車がかかることを祈念したい。

　最後に本規約の作成にあたり，多大なご支援ご尽力をいただいた病理医や脳神経外科医の執筆者ならびに金原出版の皆様にこの場を借りて感謝申し上げる。

2018年3月

脳腫瘍取扱い規約改訂委員会
嘉山　孝正
若林　俊彦
成田　善孝
廣瀬　隆則
小森　隆司
横尾　英明
田中　伸哉

第3版　序

　このたび『臨床・病理 脳腫瘍取扱い規約 第3版』を発行する運びとなった。

　2007年，脳腫瘍のWHO分類が改訂されたのを契機に，診断・治療に関する最近の進歩を織り込んだ規約への改訂が急務となった。2006年10月に脳腫瘍全国統計委員会が正式に社団法人日本脳神経外科学会学術委員会の所属となり，本書も日本脳神経外科学会と日本病理学会の共同編集の形となった。日本病理学会からは群馬大学中里洋一，埼玉医科大学廣瀬隆則(現徳島県立中央病院)，日本脳神経外科学会からは山形大学嘉山孝正(現国立がん研究センター)，国立がん研究センター中央病院渋井壮一郎が代表委員となり，取扱い規約改訂委員を選出し，2007年8月11日に第1回目の脳腫瘍取扱い規約改訂委員会が開催された。原稿は各委員が分担執筆し，内容については，第2版の記載を基にしたが，委員間で査読を行い，現時点でエビデンスとして認められているものとなるようにし，最終的に脳神経外科学会学術委員会での承認を得た。

　本規約が日常診療の基本となり，さらにこれを基に，より有効で安全な治療法が確立されていくことを期待したい。

　最後に本規約の作成にあたり，ご協力いただいた執筆者ならびに金原出版の皆様に感謝申し上げる。

2010年7月

脳腫瘍取扱い規約改訂委員会
嘉山　孝正
渋井壮一郎
中里　洋一
廣瀬　隆則

第 2 版　序

　このたび脳腫瘍取扱い規約の改訂第 2 版が出版の運びとなったことは誠に慶ばしいことである。本規約の初版は 1995 年 9 月に，日本脳腫瘍全国集計調査報告の資料を基本として発刊された。脳腫瘍全国集計調査は 1969 年に治療された症例から集計登録が開始され，すでに 30 年以上の集積の歴史をもっており，国際的に，きわめて優れた予後調査が行われている。この調査資料と国際的な脳腫瘍の組織学的分類に基づいて脳腫瘍の取扱い規約が作成されたわけであるが，30 年前の症例と今日の症例を比較すると治療方法と予後に大きな差があり，星細胞腫 astrocytoma の 5 年生存率では 10% 以上の向上が認められている。治療法をみると，1970 年代は顕微鏡下手術が普及し，また CT スキャンも全国に導入されるようになり，正確な診断が全国的に統一されてきた時代である。放射線治療においては，リニアックによる一般的照射法から 1990 年代には局所放射線治療が普及し，ガンマナイフによる治療例数も今日，わが国でも 30,000 例以上に達している。

　本規約作成の歴史をたどってみると，1991 年 10 月 25 日に京都国際会議場で開催された脳腫瘍全国統計委員会において規約作成委員会設立が審議，了承され，全国集計調査地区代表の諸先生に日本病理学会から推薦された神経病理関係者として，北海道大学長嶋和郎教授と群馬大学中里洋一教授に加わって頂いて委員会が発足した。1992 年 5 月 8 日に，規約作成委員会の第 1 回の会合が国立がんセンターで開催され，良性，悪性すべてを含む脳腫瘍の診断と治療の規約作りが始まり，画像診断に関しては，放射線科から順天堂大学前原忠行教授の参加をお願いした。同時に規約の出版を金原出版に依頼した。1993 年 8 月 20 日に第 3 回規約作成委員会を東京駅ルビーホールで開催し，病理学の実務委員を増員し，同年 9 月 21 日に京王プラザホテルで開催された脳腫瘍全国統計委員会で最終的な修正を行い，原稿を再検討のうえ，1995 年 9 月に規約第 1 版の発刊が実現した。

　本規約第 2 版は，1999 年 7 月に Lyon で採択された脳腫瘍の新しい WHO 分類に準拠して書き改められているが，脳腫瘍取り扱い規約として必要な点は補足してある。なお，用語については脳神経外科学会用語委員会で採用している用語とほぼ同様であるが，異なる用語については，今後神経学会用語などとも統一を計るように協議を重ねる必要がある。

　脳腫瘍の治療法と治療成績は，年毎に進歩し続けている。本規約は 21 世紀初頭の日本における脳腫瘍治療の標準的治療指針を示しており，将来一般的治療法として導入されるであろう遺伝子治療などが普及し，総合的治療成績が一段と向上したときには，当時の脳腫瘍の治療は，このようであったという足跡を伝えることにもなるであろう。

　本規約が脳腫瘍の診断と治療に携わっている方々の参考になることを願っているが，内容について，問題点や誤りに気づかれたときにはお知らせ頂き，本書の改善にお力添え頂ければ幸いである。最後に本規約の作成にあたり終始御協力頂いた執筆者ならびに金原出版の皆様に深く感謝申しあげる。

2002 年 7 月

脳腫瘍取扱い規約作成委員会
委員長　高倉公朋

序

　このたび脳腫瘍取扱い規約が発刊の運びとなったことをお慶び申し上げる。各種臓器の腫瘍に関しては，永年来その取扱い規約が作成されており，胃癌・肺癌等の予後判定や治療成績の比較等に各科で統一されて用いられている。脳腫瘍についても，このような全国的に統一された規約の必要性が求められていたが，脳腫瘍の組織学的分類や，それぞれの予後がきわめて多様であることから，その実現が国際的にも困難な状況にあり，統一した規約を作ることが実現しなかった。日本では脳腫瘍の全国調査が約20年前に発足し，その成果は数年毎に発表されて，今日では世界でも類を見ない多数例の正確な予後調査が行われており，貴重な資料を提供している。一方で日本脳神経外科学会においても，脳腫瘍取扱い規約を作ることが多方面から要請されてきた。このような背景から，1991年10月25日に京都国際会議場で開催された脳腫瘍全国統計委員会において，悪性脳腫瘍取扱い規約作成委員会を作ることが提案され了承された。その委員に高倉（委員長），阿部，大本，田渕，永井，野村，早川，吉本の各先生が選出され，その企画が委員に一任された。一方脳腫瘍の病理組織診断に関しては，日本病理学会幹事会の町並陸生教授に人選を依頼し，日本病理学会幹事会において，長嶋和郎（北海道大学），中里洋一（群馬大学）の両教授が推薦され，本規約作成に関して病理学の立場から御支援頂くことが決定された。

　1992年5月8日に第1回脳腫瘍取扱い規約作成委員会が国立がんセンターにおいて開催され，脳腫瘍取扱い規約の内容を審議し，悪性のみでなく良性を含めた全脳腫瘍を対象とすること，および執筆者の決定を行った。画像診断に関しては放射線科から前原忠行教授（順天堂大学）の御協力を得ることになった。この決定に基づいて，1992年5月19日に本規約の出版を金原出版に依頼した。1993年8月20日に第3回脳腫瘍取扱い規約作成委員会ならびに編集会議を東京駅ルビーホールで開催し，特に病理組織部門の検討を行った。この会から，病理学関係の実務委員として新たに川野，久保，久保田，永井，福井の各先生に参加して頂くことになった。本会議では脳腫瘍分類項目の位置付けについては国際分類を用いること，腫瘍名と本規約の原稿内容の統一を計るため，再読と企画委員会の意見に合わせて執筆者に修正要請を行うことが決定された。1993年9月21日京王プラザホテルで開催された脳腫瘍全国統計委員会では，上記経過を報告し，脳腫瘍取扱い規約作成委員会の設立，その委員，掲載内容と執筆者の決定について了承を得た。

　以後，1995年4月19日と6月29日に病理部門の編集会議を開催し，掲載する組織写真の再検討，修正等について討議し最終案を作成した。以上で本規約発刊の準備が完了したので，最終校正を全委員に送付してその御了解を得て，今回の出版の運びとなった。

　尚，本規約に用いられた脳腫瘍用語については脳神経外科学用語集に準ずるように努力したが，いくつかの名称については多少異なっている。本規約に用いた用語が将来，日本語名称として広く通じるようになるであろうとの委員会の意見でそのようにした。この点は将来日本脳神経外科学会用語委員会とも協議調整して，最終的には統一を計る予定にしているが，現時点では御理解下さるようお願い申し上げる。

　本規約が，これから脳腫瘍の治療・研究に携わる方々の御参考になることを期待しているが，内容について問題点や誤り等にお気付きの方はお知らせ頂き，本規約の改善にお力添え賜れば幸いである。

　最後に本規約の作成にあたり，終始御協力を賜った委員および執筆者の皆様，ならびに金原出版の皆様に深く感謝申し上げる。

1995年9月

脳腫瘍取扱い規約作成委員会
委員長　高倉公朋

◆ 脳腫瘍取扱い規約 改訂委員会

監　修　宮本　享　小田義直
委員長　齊藤延人
副委員長／事務局長　成田善孝　園田順彦
委　員
　一般社団法人　日本脳神経外科学会
　　青山英史　秋元治朗　阿部竜也　荒川芳輝　石川栄一　市村幸一
　　上羽哲也　木下　学　隈部俊宏　黒住和彦　河野道宏　齋藤竜太
　　篠山隆司　杉山一彦　藤堂具紀　中田光俊　永根基雄　中村英夫
　　西岡　宏　橋本直哉　廣瀬雄一　藤井正純　藤巻高光　武笠晃丈
　　村垣善浩　村田英俊　山本哲哉　吉本幸司　鰐渕昌彦
　一般社団法人　日本病理学会
　　小森隆司　柴原純二　田中伸哉　横尾英明
病理協力者
　　井下尚子　黒瀬　顕　澁谷　誠　種井善一　信澤純人　本間　琢
顧　問
　　嘉山孝正　冨永悌二　中里洋一　野村和弘　松谷雅生　若林俊彦

（五十音順）

第1部　脳腫瘍分類および臨床画像診断

- Ⅰ　脳腫瘍の分類 …………………………… 2
- Ⅱ　脳腫瘍の疫学 …………………………… 4
  - 1　日本の脳腫瘍の罹患率 ………………… 4
  - 2　組織別の年間罹患数 …………………… 4
  - 3　脳腫瘍の予後 …………………………… 10
- Ⅲ　脳腫瘍の診断 …………………………… 12
  - 1　画像診断 ………………………………… 12
    - A．病変の局在診断と病理診断における意義 ………………………………………… 12
    - B．病変の質的診断と病理診断における意義 ………………………………………… 14
    - C．鑑別診断に画像診断が有用な病変 …… 15
    - D．髄腔内播種と病理診断における意義 … 19
    - E．画像検査の進歩と病理診断の役割 …… 19
  - 2　脳腫瘍診断・治療成績の用語の定義 ……… 21
    - A．Complete response (CR) 完全奏功，著効 ………………………………………… 21
    - B．Recurrence 再発 ……………………… 21
    - C．Regrowth 再増生（大）……………… 21
    - D．Progression 増悪 ……………………… 21
    - E．Pseudoprogression 偽増悪 …………… 21
    - F．Overall survival (OS) 全生存期間 …… 21
    - G．Progression-free survival (PFS) 無増悪生存期間 ……………………………………… 21
    - H．Relapse-free survival (RFS) 無再発生存期間 ……………………………………… 21
    - I．Disease-free survival (DFS) 無病生存期間 ……………………………………… 22
    - J．Time to treatment failure (TTF) 治療成功期間 ……………………………………… 22
    - K．Response duration 奏効期間，効果持続期間 ……………………………………… 22
    - L．Complete response duration 著効期間，完全奏効期間 ………………………… 22
    - M．Dissemination by cerebrospinal fluid 髄腔内播種 ………………………………… 22
    - N．Metastasis 転移 ……………………… 22
      - 1．脳内転移 …………………………… 22
      - 2．頭蓋外転移 ………………………… 22
    - O．Meningeal gliomatosis 髄膜膠腫症 …… 22
    - P．Meningeal carcinomatosis 髄膜癌腫症 ………………………………………… 22
    - Q．抗がん剤の臨床試験 ………………… 23
      - 1．Phase Ⅰ study 第Ⅰ相試験 ………… 23
      - 2．Phase Ⅱ study 第Ⅱ相試験 ………… 23
      - 3．Phase Ⅲ study 第Ⅲ相試験 ………… 23
  - 3　治療効果の判定方法 …………………… 23
    - A．生存期間・生存率 …………………… 23
      - 1．生存期間 …………………………… 23
      - 2．粗生存率 …………………………… 24
      - 3．生存率の計算：生存関数に基づく方法・累積法 cumulative method ……… 24
      - 4．生存率の計算：Kaplan-Meier法（product-limit法）…………………………… 24
      - 5．相対生存率 ………………………… 24
      - 6．生存率の比較：Coxの比例ハザードモデル（Coxの重回帰型生命表法）…… 25
      - 7．統計学的有意性の検定について …… 25
    - B．画像検査を中心とした評価 ………… 26
      - 1．Response Evaluation Criteria in Solid Tumors (RECIST) ……………………… 27
      - 2．Macdonald基準 …………………… 27
      - 3．Response Assessment in Neuro-Oncology (RANO) 基準 ……………………… 28
      - 4．奏効割合（奏効率）response proportion (response rate) ………………………… 30
    - C．神経症候・performance status (PS) の推移 ………………………………………… 30
      - 1．Performance status ………………… 30
      - 2．The Neurologic Assessment in Neuro-Oncology (NANO) Scale ……………… 30
    - D．認知機能評価 Neurocognitive assessment ………………………………………… 32
    - E．生活の質 Quality of life (QOL) ……… 33
    - F．腫瘍摘出率 …………………………… 33
    - G．腫瘍マーカー値 ……………………… 34

第2部　脳腫瘍診断・病理カラーアトラス

Ⅰ　中枢神経系腫瘍分類 ………………… 36
Ⅱ　脳腫瘍の分子診断 …………………… 44
① 分子遺伝学的解析 ……………………… 44
　A．序論 ……………………………… 44
　B．解析法各論 ……………………… 46
　　1．遺伝子変異解析 ……………… 46
　　2．コピー数・LOH・染色体異常解析法 … 49
　　3．発現解析 ……………………… 53
　　4．メチル化解析 ………………… 54
② 分子診断各論 …………………………… 55
　A．Gliomas, glioneuronal tumors, and neuronal tumors 膠腫，グリア神経細胞系腫瘍，神経細胞系腫瘍 ………………… 55
　　1．Adult-type diffuse gliomas 成人型びまん性膠腫 ………………………… 56
　　2．Pediatric-type diffuse low-grade gliomas 小児型びまん性低悪性度膠腫 …………… 60
　　3．Pediatric-type diffuse high-grade gliomas 小児型びまん性高悪性度膠腫 …………… 60
　　4．Circumscribed astrocytic glioma 限局性星細胞系膠腫 …………………… 61
　　5．Ependymal tumors 上衣系腫瘍 … 63
　B．Embryonal tumors 胎児性腫瘍 …… 65
　　1．Medulloblastoma 髄芽腫 ……… 65
　　2．Atypical teratoid/Rhabdoid tumor(AT/RT) 非定型奇形腫様ラブドイド腫瘍 …… 67
③ がんゲノムプロファイリング検査 ……… 73
　A．保険収載されているがんゲノムプロファイリング検査の種類 ……………… 73
　　1．FoundationOne® CDx がんゲノムプロファイル ………………………… 73
　　2．OncoGuide™ NCC オンコパネルシステム ……………………………… 73
　　3．FoundationOne® Liquid CDx がんゲノムプロファイル ………………… 74
　B．がんゲノムプロファイリング検査の対象 …………………………… 74
　C．C-CAT へのゲノム情報の登録 …… 74
　D．エキスパートパネルによる治療方針の決定 …………………………… 75
　E．診療報酬算定の変更 …………… 75
　F．がんゲノムプロファイリング検査による治療の実際 ……………………… 75
　G．膠芽腫で認められる遺伝子異常 …… 76
Ⅲ　脳腫瘍の病理診断 …………………… 77
① 手術材料の取り扱い・切り出し ……… 77
② 組織所見・組織学的悪性度 …………… 77
③ 迅速診断 ………………………………… 79
④ 細胞診 …………………………………… 79
⑤ 電子顕微鏡 ……………………………… 80
⑥ 免疫組織化学 …………………………… 80
　A．細胞分化マーカー ……………… 80
　　1．GFAP(glial fibrillary acidic protein) … 80
　　2．Vimentin ……………………… 80
　　3．OLIG2(oligodendrocyte transcription factor 2) ……………………………… 80
　　4．S-100 蛋白 …………………… 81
　　5．EMA(epithelial membrane antigen) … 81
　　6．Synaptophysin ………………… 81
　　7．Neurofilament protein ………… 81
　　8．Chromogranin A ……………… 81
　　9．NeuN …………………………… 81
　　10．Cytokeratin …………………… 81
　　11．Nestin ………………………… 81
　B．分子異常マーカー ……………… 81
　　1．*IDH1* p.R132H ………………… 81
　　2．ATRX …………………………… 81
　　3．p53 ……………………………… 82
　　4．H3 K27M ……………………… 82
　　5．H3 G34R ……………………… 82
　　6．H3 p.K28Mme3(K27Mme3) … 82
　　7．*BRAF* p.V600E ………………… 82
　　8．L1CAM ………………………… 82
　　9．β-catenin ……………………… 82
　　10．SMARCB1(INI1) ……………… 82
　　11．LIN28A ………………………… 82
　　12．BCOR ………………………… 83
　　13．STAT6 ………………………… 83
　C．その他 …………………………… 83
　　1．Ki-67(clone：MIB-1) ………… 83

Ⅳ 組織型の解説とカラーアトラス……84

1 Gliomas, glioneuronal tumors, and neuronal tumors 膠腫，グリア神経細胞系腫瘍，神経細胞系腫瘍………………………84

- A．Adult-type diffuse gliomas 成人型びまん性膠腫……………………………………84
  1．Astrocytoma, IDH-mutant 星細胞腫，IDH 変異……………………………… 84
  2．Oligodendroglioma, IDH-mutant and 1p/19q-codeleted 乏突起膠腫，IDH 変異および 1p/19q 共欠失……………………… 87
  3．Glioblastoma, IDH-wildtype 膠芽腫，IDH 野生型……………………………… 89
- B．Pediatric-type diffuse low-grade gliomas 小児型びまん性低悪性度膠腫………………95
  1．Diffuse astrocytoma, *MYB*- or *MYBL1*-altered びまん性星細胞腫，*MYB* または *MYBL1* 異状…………………………… 95
  2．Angiocentric glioma 血管中心性膠腫……95
  3．Polymorphous low-grade neuroepithelial tumor of the young 若年者多型低悪性度神経上皮腫瘍………………………………… 96
  4．Diffuse low-grade glioma, MAPK pathway-altered びまん性低悪性度膠腫，MAPK 経路異状…………………………………… 97
- C．Pediatric-type diffuse high-grade gliomas 小児型びまん性高悪性度膠腫………………98
  1．Diffuse midline glioma, H3 K27-altered びまん性正中膠腫，H3 K27 異状………… 98
  2．Diffuse hemispheric glioma, H3 G34-mutant びまん性大脳半球膠腫，H3 G34 変異……………………………………… 99
  3．Diffuse pediatric-type high-grade glioma, H3-wildtype and IDH-wildtype びまん性小児型高悪性度膠腫，H3 野生型および IDH 野生型……………………………………… 100
  4．Infant-type hemispheric glioma 乳児型大脳半球膠腫………………………………… 101
- D．Circumscribed astrocytic gliomas 限局性星細胞系膠腫………………………………102
  1．Pilocytic astrocytoma 毛様細胞性星細胞腫………………………………………… 102
  2．High-grade astrocytoma with piloid features 毛様の特徴を伴う高悪性度星細胞腫……………………………………………… 104
  3．Pleomorphic xanthoastrocytoma 多形黄色星細胞腫…………………………………… 104
  4．Subependymal giant cell astrocytoma 上衣下巨細胞性星細胞腫……………………… 105
  5．Chordoid glioma 脊索腫様膠腫………… 106
  6．Astroblastoma, *MN1*-altered 星芽腫，*MN1* 異状…………………………………… 107
- E．Glioneuronal and neuronal tumors グリア神経細胞系および神経細胞系腫瘍………107
  1．Ganglioglioma 神経節膠腫……………… 107
  2．Gangliocytoma 神経節細胞腫…………… 108
  3．Desmoplastic infantile ganglioglioma and astrocytoma 線維形成性乳児神経節膠腫および星細胞腫……………………………… 109
  4．Dysembryoplastic neuroepithelial tumor 胚芽異形成性神経上皮腫瘍………………… 110
  5．Diffuse glioneuronal tumor with oligodendroglioma-like features and nuclear cluesters 乏突起膠腫様の特徴と核集塊を伴うびまん性グリア神経細胞腫瘍………………… 111
  6．Papillary glioneuronal tumor 乳頭状グリア神経細胞腫瘍………………………………… 111
  7．Rosette-forming glioneuronal tumor ロゼット形成性グリア神経細胞腫瘍………… 112
  8．Myxoid glioneuronal tumor 粘液性グリア神経細胞腫瘍………………………………… 113
  9．Diffuse leptomeningeal glioneuronal tumor びまん髄膜性グリア神経細胞腫瘍………… 113
  10．Multinodular and vacuolating neuronal tumor 多結節性空胞化神経細胞腫瘍………114
  11．Dysplastic cerebellar gangliocytoma（Lhermitte-Duclos disease）異形成性小脳神経節細胞腫（Lhermitte-Duclos 病）………………… 115
  12．Central neurocytoma 中枢性神経細胞腫……………………………………………… 116
  13．Extraventricular neurocytoma 脳室外神経細胞腫…………………………………… 116
  14．Cerebellar liponeurocytoma 小脳脂肪神経細胞腫……………………………………… 117
- F．Ependymal tumors 上衣系腫瘍………118
  1．Supratentorial ependymoma テント上上衣腫……………………………………………… 118
  2．Supratentorial ependymoma, *ZFTA* fusion-positive テント上上衣腫，*ZFTA* 融合陽性……………………………………………… 120

3．Supratentorial ependymoma, *YAP1* fusion-positive テント上上衣腫，*YAP1* 融合陽性……………………………………… *120*
4．Posterior fossa ependymoma 後頭蓋窩上衣腫………………………………… *121*
5．Posterior fossa group A(PFA)ependymoma 後頭蓋窩 A 群(PFA)上衣腫……… *121*
6．Posterior fossa group B(PFB)ependymoma 後頭蓋窩 B 群(PFB)上衣腫……… *121*
7．Spinal ependymoma 脊髄上衣腫……… *122*
8．Spinal ependymoma, *MYCN*-amplified 脊髄上衣腫，*MYCN* 増幅………………… *122*
9．Myxopapillary ependymoma 粘液乳頭状上衣腫…………………………………… *122*
10．Subependymoma 上衣下腫………… *123*

② Choroid plexus tumors 脈絡叢腫瘍…… *123*
1．Choroid plexus papilloma 脈絡叢乳頭腫 …………………………………… *123*
2．Atypical choroid plexus papilloma 異型脈絡叢乳頭腫…………………………… *124*
3．Choroid plexus carcinoma 脈絡叢癌…… *124*

③ Embryonal tumors 胎児性腫瘍………… *125*
A．Medulloblastoma 髄芽腫……………… *125*
1．Medulloblastomas, molecularly defined 髄芽腫，分子型………………………… *125*
a．Medulloblastoma, WNT-activated 髄芽腫，WNT 活性化……………… *125*
b．Medulloblastoma, SHH-activated and *TP53*-wildtype 髄芽腫，SHH 活性化および *TP53* 野生型……………… *125*
c．Medulloblastoma, SHH-activated and *TP53*-mutant 髄芽腫，SHH 活性化および *TP53* 変異…………………… *126*
d．Medulloblastoma, non-WNT/non-SHH 髄芽腫，非 WNT/非 SHH…………… *126*
2．Medulloblastomas, histologically defined 髄芽腫，組織型………………………… *126*
a．Classic medulloblastoma 古典型髄芽腫 ……………………………………… *126*
b．Desmoplastic/nodular medulloblastoma 線維形成結節性髄芽腫……………… *127*
c．Medulloblastoma with extensive nodularity 高度結節性髄芽腫……………… *128*
d．Large cell/anaplastic medulloblastoma 大細胞/退形成性髄芽腫……………… *129*

B．Other CNS embryonal tumors その他の中枢神経系胎児性腫瘍………………… *129*
1．Atypical teratoid/rhabdoid tumor 非定型奇形腫様ラブドイド腫瘍……………… *129*
2．Cribriform neuroepithelial tumor 篩状神経上皮腫瘍……………………………… *130*
3．Embryonal tumor with multilayered rosettes 多層ロゼット性胎児性腫瘍……… *131*
4．CNS neuroblastoma, *FOXR2*-activated 中枢神経系神経芽腫，*FOXR2* 活性化……… *132*
5．CNS tumor with *BCOR* internal tandem duplication *BCOR* 内部タンデム重複を伴う中枢神経系腫瘍……………………… *132*
6．CNS embryonal tumor, NEC/NOS 中枢神経系胎児性腫瘍，未分類/未確定………… *133*

④ Pineal tumors 松果体腫瘍……………… *133*
1．Pineocytoma 松果体細胞腫…………… *133*
2．Pineal parenchymal tumor of intermediate differentiation 中間型松果体実質腫瘍…… *134*
3．Pineoblastoma 松果体芽腫…………… *135*
4．Papillary tumor of the pineal region 松果体部乳頭状腫瘍…………………………… *136*
5．Desmoplastic myxoid tumor of the pineal region, *SMARCB1*-mutant 松果体部線維形成性粘液性腫瘍，*SMARCB1* 変異……… *136*

⑤ Cranial and paraspinal nerve tumors 脳神経および脊髄神経腫瘍……………… *137*
1．Schwannoma シュワン細胞腫………… *137*
2．Neurofibroma 神経線維腫…………… *138*
3．Perineurioma 神経周膜腫…………… *140*
4．Hybrid nerve sheath tumor 混成神経鞘腫瘍……………………………………… *140*
5．Malignant melanotic nerve sheath tumor 悪性メラニン性神経鞘腫瘍……………… *141*
6．Malignant peripheral nerve sheath tumor 悪性末梢神経鞘腫瘍…………………… *142*
7．Cauda equina neuroendocrine tumor(previously paraganglioma)馬尾神経内分泌腫瘍（従来の傍神経節腫）…………………… *145*

⑥ Meningioma 髄膜腫…………………… *145*
1．Meningioma 髄膜腫…………………… *145*
a．Meningothelial meningioma 髄膜皮性髄膜腫…………………………………… *146*
b．Fibrous meningioma 線維性髄膜腫… *147*

- c．Transitional meningioma 移行性髄膜腫 ……147
- d．Psammomatous meningioma 砂粒腫性髄膜腫 ……148
- e．Angiomatous meningioma 血管腫性髄膜腫 ……148
- f．Microcystic meningioma 微小嚢胞性髄膜腫 ……148
- g．Secretory meningioma 分泌性髄膜腫 ……148
- h．Lymphoplasmacyte-rich meningioma リンパ球形質細胞に富む髄膜腫 ……148
- i．Metaplastic meningioma 化生性髄膜腫 ……148
- j．Chordoid meningioma 脊索腫様髄膜腫 ……149
- k．Clear cell meningioma 明細胞髄膜腫 ……149
- l．Papillary meningioma 乳頭状髄膜腫 ……150
- m．Rhabdoid meningioma ラブドイド髄膜腫 ……150
- n．Atypical meningioma 異型髄膜腫 ……151
- o．Anaplastic（malignant）meningioma 退形成性（悪性）髄膜腫 ……151

７ Mesenchymal, non-meningothelial tumors involving the CNS 中枢神経系の間葉系，非髄膜性腫瘍 ……152
- A．Soft tissue tumors 軟部腫瘍 ……152
  - １．Fibroblastic and myofibroblastic tumors 線維芽細胞性および筋線維芽細胞性腫瘍 ……152
    - a．Solitary fibrous tumor 孤立性線維性腫瘍 ……152
  - ２．Vascular tumors 血管性腫瘍 ……152
    - a．Hemangioma and vascular malformation 血管腫および血管奇形 ……152
    - b．Hemangioblastoma 血管芽腫 ……154
  - ３．Skeletal muscle tumors 骨格筋腫瘍 ……154
    - a．Rhabdomyosarcoma 横紋筋肉腫 ……154
  - ４．Tumors of uncertain differentiation 未定分化型腫瘍 ……156
    - a．Intracranial mesenchymal tumor, FET::CREB fusion-positive 頭蓋内間葉系腫瘍，FET::CREB 融合陽性 ……156
    - b．CIC-rearranged sarcoma CIC 再構成肉腫 ……156
    - c．Primary intracranial sarcoma, DICER1-mutant 原発性頭蓋内肉腫，DICER1 変異 ……156
    - d．Ewing sarcoma Ewing 肉腫 ……157
- B．Chondro-osseous tumors 軟骨-骨腫瘍 ……157
  - １．Chondrogenic tumors 軟骨形成性腫瘍 ……157
    - a．Mesenchymal chondrosarcoma 間葉性軟骨肉腫 ……157
    - b．Chondrosarcoma 軟骨肉腫 ……158
- C．Notochordal tumors 脊索腫瘍 ……158
  - １．Chordoma 脊索腫 ……158

８ Melanocytic tumors メラニン細胞系腫瘍 ……159
- A．Diffuse meningeal melanocytic neoplasms びまん性髄膜メラニン細胞系腫瘍 ……159
  - １．Melanocytosis メラニン細胞増殖症 ……159
  - ２．Melanomatosis 黒色腫症 ……159
- B．Circumscribed meningeal melanocytic neoplasms 限局性髄膜メラニン細胞系腫瘍 ……160
  - １．Melanocytoma メラニン細胞腫 ……160
  - ２．Melanoma 黒色腫 ……160

９ Hematolymphoid tumors involving CNS 中枢神経系の血液リンパ系腫瘍 ……161
- A．Lymphomas リンパ腫 ……161
  - １．Primary diffuse large B-cell lymphoma of the CNS 原発性中枢神経系びまん性大細胞型 B 細胞リンパ腫 ……161
  - ２．Immunodeficiency-associated CNS lymphomas 中枢神経系免疫不全関連リンパ腫 ……161
  - ３．Lymphomatoid granulomatosis リンパ腫様肉芽腫症 ……162
  - ４．Intravascular large B-cell lymphoma 血管内大細胞型 B 細胞リンパ腫 ……163
  - ５．MALT lymphoma of the dura 硬膜 MALT リンパ腫 ……163
  - ６．Other low-grade B-cell lymphomas of the CNS 中枢神経系のその他の B 細胞性の低悪性度リンパ腫 ……163

7．Anaplastic large cell lymphoma（ALK＋/ALK－）未分化大細胞リンパ腫（ALK 陽性/ALK 陰性）……………………………164
8．T-cell and NK/T-cell lymphomas of the CNS 中枢神経系 T 細胞および NK/T 細胞リンパ腫………………………………164
B．Histiocytic tumors 組織球性腫瘍………164
1．Erdheim-Chester disease Erdheim-Chester 病…………………………………164
2．Rosai-Dorfman disease Rosai-Dorfman 病……………………………………165
3．Juvenile xanthogranuloma 若年性黄色肉芽腫…………………………………165
4．Langerhans cell histiocytosis ランゲルハンス細胞組織球症…………………166
5．Histiocytic sarcoma 組織球肉腫………166
⑩ Germ cell tumors 胚細胞腫瘍……………167
1．Mature teratoma 成熟奇形腫…………167
2．Immature teratoma 未熟奇形腫………167
3．Teratoma with somatic-type malignancy 体細胞型悪性腫瘍を伴う奇形腫………168
4．Germinoma ジャーミノーマ（胚腫）…168
5．Embryonal carcinoma 胎児性癌………168
6．Yolk sac tumor 卵黄嚢腫瘍……………169
7．Choriocarcinoma 絨毛癌………………169
8．Mixed germ cell tumor 混合胚細胞腫瘍…………………………………………170
⑪ Tumors of the sellar region トルコ鞍部腫瘍…………………………………………171
1．Adamantionomatous craniopharyngioma エナメル上皮腫型頭蓋咽頭腫…………171
2．Papillary craniopharyngioma 乳頭型頭蓋咽頭腫……………………………………171
3．Xanthogranuloma of the sellar region トルコ鞍部黄色肉芽腫………………………172
⑫ Cystic lesions 嚢胞性病変…………………172
1．Rathke cleft cyst ラトケ嚢胞…………172
2．Epidermoid cyst 類表皮嚢胞…………172
3．Dermoid cyst 類皮嚢胞………………173
4．Arachnoid cyst くも膜嚢胞……………173
5．Colloid cyst of the third ventricle 第三脳室コロイド嚢胞…………………………173
6．Ependymal cyst 上衣嚢胞……………174
7．Endodermal cyst 内胚葉性嚢胞………174
8．Pineal cyst 松果体嚢胞…………………174
9．Choroid plexus cyst 脈絡叢嚢胞………174
⑬ Metastases to the CNS 中枢神経系への転移………………………………………174

第 3 部　脳腫瘍の治療法

Ⅰ　手術………………………………………180
① 治療目的の手術……………………………180
　A．切除術…………………………………180
　B．術中治療・手術支援…………………181
　　1．術中化学療法………………………182
　　2．術中光線力学療法…………………182
　　3．がん治療用ウイルス療法…………182
　　4．術中光線力学診断…………………182
　　5．術中電気生理学的モニタリング…182
　　6．覚醒下手術…………………………183
　　7．手術ナビゲーション，術中 MRI など術中画像診断支援………………………183
② 診断目的の手術……………………………183
Ⅱ　脳腫瘍局所療法と病理変化……………185
① カルムスチン徐放性ポリマー……………185
② Photodynamic therapy（PDT）……………187
　A．PDT とは……………………………187
　B．悪性脳腫瘍に対する PDT の実践……187
　C．PDT 施行条件…………………………188
　D．国内での実施状況と最新の治療成績…188
③ ウィルス療法………………………………189
　A．腫瘍選択的殺細胞効果と抗腫瘍免疫の惹起…………………………………………189
　B．脳腫瘍に用いられるがん治療用ウイルス…………………………………………190
　　1．アデノウイルス……………………190
　　2．ポリオウイルス……………………190
　　3．単純ヘルペスウイルスⅠ型………190
　C．ウイルス療法の今後…………………192
④ Convection-enhanced delivery（CED）…193
Ⅲ　放射線治療………………………………195
① 中枢神経系への照射における放射線治療に関する分類と用語…………………………195

- A．照射標的に基づいた分類················ 195
  - 1．全脳全脊髄照射······················· 195
  - 2．全脳照射······························· 195
  - 3．全脳室照射···························· 195
  - 4．拡大局所照射························· 195
  - 5．局所照射······························· 195
- B．照射技術に関連した分類················ 196
  - 1．位置照合精度に関連する技術······· 196
  - 2．照射標的形状への線量分布の合わせ込みの方法······························· 196
  - 3．特別な名称がついた放射線照射法······ 196
- C．特殊な放射線治療法······················ 197
  - 1．陽子線治療，重粒子線治療，ホウ素中性子捕捉療法························· 197
- ② 線量分割に関連する用語··················· 197
  - A．通常分割照射と過分割照射・寡分割照射·· 197
- ③ 放射線療法の有害事象························ 198
  - A．亜急性期・早期有害事象············· 198
  - B．晩期有害事象······························ 198
    - 1．放射線脳壊死························· 198
    - 2．小児の認知機能への影響············ 198
    - 3．成人の認知機能低下・白質脳症・脳萎縮······························· 198
  - C．放射線脊髄症······························ 200
- ④ 有害事象の対策································· 200
- ⑤ 放射線壊死······································· 201

Ⅳ 化学療法·· 203
- ① 化学療法剤······································· 203
  - A．DNA障害剤································ 204
    - 1．ニトロソウレア製剤（ACNU，BCNUなど）······························· 204
    - 2．テモゾロミド························· 204
    - 3．プロカルバジン······················ 204
    - 4．イホスファミド······················ 205
    - 5．白金製剤······························· 205
    - 6．エトポシド（VP-16）················ 205
    - 7．微小管障害剤························· 205
    - 8．代謝障害剤···························· 205
- ② 化学療法耐性に関与する因子············· 205
  - 1．O^6-methylguanine DNA methyltransferase（MGMT）······························· 206
  - 2．DNAミスマッチ修復系············· 206
  - 3．ABC輸送体····························· 207

Ⅴ 分子標的薬·· 208
- ① 抗血管内皮増殖因子（vascular endothelial growth factor：VEGF）抗体·············· 208
- ② ブルトン型チロシンキナーゼ（Bruton's tyrosine kinase：BTK）阻害剤············ 208
- ③ トロポミオシン受容体キナーゼ（tropomyosin receptor kinase：TRK）阻害剤······ 208
- ④ mTOR（mammalian target of rapamycin）阻害剤······································· 209
- ⑤ ほかの分子標的薬剤··························· 209

Ⅵ 免疫療法·· 210
- ① がん関連抗原を用いた免疫療法··········· 210
  - A．樹状細胞ワクチン療法················ 210
  - B．自家腫瘍ワクチン療法················ 210
  - C．ペプチドワクチン療法················ 210
- ② エフェクター細胞療法（養子免疫細胞療法・T細胞輸注療法）······························· 211
- ③ 免疫抑制阻害療法····························· 211

Ⅶ NovoTTF·· 213
- ① TTFieldsとは···································· 213
- ② エビデンス······································· 213

Ⅷ 脳腫瘍ガイドラインの制定················ 215

Ⅸ 脳脊髄腫瘍種類別治療法··················· 217
- ① 膠芽腫··· 217
  - A．疫学と予後································ 217
  - B．治療··· 217
  - C．再発/増悪形式···························· 217
    - 1．局所再発······························· 218
    - 2．脳脊髄液を介した髄腔内播種····· 218
    - 3．微小浸潤による再発················ 218
  - D．予後因子/予測因子······················ 218
- ② Grade 2/3神経膠腫··························· 219
  - A．手術··· 220
  - B．放射線治療································ 220
    - 1．Grade Ⅱ神経膠腫···················· 220
    - 2．Grade Ⅲ神経膠腫···················· 221
  - C．化学療法··································· 221
    - 1．Grade Ⅱ神経膠腫···················· 222
    - 2．Grade Ⅲ神経膠腫···················· 222
- ③ 上衣腫··· 224
  - A．手術··· 224
  - B．放射線治療································ 224
  - C．薬物療法··································· 225
  - D．予後・予後因子·························· 225
- ④ 中枢神経系原発悪性リンパ腫············· 227

- A．手術・ステロイド……………227
- B．薬物療法……………………227
- C．放射線治療…………………228
- D．予後・予後因子……………228

⑤ 転移性脳腫瘍……………………229
- A．手術…………………………229
- B．放射線治療…………………229
- C．薬物療法……………………230
- D．予後・予後因子……………230

⑥ 中枢神経原発胚細胞腫…………230
- A．手術…………………………230
- B．放射線治療・化学療法……231
- C．予後…………………………231

⑦ 髄芽腫……………………………232
- A．手術とリスク分類…………232
- B．放射線化学療法……………232
  1．標準リスク群………………232
  2．高リスク群…………………232
  3．3歳未満……………………232

⑧ Diffuse midline glioma…………233
- A．手術…………………………233
- B．放射線化学療法……………233
- C．予後・予後因子……………233

⑨ 視神経膠腫・毛様細胞性星細胞腫………234
- A．手術…………………………234
- B．化学療法……………………235
- C．放射線治療…………………235

⑩ 髄膜腫……………………………236
- A．経過観察……………………236

- B．外科的摘出…………………236
- C．術前腫瘍塞栓術……………237
- D．放射線治療…………………237
- E．化学療法……………………237

⑪ 神経鞘腫…………………………237
- A．手術…………………………237
- B．放射線化学療法……………238
- C．予後・予後因子……………238

⑫ 頭蓋咽頭腫………………………238
- A．手術…………………………238
- B．放射線化学療法……………238
- C．予後・予後因子……………239

⑬ 脊髄髄内・髄外腫瘍……………239
- A．手術…………………………240
  1．髄内腫瘍……………………240
  2．髄外腫瘍……………………240
- B．放射線治療・化学療法……240
  1．放射線治療…………………240
  2．化学療法……………………240
  3．ベバシズマブ療法…………241

X　各種スケール・分類表…………242
① グリオーマの病期分類…………242
② 中枢神経系原発悪性リンパ腫の病期分類…243
③ 頭蓋内胚細胞性腫瘍……………244
④ 髄芽腫の分類……………………244
⑤ 髄膜腫の Simpson 分類………245
⑥ 下垂体神経内分泌腫瘍の病期分類……246
⑦ 聴神経腫瘍の病期分類…………246
⑧ 転移性脳腫瘍……………………246

第4部　下垂体腫瘍

I　下垂体腫瘍………………………250
① 病理検査のために………………250
  1．標本の取り扱い……………250
  2．電子顕微鏡…………………250
  3．迅速診断……………………250
  4．免疫組織化学………………250
② Anterior neuroendocrine neoplasms 下垂体前葉神経内分泌腫瘍………251
- A．Pituitary neuroendocrine tumors of PIT1-lineage PIT1 系統下垂体神経内分泌腫瘍……………252

  1．Somatotroph PitNET/adenoma 下垂体成長ホルモン細胞神経内分泌腫瘍/成長ホルモン細胞腺腫……………………252
  2．Lactotroph PitNET/adenoma 下垂体プロラクチン細胞神経内分泌腫瘍，下垂体プロラクチン細胞腺腫……………254
  3．Thyrotroph PitNET/adenoma 下垂体甲状腺刺激ホルモン細胞神経内分泌腫瘍/甲状腺刺激ホルモン細胞腺腫……………254

4．Mature plurihormonal PIT1-lineage PitNET/adenoma 下垂体成熟型 PIT1 系統多ホルモン細胞神経内分泌腫瘍/成熟型 PIT1 系統多ホルモン細胞腺腫…………………255

5．Immature PIT1-lineage PitNET/adenoma 下垂体未熟型 PIT1 系統細胞神経内分泌腫瘍/未熟型 PIT1 系統細胞腺腫……………255

6．Acidophil stem cell PitNET/adenoma 下垂体好酸性幹細胞神経内分泌腫瘍/好酸性幹細胞腺腫…………………………255

7．Mixed somatotroph-lactotroph PitNET/adenoma 下垂体成長ホルモン細胞-プロラクチン細胞混合神経内分泌腫瘍/成長ホルモン-プロラクチン産生細胞混合腺腫………255

B．Pituitary neuroendocrine tumors of TPIT-lineage TPIT 系統下垂体神経内分泌腫瘍…………………………256

1．Corticotroph PitNET/adenoma 下垂体副腎皮質刺激ホルモン細胞神経内分泌腫瘍/副腎皮質刺激ホルモン細胞腺腫………… 256

C．Pituitary neuroendocrine tumors of SF1-lineage SF1 系統下垂体神経内分泌腫瘍…………………………257

1．Gonadotroph PitNET/adenoma 下垂体ゴナドトロピン細胞神経内分泌腫瘍/ゴナドトロピン産生細胞腺腫………………257

D．Pituitary neuroendocrine tumors without distinct lineage differentiation 系統分化を示さない下垂体神経内分泌腫瘍…………258

1．Null cell PitNET/adenoma 下垂体ナルセル神経内分泌腫瘍/ナルセル腺腫…………258

2．Plurihormonal PitNET/adenomas 下垂体多ホルモン細胞神経内分泌腫瘍/多ホルモン細胞腺腫…………………………258

E．Multiple pituitary neuroendocrine tumors 多発性下垂体神経内分泌腫瘍……258

1．Multiple synchronous PitNET/adenomas of distinct lineages 下垂体同時発生多系統細胞神経内分泌腫瘍/同時発生多系統細胞腺腫…………………………258

F．Metastatic pituitary neuroendocrine tumors 転移性下垂体神経内分泌腫瘍……258

1．Metastatic PitNET 転移性下垂体神経内分泌腫瘍…………………………258

G．Grading…………………………258

H．病期分類…………………………258

③ Other anterior pituitary tumors その他の下垂体前葉腫瘍………………260

A．Pituitary blastoma 下垂体芽腫………260

④ Posterior pituitary and hypothalamic neoplasms 下垂体後葉，視床下部腫瘍…260

A．Pituicyte-derived tumors 後葉細胞派生腫瘍…………………………260

1．Pituicyte tumor family 後葉細胞腫瘍家系…………………………260

a．Pituicytoma 下垂体細胞腫……260

b．Granular cell tumor of the sellar region トルコ鞍部顆粒細胞腫……261

c．Spindle cell oncocytoma 紡錘形細胞オンコサイトーマ……………261

B．Neuronal tumors 神経細胞系腫瘍……262

1．Gangliocytoma and mixed gangliocytoma-PitNET/pituitary adenoma 神経節細胞腫，神経節細胞腫-下垂体神経内分泌腫瘍(PitNET)混合腫瘍…………………………262

2．Sellar neurocytoma トルコ鞍部神経細胞腫…………………………262

第1部
脳腫瘍分類および臨床画像診断

I 脳腫瘍の分類

　中枢神経系の腫瘍分類は1926年に発表されたBaileyとCushingの組織発生分類に端を発する。彼らは神経組織の発生経路の各分化段階にある細胞を腫瘍細胞に対応させることによって腫瘍型を定義した。悪性度分類は1952年にMayo ClinicのKernohanとSayreが腫瘍細胞の形態と分化の程度を指標に悪性度を4段階で評価する方法（組織学的悪性度分類）を提唱した。その後，World Health Organization（WHO）は悪性腫瘍の診断基準と命名法を統一する目的などから，International Agency for Research on Cancer（IARC）を1965年に設立，1970年には脳腫瘍の委員会が設立され，1979年にWHO中枢神経系腫瘍分類第1版が出版された。第1版には術後の予後を勘案して腫瘍型ごとに悪性度を設定するWHO grade（生物学的悪性度分類）が取り入れられた。1993年には免疫組織化学の知見を反映した第2版が，2000年には初めて分子遺伝学的知見を取り入れた第3版が出版された。しかし，2016年の改訂第4版において初めて分子分類が取り入れられるまでの90年間，WHO分類の根底にあったのは一貫して組織発生分類であった。

　グリオーマに代表される神経上皮腫瘍は組織型や生物学的悪性度が年齢や部位に強く依存することが古くから知られてきた。近年，こうした事象の背景には特徴的な分子遺伝学的異常が存在することが明らかとなり，また，それらの分子異常がWHO組織分類よりも予後や治療反応性と良く相関し，検者あるいは施設による病理診断の相違を解消できることがわかってきた。このような観点から，組織所見に加えて臨床画像情報や分子情報を，脳腫瘍の病理診断の向上にどのように役立てるのかを議論するコンセンサス会議が2014年にオランダのハーレムで開かれ，今後のWHO分類の基本的な考え方を決定した（Haarlem consensus guidelines）。その結果，特徴的な分子異常に基づいて客観的に定義できる腫瘍のみを優先して腫瘍型として確立し，そのほかは新しい知見が得られるまで記述的な診断名に留めることとなった。また，組織情報と分子情報を総合的に判断して判定を下す統合診断（integrated diagnosis）が採用された。これを受けて，2016年の改訂第4版ではグリオーマと胎児性腫瘍に分子情報を組み込んだ分子分類が初めて採用された。

　脳腫瘍取扱い規約は，日本脳神経外科学会（脳腫瘍全国統計委員会）と日本病理学会との共同編集により1995年に第1版が出版され，その後，WHO分類の改訂に歩調を合わせ，2002年，2010年，2018年と改訂を重ねてきた。脳腫瘍規約分類は基本的にWHO分類に則っているが，同時に脳神経外科の手術対象である下垂体腺腫や囊胞も含めた頭蓋内の腫瘤性病変の分類となっている。

　2021年末に出版されたWHO分類第5版は改訂第4版の方針を引き継ぐとともに，網羅的遺伝子発現解析やDNAメチル化解析などの新しい技術に基づいて得られた知見を大幅に取り入れ，分子分類をさらに推し進めたものとなった。その結果，びまん性膠腫の定義の中に星細胞腫などといった細胞分化の規定がなくなり，びまん性の膠腫であって定めら

れた分子遺伝学的要件を満たせば，組織型を問わずに診断できることとなった．また，細胞形態を全く問わずに，DNAメチル化プロファイルによってのみ定義された新規腫瘍型も採用された．90年間続いた組織発生分類が転換期を迎えている．

　脳腫瘍取扱い規約第5版はWHO分類第5版に準拠し，新規腫瘍や名称変更された腫瘍には新たな日本語表記をあてた．また，WHO/IARCでは，下垂体腺腫は内分泌/神経内分泌腫瘍に分類され，2022年に下垂体神経内分泌腫瘍という名称に変更された．これに対し，関連する複数の学会が協議して新しい日本語表記を決定した．本規約においても，関連学会によって決められた表記を採用した．

　WHO分類第5版では，前版で定義が曖昧であった腫瘍を整理した結果，腫瘍型の数は110余りに減り，22の新規腫瘍型が採択された．また，これまでの腫瘍型の上に大項目が設けられ，"膠腫，グリア神経細胞系腫瘍，神経細胞系腫瘍"という大きな枠組みが設定された．上衣腫を含むすべての膠腫がここに組み込まれた．脈絡叢腫瘍は膠腫から分離されて独立した項目となった．髄膜腫は単一の腫瘍型となり，前版で腫瘍型とみなされていたものは亜型の取扱いとなった．最も大きく変更された項目は膠腫で，なかでも中核をなすびまん性膠腫の枠組みが大きく変更された．以前から，小児の膠腫は組織学的には成人と同等であっても，成人よりも予後が良好で分子遺伝学的な特徴も異なることが知られていた．今回，びまん性膠腫は分子遺伝学的に成人型と小児型に分けられ，小児型はさらに低悪性度群と高悪性群とに分けられた．ここでいう小児型とは年齢によって規定されるものではなく，特徴的な分子遺伝学的異常をもつ腫瘍型で，小児に発生しやすいものの，成人にも発生し得る．MAPK経路の異常やH3異常を有する腫瘍などが代表的である．一方で，成人型の代表的な遺伝子異常であるIDH(isocitrate dehydrogenase)変異は，極めて稀ながら小児にも認められることがある．上記の変更を受けて，前版の"その他の星細胞腫"と"その他の膠腫"という項目が解消され，"限局性星細胞系膠腫"という枠組みが新設された．さらに，悪性度は他臓器の分類にならって腫瘍型ごとに設定され(腫瘍縦断的分類)，一部の腫瘍型では悪性度の評価に分子情報が取り入れられた．代表的なものはIDH変異型の星細胞腫と退形成性髄膜腫である．

　脳腫瘍取扱い規約第5版では，DNAメチル化解析が実施困難で，脳腫瘍の遺伝子検査が全く保険収載されていない日本の現状を考慮しつつも，WHO分類第5版に則した分類とした．

II 脳腫瘍の疫学

1 日本の脳腫瘍の罹患率

2016年1月から「全国がん登録」が始まり、日本でがんと診断されたすべての人のデータを、国が集計・分析・管理することとなった。登録はICD-O-3に基づいて行われ、中枢神経系腫瘍については、良性および悪性脳腫瘍（頭蓋内腫瘍）・脊髄腫瘍・頭蓋骨腫瘍なども登録され、国内における脳腫瘍の頻度が明らかとなった。ICD-O-3では海綿状血管腫などの血管異常も脳腫瘍として登録されており、1,565人の血管腫が含まれる。

2016～2019年の4年間に登録された原発性脳腫瘍は117,968人で、年平均29,492人の発生である。2020年の人口をもとにした人口10万人あたりの粗罹患率は23.30である。

米国脳腫瘍全国集計調査報告であるCBTRUS(Central brain tumor registry of the United States)2014～2018[1])では米国の2014～2018年の5年間の患者数は431,773人で、粗罹患率は26.73であった。米国の頭蓋内腫瘍の罹患率を比較すると、2000年の米国の人口に基づいた脳腫瘍の人口10万人あたりの年齢調整罹患率が、日本の17.15に対して米国は24.25と日本人の脳腫瘍発生頻度は米国よりも低く、米国の70.7％ということになる。発生部位から類推した組織診断不明者数が全国がん登録2016～2019では、16,779人(14.2％)であったのに対し（表1-1)、CBTRUS 2014～2018ではわずか3.3％にとどまる。原発性腫瘍に占める悪性腫瘍の日米の割合は、22.7％：29.1％であった。また、日米の年齢調整罹患率は、悪性腫瘍で4.01：7.06、良性腫瘍で13.14：17.19であった。

2 組織別の年間罹患数

全国がん登録2016～2019を大分類でみると（表1-1)、①髄膜腫などの髄膜関連腫瘍が10,537人(35.7％)、②下垂体腫瘍が4,802人(16.3％)、③グリオーマなどの神経上皮性腫瘍が4,537人(15.4％)、④神経鞘腫などの脳末梢神経腫瘍が2,730人(9.3％)、⑤リンパ腫・血液系腫瘍が1,166人(4.0％)、⑥頭蓋咽頭腫が416人(1.4％)、⑦血管腫が391人(1.3％)、⑧血管芽腫などのその他の髄膜関連腫瘍が348人(1.2％)、⑨胚細胞腫瘍が224人(0.8％)、⑩孤立性線維性腫瘍などの間葉系腫瘍が114人(0.4％)であった。これまで神経上皮性腫瘍が脳腫瘍の第2位の発生であったが、全国がん登録2016～2019では下垂体腫瘍に次いで第3位の発生数となった。

日本の人口10万人あたりの粗罹患率は、①髄膜関連腫瘍が8.54、②下垂体腫瘍が3.89、③神経上皮性腫瘍が3.68（膠芽腫は1.68)、④脳末梢神経腫瘍が2.21、⑤中枢神経系原発悪性リンパ腫が0.93。日米の年齢調整罹患率は、①髄膜関連腫瘍が5.11：9.49、②下垂体腫瘍が3.24：4.36、③神経上皮性腫瘍が3.08：6.53（膠芽腫は1.05：3.23)、④脳末梢神

表 1-1 全国がん登録 2016〜2019 の頭蓋内腫瘍の年間登録数

組織型	年間	割合	粗罹患率	年齢中央値	男性	女性
(1)神経上皮腫瘍	4,537	15.4%	3.68	62	55.7%	44.3%
びまん性神経膠腫	*3,222*	*10.9%*	*2.61*	*66*	*57.1%*	*42.9%*
1)びまん性星細胞腫	362	1.2%	0.29	49	56.8%	43.2%
2)退形成性星細胞腫	390	1.3%	0.32	60	57.5%	42.5%
3)膠芽腫	2,071	7.0%	1.68	69	57.3%	42.7%
4)乏突起膠腫	182	0.6%	0.15	46	54.9%	45.1%
5)退形成性乏突起膠腫	154	0.5%	0.12	51	56.4%	43.6%
6)乏突起星細胞腫	63	0.2%	0.05	51	57.1%	42.9%
その他の星細胞系腫瘍	*185*	*0.6%*	*0.15*	*20*	*49.9%*	*50.1%*
1)毛様細胞性星細胞腫	138	0.5%	0.11	17	49.6%	50.4%
(毛様類粘液性星細胞腫)	10	0.0%	0.008	12	42.1%	57.9%
2)星細胞腫(亜型)	48	0.2%	0.04	32	50.8%	49.2%
ⅰ)多形黄色星細胞腫	21	0.1%	0.02	34	53.0%	47.0%
ⅱ)大脳神経膠腫症	10	0.03%	0.008	56	52.5%	47.5%
ⅲ)上衣下巨細胞性星細胞腫	17	0.06%	0.014	12	47.1%	52.9%
上衣系腫瘍	*140*	*0.5%*	*0.11*	*39*	*51.3%*	*48.8%*
1)上衣腫	63	0.2%	0.05	39	44.3%	55.7%
2)退形成性上衣腫	52	0.2%	0.04	14	52.4%	47.6%
3)上衣下腫	25	0.1%	0.02	55	66.3%	33.7%
その他の神経膠腫	*652*	*2.2%*	*0.53*	*63*	*52.4%*	*47.6%*
1)グリオーマ, 詳細不明	643	2.2%	0.52	63	52.3%	47.7%
2)他の神経上皮性腫瘍	9	0.0%	0.007	42	60.0%	40.0%
神経細胞および混合神経細胞・膠細胞系腫瘍	*110*	*0.5%*	*0.11*	*34*	*52.6%*	*47.4%*
1)神経節膠腫	53	0.2%	0.04	33	50.0%	50.0%
2)中枢性神経細胞腫	42	0.1%	0.03	34	58.1%	41.9%
3)胚芽異形成性神経上皮腫瘍	15	0.05%	0.012	19	56.9%	43.1%
脈絡叢腫瘍	*29*	*0.1%*	*0.02*	*34*	*46.1%*	*53.9%*
松果体部腫瘍	*43*	*0.1%*	*0.03*	*50*	*53.2%*	*46.8%*
1)松果体細胞腫	14	0.05%	0.011	60	40.7%	59.3%
2)松果体芽腫	27	0.1%	0.02	45	59.3%	40.7%
胎児性腫瘍	*128*	*0.4%*	*0.10*	*9*	*58.0%*	*42.0%*
1)髄芽腫	91	0.3%	0.07	10	63.1%	36.9%
2)非定型奇形腫様ラブドイド腫瘍	16	0.1%	0.013	1	50.0%	50.0%
3)中枢神経系原始神経外胚葉腫瘍	6	0.0%	0.005	14	30.4%	69.6%
4)神経芽腫	9	0.0%	0.007	9	57.1%	42.9%
(2)脳神経および脊髄神経腫瘍	2,730	9.3%	2.21	61	46.8%	53.2%
1)神経鞘腫	1,375	5.0%	1.11	58	46.7%	53.3%
2)神経線維腫	11	0.0%	0.009	33	50.0%	50.0%
3)悪性末梢神経鞘腫	5	0.02%	0.004	66	45.0%	55.0%
4)神経鞘腫詳細不明	1,339	4.5%	1.08	64	47.0%	53.0%

表 1-1 （つづき）

組織型	年間	割合	粗罹患率	年齢中央値	男性	女性
(3) 髄膜の腫瘍	11,007	37.3%	8.92	70	29.5%	70.5%
1) 髄膜腫	10,537	35.7%	8.54	70	28.4%	71.6%
ⅰ) グレード Ⅰ	9,552	32.4%	7.74	72	27.4%	72.6%
ⅱ) グレード Ⅱ	367	1.2%	0.30	69	46.0%	54.0%
ⅲ) グレード Ⅲ	192	0.6%	0.16	72	38.4%	61.6%
ⅳ) 詳細不明	427	1.4%	0.35	77	30.8%	69.2%
2) 間葉系腫瘍	114	0.4%	0.09	53	48.8%	51.2%
ⅰ) 孤立性線維性腫瘍/血管周皮腫	86	0.3%	0.07	55	49.9%	50.1%
ⅱ) 頭蓋内原発肉腫	12	0.0%	0.010	46	47.9%	52.1%
3) 原発性メラノーマ	8	0.03%	0.007	49	63.6%	36.4%
4) その他の髄膜関連腫瘍	348	1.2%	0.28	56	55.8%	44.2%
ⅰ) 血管芽腫	300	1.0%	0.24	56	57.7%	42.3%
ⅱ) 脊索腫	39	0.1%	0.03	61	44.8%	55.2%
ⅲ) 軟骨肉腫	7	0.0%	0.005	60	40.7%	59.3%
(4) リンパ腫・血液腫瘍	1,168	4.0%	0.95	71	57.3%	42.7%
1) 中枢神経系原発悪性リンパ腫	1,147	3.9%	0.93	72	57.4%	42.6%
2) その他の血液系腫瘍	19	0.1%	0.02	54	51.3%	48.7%
(5) 胚細胞腫瘍・嚢胞	224	0.8%	0.18	19	74.2%	25.8%
1) 胚細胞腫瘍	211	0.7%	0.17	18	75.9%	24.1%
ⅰ) 胚腫（ジャーミノーマ）	157	0.5%	0.13	19	75.8%	24.2%
ⅱ) 混合胚細胞腫瘍	18	0.06%	0.014	15	84.3%	16.0%
ⅲ) 奇形腫（悪性）	14	0.0%	0.011	15	78.6%	21.4%
ⅳ) 奇形腫（非悪性）	13	0.04%	0.011	19	66.0%	34.0%
2) 類皮腫	9	0.03%	0.007	48	47.1%	52.9%
(6) トルコ鞍腫瘍	5,217	17.7%	4.23	51	45.3%	54.7%
1) 下垂体腫瘍	4,802	16.3%	3.89	58	45.1%	54.9%
ⅰ) 下垂体腺腫	4,283	14.5%	3.47	59	45.3%	54.7%
ⅱ) 下垂体腺腫，不明	509	1.7%	0.41	65	43.2%	56.8%
ⅲ) 下垂体癌	10	0.03%	0.008	62	52.6%	47.4%
2) 頭蓋咽頭腫	416	1.4%	0.34	50	47.9%	52.1%
(7) 分類不能腫瘍	4,612	15.6%	3.74	69	46.2%	53.8%
1) 血管腫（海綿状血管腫など）	391	1.3%	0.32	51	45.8%	54.2%
2) 新生物，不明	4,195	14.2%	3.40	71	46.3%	53.7%
ⅰ) ICD 8000 新生物（悪性）	1,071	3.6%	0.87	77	49.6%	50.4%
ⅱ) ICD 8000 新生物（非悪性）	3,124	10.6%	2.53	69	45.2%	54.8%
3) その他	26	0.1%	0.02	58	35.9%	64.1%
合計	29,492	100.0%	23.90	70	42.0%	58.0%
悪性腫瘍	*6,696*	*22.7%*	*5.43*	*66*	*55.8%*	*44.2%*
非悪性腫瘍	*22,796*	*77.3%*	*18.47*	*70*	*37.9%*	*62.1%*

経腫瘍が1.68：2.05，⑤中枢神経系原発悪性リンパ腫が0.51：0.45と，ほとんどの腫瘍の年齢調整罹患率は米国人で高い．一方で胚細胞腫瘍については，年齢調整罹患率が0.26：0.08と日本人に多い．

表1-2には，日本脳神経外科学会主導の脳腫瘍全国集計調査2009～2015（脳腫瘍統計）における，WHO 2007に基づいた原発性脳腫瘍の組織別登録数を示す．脳腫瘍統計2009～2015には，33,543例の原発性脳腫瘍が登録されている．年間の平均登録数は4,792例であった．全国がん登録2016～2019では，平均29,492人の原発性脳腫瘍の発生となっていることから，単純に計算すると脳腫瘍全国集計調査には，実際の発生の約1/7（14%）が登録されていることになる．脳腫瘍統計は，大学病院からの登録が多いこともあり，神経上皮性腫瘍が10,225例，髄膜腫が8,448例の登録となっている．脳腫瘍統計における年間の神経上皮性腫瘍の登録数は1,460であり，これは全国がん登録2016～2019の神経上皮性腫瘍の年間発生数の4,537例の32%に相当する．全国がん登録は詳細不明のグリオーマの診断も多いため，神経上皮性腫瘍の分布を知るうえでも，脳腫瘍統計の調査結果は有用である．

表1-2 脳腫瘍全国集計調査2009～2015における，WHO 2007に基づいた原発性脳腫瘍の登録数

組織型	登録数	割合
毛様細胞性星細胞腫	456	1.4%
毛様類粘液性星細胞腫	31	0.1%
上衣下巨細胞性星細胞腫	47	0.1%
多形黄色星細胞腫	49	0.1%
びまん性星細胞腫	708	2.1%
線維性星細胞膠腫	54	0.2%
肥胖細胞性星細胞腫	20	0.1%
原形質性星細胞腫	11	0.0%
退形成性星細胞腫	1,077	3.2%
膠芽腫	4,641	13.8%
巨細胞膠芽腫	30	0.1%
膠肉腫	74	0.2%
大脳神経膠腫症	119	0.4%
乏突起膠腫	481	1.4%
退形成性乏突起膠腫	451	1.3%
乏突起星細胞腫	278	0.8%
退形成性乏突起星細胞腫	292	0.9%
上衣下腫	44	0.1%
粘液乳頭状上衣腫	3	0.0%
退形成性上衣腫	162	0.5%
細胞性上衣腫	4	0.0%
乳頭状上衣腫	2	0.0%
明細胞上衣腫	2	0.0%
伸長細胞性上衣腫	4	0.0%
退形成性上衣腫	144	0.4%

表 1-2 （つづき）

組織型	登録数	割合
病理診断不明のグリオーマ	221	0.7%
脈絡叢乳頭腫	70	0.2%
異型脈絡叢乳頭腫	10	0.0%
脈絡叢癌	11	0.0%
星芽腫	13	0.0%
第三脳室脊索腫様膠腫	5	0.0%
血管中心性膠腫	4	0.0%
異形成性神経節細胞腫（Lermitte-Duclos病）	12	0.0%
線維形成性乳児星細胞腫および神経節膠腫	6	0.0%
胚芽異形成性神経上皮腫瘍	39	0.1%
神経節細胞腫	5	0.0%
神経節膠腫	94	0.3%
退形成性神経節膠腫	6	0.0%
中枢性神経細胞腫	123	0.4%
脳室外神経細胞腫	4	0.0%
乳頭状グリア神経細胞腫瘍	2	0.0%
ロゼット形成性グリア神経細胞腫瘍	19	0.1%
傍神経節腫	24	0.1%
松果体細胞腫	26	0.1%
中間型松果体実質腫瘍	41	0.1%
松果体芽腫	18	0.1%
松果体部乳頭状腫瘍	4	0.0%
髄芽腫	204	0.6%
線維形成結節性髄芽腫	20	0.1%
高度結節性髄芽腫	1	0.0%
退形成性髄芽腫	5	0.0%
大細胞性髄芽腫	2	0.0%
中枢神経系原始神経外胚葉腫瘍	29	0.1%
中枢神経系神経芽腫	21	0.1%
中枢神経系神経節芽腫	0	0.0%
髄上皮腫	0	0.0%
上衣芽腫	2	0.0%
非定型奇形腫様ラブドイド腫瘍	33	0.1%
神経鞘腫	3,024	9.0%
富細胞性シュワン細胞腫	21	0.1%
メラニン性シュワン細胞腫	2	0.0%
神経線維腫	33	0.1%
神経周膜腫	1	0.0%
悪性神経周膜腫	2	0.0%
悪性末梢神経鞘腫瘍	11	0.0%
類上皮悪性末梢神経鞘腫瘍	1	0.0%
髄膜腫	2,575	7.7%
髄膜皮性髄膜腫	2,462	7.3%
線維性髄膜腫	931	2.8%
移行性髄膜腫	1,163	3.5%

表 1-2 （つづき）

組織型	登録数	割合
砂粒腫性髄膜腫	103	0.3%
血管腫性髄膜腫	235	0.7%
微小嚢胞性髄膜腫	87	0.3%
分泌性髄膜腫	49	0.1%
リンパ球形質細胞に富む髄膜腫	5	0.0%
化生性髄膜腫	23	0.1%
脊索腫様髄膜腫	26	0.1%
明細胞髄膜腫	19	0.1%
異型髄膜腫	685	2.0%
乳頭状髄膜腫	8	0.0%
ラブドイド髄膜腫	12	0.0%
退形成(悪性)髄膜腫	65	0.2%
脂肪腫	28	0.1%
血管脂肪腫	1	0.0%
褐色脂肪腫	1	0.0%
脂肪肉腫	2	0.0%
孤立性線維性腫瘍	50	0.1%
線維肉腫	1	0.0%
悪性線維性組織球腫	7	0.0%
平滑筋肉腫	3	0.0%
横紋筋肉腫	6	0.0%
脊索腫	141	0.4%
軟骨腫	10	0.0%
軟骨肉腫	59	0.2%
骨腫	47	0.1%
骨肉腫	8	0.0%
血管腫	405	1.2%
類上皮血管内皮腫	6	0.0%
血管周皮腫	98	0.3%
退形成性血管周皮腫	20	0.1%
血管肉腫	5	0.0%
Ewing 肉腫	2	0.0%
メラニン細胞増殖症	2	0.0%
メラニン細胞腫	3	0.0%
黒色腫	4	0.0%
血管芽腫	601	1.8%
中枢神経系原発悪性リンパ腫(B 細胞性)	1,779	5.3%
中枢神経系原発悪性リンパ腫(T 細胞性)	22	0.1%
中枢神経系原発悪性リンパ腫(その他)	85	0.3%
形質細胞腫	17	0.1%
顆粒球肉腫	1	0.0%
胚腫	388	1.2%
HCG 産生胚腫	29	0.1%
胎児性癌	5	0.0%
卵黄嚢腫瘍	28	0.1%

表 1-2　(つづき)

組織型	登録数	割合
絨毛癌	8	0.0%
奇形腫	20	0.1%
奇形腫(非悪性)	21	0.1%
奇形腫(悪性)	43	0.1%
混合胚細胞腫瘍	59	0.2%
頭蓋咽頭腫	473	1.4%
エナメル上皮腫型頭蓋咽頭腫	115	0.3%
乳頭型頭蓋咽頭腫	34	0.1%
トルコ鞍部顆粒細胞腫	10	0.0%
下垂体細胞腫	65	0.2%
紡錘形細胞オンコサイトーマ	6	0.0%
ラトケ囊胞	561	1.7%
GH産生下垂体腺腫	785	2.3%
PRL産生下垂体腺腫	620	1.8%
GH-PRL産生下垂体腺腫	139	0.4%
TSH産生下垂体腺腫	61	0.2%
ACTH産生下垂体腺腫	247	0.7%
ゴナドトロピン産生下垂体腺腫	598	1.8%
ナルセル腺腫	2,581	7.7%
多ホルモン分泌腺腫	127	0.4%
類表皮囊胞腫	261	0.8%
類皮囊胞	39	0.1%
偽性腫瘍(炎症など)	54	0.2%
その他の腫瘍	600	1.8%
診断・詳細不明	351	1.0%
合計	33,543	100.0%

3 脳腫瘍の予後

表1-3には，脳腫瘍全国集計調査2009〜2015における，主な脳腫瘍の予後を示す。Kaplan-Meier解析に基づく脳腫瘍の5年生存割合は，良性腫瘍はいずれも95%以上である。悪性脳腫の代表である膠芽腫は16.0%と未だに予後不良で，中枢神経系原発悪性リンパ腫が49.8%であった。脳腫瘍統計には，部位別の腫瘍の発生頻度や，各腫瘍の年齢分布・神経症状・手術などの治療別の予後などが詳細に記述されており，脳腫瘍の組織別の特徴を理解するためにも参照してほしい。

表 1-3　主な脳腫瘍の予後（脳腫瘍全国集計調査報告 2009～2015）

組織型	登録数	割合	生存期間		無増悪生存期間	
			中央値	5年割合（％）	中央値	5年割合（％）
毛様細胞性星細胞腫	456	1.4%	NR	94.2	NR	77.9
星細胞腫 Gr.Ⅱ	793	2.4%	NR	73.1	66.1	52.4
乏突起膠腫・乏突起星細胞腫 Gr.Ⅱ	759	2.3%	NR	88.4	93.1	64.0
退形成性星細胞腫 Gr.Ⅲ	1,077	3.2%	36.0	37.1	21.0	31.1
退形成性乏突起膠腫・乏突起星細胞腫 Gr.Ⅲ	743	2.2%	NR	68.3	76.1	54.3
膠芽腫	4,745	14.1%	19.0	16.0	12.0	16.1
上衣腫	170	0.5%	NR	90.7	NR	72.4
退形成性上衣腫	144	0.4%	103.0	61.6	27.0	34.3
神経節膠腫	94	0.3%	NR	94.3	NR	93.8
中枢性神経細胞腫	123	0.4%	NR	99.2	NR	87.3
髄芽腫	232	0.7%	NR	81.1	NR	70.3
胚腫	417	1.2%	NR	96.7	NR	93.8
中枢神経系原発悪性リンパ腫	1,886	5.6%	59.0	49.8	47.0	43.2
髄膜腫 Gr.Ⅰ	7,633	22.8%	NR	96.6	NR	88.3
髄膜腫 Gr.Ⅱ	730	2.2%	NR	87.2	78.0	56.0
髄膜腫 Gr.Ⅲ	85	0.3%	NR	68.3	26.0	32.1
神経鞘腫	3,047	9.1%	NR	98.8	NR	85.4
GH産生下垂体腺腫	785	2.3%	NR	98.8	NR	96.0
PRL産生下垂体腺腫	620	1.8%	NR	99.2	NR	97.1
ACTH産生下垂体腺腫	247	0.7%	NR	97.5	NR	86.3
非機能性下垂体腺腫	3,179	9.5%	NR	97.5	NR	88.1
頭蓋咽頭腫	622	1.9%	NR	95.8	NR	71.0
脊索腫	141	0.4%	NR	88.3	67.0	55.3
血管芽腫	601	1.8%	NR	95.9	153.1	85.6
類表皮嚢胞腫	261	0.8%	NR	99.1	NR	89.4

NR：not reached, Gr：Grade

参考文献

1) Ostrom QT, Gittleman H, Xu J, et al. CBTRUS Statistical Report：Primary Brain and Other Central Nervous System Tumors Diagnosed in the United States in 2014-2018. Neuro Oncol. 2021；23(Suppl 3)：iii1-iii105.

III 脳腫瘍の診断

1 画像診断

　術前の画像情報は，脳腫瘍の病理診断を行ううえで極めて重要な位置を占める。例えば，腫瘍性病変が髄内病変であるか髄外病変であるか，白質病変か皮質病変か，もしくは正常構造との位置関係などの局在情報は確定診断前の鑑別診断を適切に行うために参考になる。さらに病変が浸潤性か限局性か，よく造影されるか造影に乏しいか，病変内の血流が上昇しているのか低下しているのかといった質的情報は，術式の選択と術中の採取部位決定に関する情報を得るうえで必要不可欠である[1]。古典的に術前画像診断として用いられてきた単純レントゲンや脳血管撮影は，現在においても一定の有用性を維持している。さらには画像診断の進歩により，血管系を含む多くの情報は頭部MRIのさまざまなシーケンス，例えば単純および造影後T1強調画像 weighted imaging(WI)，T2WI，FLAIR画像，拡散強調画像 diffusion WI(DWI)，磁化率強調画像 susceptibility WI(SWI)，MR灌流画像，脂肪抑制画像により得ることができる。頭部CTや核医学検査はその情報を補う意味で重要な検査である。特に骨情報，石灰化や出血の有無に関しては，頭部MRIでのT2WIやSWIの撮影である程度の推測はできるものの，頭部CT撮影も併用することでより確定的な情報を得ることができる。

　画像診断についての詳細な解説は他書に譲ることとして[2,3]，本規約では主に病理診断の観点から必要な画像診断，特にMRIによる診断について述べる。

A．病変の局在診断と病理診断における意義

　画像診断が発達した現在においても，検体採取が困難な一部の病変を除き，最終診断に病理組織診断は不可欠である。ほかの臓器における病理診断と脳腫瘍における病理診断との最大の差異は，多くの病変の摘出術において周辺の正常構造物を十分に含む一塊の摘出が行われないことである。このため，術前の画像局在診断は術中の解剖学的情報とともに重要な意味を有する。例えば，腫瘍が髄外か髄内かといった情報や脳室壁と接しているかどうかといった情報は，病理診断を行ううえで重要な情報となる。生検による微小な組織採取の場合は，白質か灰白質かといった重要な情報を病理組織のみから得ることは困難な場合があり，画像上のどの部位を採取したのかといった情報を病理医に提供することは重要である。

　例えば，脳幹橋部や視床に局在するグリオーマが疑われる病変(境界不明瞭なT2WI高信号領域や造影領域)を採取した場合は，diffuse midline glioma[4]を疑い，HE染色による形態診断に加え免疫組織学的診断や分子診断を行うことになる。上衣腫，髄芽腫，胚細胞腫などの好発部位に発生した病変の場合は，病変局在と画像所見からある程度鑑別診断を

III 脳腫瘍の診断　13

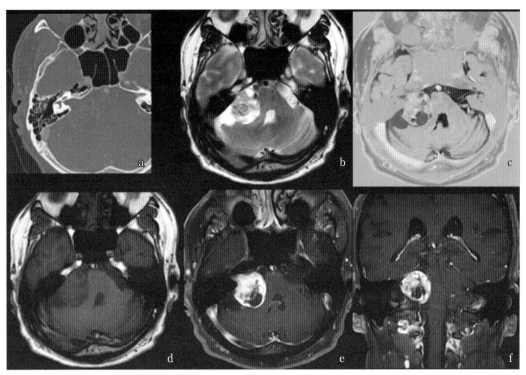

図 1-1　61 歳男性に発生した実質外腫瘍（神経鞘腫）
頭部 CT 画像(a)において右内耳道は拡大し，MRI の T2 強調画像(b)および T2WI-DRIVE・造影 T1WI 差分画像(c)にて，右小脳橋角部に正常脳実質や脳神経との境界が明瞭な不均一な信号の病変を認める。単純 T1 強調画像(d)にて低から等信号の病変は，造影剤により内部の囊胞・壊死部分を除き造影効果を呈する(e, f)。

絞り込むことが可能な場合もある。よって画像診断から得られた情報をもとに，考えられ得る可能性の高い疾患を優先して病理学的精査を行うことができる。

　髄外腫瘍の場合は，画像診断は術前計画にも重要な情報を提供する。しかしながら，病理診断にも画像診断が有用であることも多くあり，例えば脳神経との関係があるかなどの局在情報が，正確な病理診断のために必要となる症例も少なくない（図 1-1）。髄外病変は，通常頭蓋や硬膜構造に接し，隣接する脳実質や脳表血管をそれらから遠ざける方向に圧排すること，境界明瞭であり病変の周辺に線状あるいは帯状の間隙が存在することなどの特徴より髄内病変との鑑別が可能であるが，どうしても髄内病変であることが否定できない場合や，脳組織への浸潤が疑われる場合は，脳実質および境界部を積極的に病理提出することにより，正確な診断が可能となる。

　また，後述の質的診断とも関連するが，多発性病変や広範囲な病変において MRI 診断上，組織採取に適した領域が複数箇所推測される場合，臨床的に最も安全に摘出可能な部位の組織採取を行うことが多く，この際も画像による位置情報が非常に有用となる。この際，脳の機能情報を得るための手法として，functional MRI による言語野・運動野の同定を行ったり，拡散テンソル画像 diffusion tensor imaging（DTI）から得られる tractography

により，機能的に重要な皮質領域や白質線維と病変との位置関係を推定することがある[5]。

B．病変の質的診断と病理診断における意義

　術前画像診断において，その病変が腫瘍性病変であるか非腫瘍性病変であるかということがしばしば問題となる。例えば，多発性硬化症などの脱髄性疾患や脳炎，血管炎といった非腫瘍性病変はときに腫瘍性髄内病変との鑑別が困難であることがある。脱髄疾患においては，open ring sign といわれる特徴的な造影様式が鑑別に役立つことがある[6]。下垂体炎は稀なトルコ鞍部の非腫瘍性病変であり，しばしば下垂体腺腫との鑑別を要する[7]。これらの鑑別においては，MRI による質的診断に加え，経時的画像変化を観察することも非常に有用な情報となる。画像所見，血液検査，髄液検査から非腫瘍性病変が強く疑われた場合は，組織採取による病理診断を行わず，ステロイド・抗生剤などの内科治療や経過観察を優先する場合もある。

　腫瘍性病変が疑われた場合，その病変が境界不明瞭な（浸潤性）病変であるか明瞭な（限局性）病変であるかといった質的情報は，効率的な病理診断のために非常に有用である。頭部 MRI で，T2WI や FLAIR 画像での高信号域の境界部が不明瞭か否かを観察することは，限局性病変か浸潤性病変かの推定に有用であり，原則的に限局性に進展する良性病変と浸潤性に増殖する悪性病変との鑑別の一助となる（図 1-1〜3）。

　浸潤性グリオーマの場合，さらに各種撮像法を駆使することによりある程度の質的診断が可能である。血液脳関門 blood-brain barrier (BBB) の破綻を反映する造影部位の存在や，hyper vascularity を反映する灌流画像での高灌流や T2WI での無信号野の存在，高い細胞密度などを反映する DWI での ADC 低下や DTI での fractional anisotrophy (FA) 値上昇，細胞破壊や壊死の存在を反映する MR spectroscopy (MRS) での高い Cho ピークや乳酸ピーク，正常神経細胞の障害を反映する MRS での NAA の低下などの MRI 情報に加え，高い代謝活動を反映する ^{11}C-メチオニン (Met)-PET 検査でのトレーサーの高集積所見[8]といったさまざまな補助画像情報が，その病変の悪性度が高いことを示唆する。Astrocytic tumor か oligodendroglial tumor かの鑑別に，HE 染色に加え免疫染色や 1p/19q codeletion などの分子診断が必要であることは言うまでもないが，後者は皮質局在であることが多い点や頭部 CT での石灰化の存在といった所見を有することが知られている[9]。さらに，T2WI と FLAIR 画像で病変信号が反転する T2-FLAIR mismatch sign は Astrocytoma IDH mutant に特徴的な画像所見である[10]（図 1-3）。

　特に生検術を含む部分摘出術を行う場合，病理診断の過小評価を防ぐために，さまざまな画像所見に留意しより悪性度が高いと推定される部位を摘出することが重要である。壊死病変の病理学的な確認も正確な病理診断のために不可欠であるため，病変内部の非造影部分の同時採取も推奨される。また，最善の部位に対する生検がなされたとしても，術中迅速病理診断による診断は悪性度を過小評価しやすい点や[11]，稀にグリオーマ系の腫瘍と中枢神経原発性悪性リンパ腫 primary central nervus system lymphoma (PCNSL) などの鑑別に苦慮する場合がある点などに留意する必要がある。

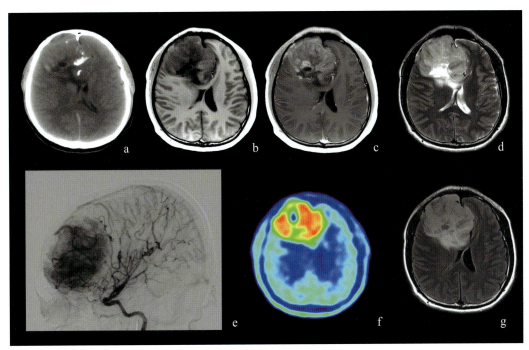

図 1-2　37 歳男性に発生した実質内腫瘍(Oligodendroglioma, IDH mutant and 1p/19q-codeleted, WHO grade 3)

頭部 CT 画像(a)において腫瘍内に石灰化と思われる高吸収域を認め，病変は単純 T1 強調画像(b)で低信号，造影 T1 強調画像(c)で造影され，T2 強調画像で高信号(d)として描出されている．血管造影検査(e)は腫瘍の血流評価のみならず，手術に際して問題となる架橋静脈との関係を知るうえで有用であることがある．Oligodendroglioma は ^{11}C-Met-PET 画像(f)で高集積病変としてしばしば描出され，Astrocytoma IDH mutant でみられるように FLAIR 画像で病変が低信号に描出されることは少ない(g)．

C．鑑別診断に画像診断が有用な病変

臨床的に頻繁に問題となるのは，初回手術前の画像検査における PCNSL，転移性脳腫瘍ならびに膠芽腫 glioblastoma(GBM) の鑑別や転移性脳腫瘍やグリオーマの放射線壊死と真の再発病変との鑑別である．いずれも病理診断による確定が最善であることは言うまでもないが，病変の摘出の可否や摘出量を術前に計画する際に，上記の画像的鑑別は非常に重要な情報となる．

PCNSL と GBM はいずれも MRI において周辺領域の T2WI 高信号域を有する造影病変として描出されることが多いが(図 1-4)，PCNSL は DWI でより高信号を呈する一方で，MR 灌流画像で GBM よりは灌流が低いことが多い[12]．GBM は，典型的な単発病変だけでなく多発性病変を呈する場合もある．この所見は，多中心性病変 multi-centric lesion と表現されることがあるが，腫瘍細胞が白質線維に沿って浸潤する連続した高信号域を FLAIR 画像で確認できることが多く，真に独立した病変を呈することの多い多発性病変としての PCNSL や転移性脳腫瘍の画像所見とは異なることが多い[13]．また，PCNSL はほかの 2 疾患と比較して壊死部や囊胞を形成しにくい．血管内リンパ腫 intravascular lymphoma(IVL) を疑うような多発脳梗塞様の DWI 高信号域を呈するも造影効果に乏しい画

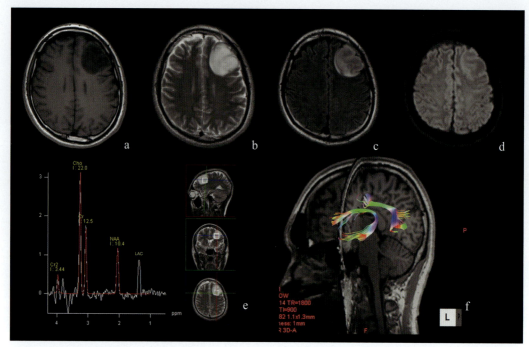

図1-3　28歳男性に発生した実質内腫瘍（Astrocytoma IDH mutant, WHO grade 2）
T1強調画像（a）において脳実質内に正常白質に比べて低信号の病変を認め，T2強調画像（b）では高信号，FLAIR画像（c）では病変周囲は高信号だが中心部分は低信号に描出された。MRS（e）ではCho/Cr比の上昇とNAAの低下，Lacピークを有する。拡散強調画像（f）は等信号であり，病変の細胞密度はそれほど高くないことを思わせる。T2強調画像で高信号に描出される病変中心部がFLAIR画像で低信号に反転する場合をT2-FLAIR mismatch sign陽性と判断し，Astrocytoma IDH mutantに特徴的な画像所見である。

像的に遭遇した場合は，脳内の病変に対する生検術以外にランダム皮膚生検が診断の確定に有用である[14]。PCNSLやIVLが臨床経過や画像所見から疑われる症例では，術前のステロイド投与が病理組織診断の妨げとなるため，使用は控えるべきである。

　再発疑い例における放射線壊死と真の再発病変を鑑別することは，実臨床において非常に重要な問題である。両者とも病変が造影効果を有し周辺に浮腫（あるいは浸潤領域）を示唆するT2WI高信号域の拡大を伴うことが多いため，非常に鑑別が困難とされる。両者の発症時期は若干異なり，前者は照射野内に発生しやすく画像所見に比べて臨床症状が軽微なことが多いなど，ある程度の鑑別が可能である。放射線壊死に特徴的な画像所見は，低灌流な地図状の強い造影効果と腫脹に乏しい広いT2WIでの周辺高信号であるが，MRI画像のみでは真の再発病変との鑑別が困難なことも多く（**図1-5**），^{201}Tl-SPECTにおける3時間後の遅延像や，最近では^{11}C-Met-PETが鑑別のためにしばしば用いられる。^{11}C-Met-PET検査は特異度が非常に高い検査法であることが知られているものの[15]，偽陽性・偽陰性例も散見され判定に注意を要する。また，炎症などの非腫瘍性病変でも^{11}C-Met-PETで高集積となり得ることを念頭に置くべきである。放射線壊死をより疑う場合は，ステロイドなどの治療介入を適宜行いながらの慎重な経過観察が不可欠であるが，しばしば病理組織学的診断を要することもある。

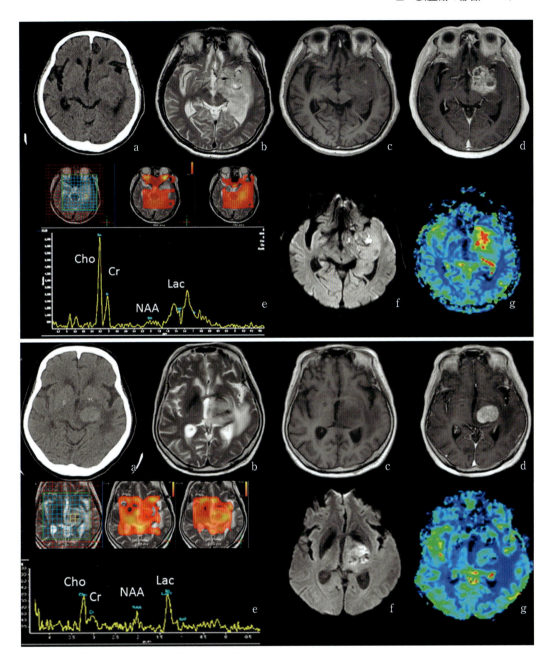

図 1-4　悪性腫瘍における膠芽腫と中枢神経系原発悪性リンパ腫の鑑別

それぞれ膠芽腫（上図：GBM）と中枢神経系原発悪性リンパ腫（下図：PCNSL）における頭部 CT 画像(a)，T2 強調画像(b)，単純および造影 T1 強調画像(c, d)，MRS(e)，拡散強調画像(f)，灌流画像(g)を示す。いずれも周囲の T2 高信号域を有する造影領域を有し，上段の画像のみでは鑑別に苦慮する。GBM および PCNSL とも MRS で明瞭な乳酸ピークの上昇を認める。PCNSL では，拡散強調画像が比較的高信号である一方で，灌流に乏しい。

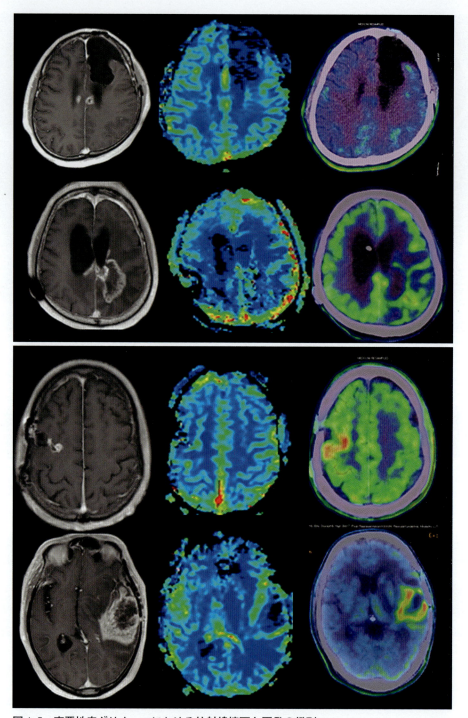

図 1-5　高悪性度グリオーマにおける放射線壊死と再発の鑑別
WHO grade 3, 4 のグリオーマで，臨床経過あるいは病理組織より最終診断を得た放射線壊死例（上段：37 歳男性，下段：71 歳男性）と再発例（上段：56 歳男性，下段：65 歳男性）を 2 例ずつ提示する。それぞれ左側より造影 T1 強調画像，灌流画像，^{11}C-Met-PET 画像（再発例下段は MRI の 3 週間前に撮像。それ以外は MRI と同時期の撮影）を示す。両者とも造影領域および周囲の低信号領域を有するため，通常の MRI 画像のみでは鑑別が困難なことがある。再発例は，放射線壊死例と比較して造影部位の一部あるいは全域に高灌流領域を有し，^{11}C-Met の取り込みが高いことが特徴的である。

画像的鑑別は腫瘍と正常構造物との位置関係をよく精査し，それらの所見を正確に記述することが重要である．よって臨床側は画像検査を詳細に行い，病理診断依頼文書には診断をミスリードさせるような不適切な記載をしないようにする必要がある．反対に病理側は，臨床側で画像検査がどのような過程を経て解釈され，病理診断依頼文書を作成したのかを理解しておく必要がある．

D．髄腔内播種と病理診断における意義

脳腫瘍や脊髄腫瘍の腫瘍細胞が髄液や脳溝・脳槽・脳室壁といった脳脊髄腔壁に播種状に進展・存在する状態を，髄腔内播種と称する．確定診断は，細胞診による脳脊髄液内の腫瘍細胞の存在を確認することであるが，転移性脳腫瘍を除く多くの髄内腫瘍では腫瘍細胞の存在を同定することが困難な場合が多く，しばしば病理学的診断よりも画像診断が優先される．造影 T1WI あるいは造影後の FLAIR 画像では，脳槽や脳室壁に沿った造影効果を呈し，非造影の T2WI や FLAIR 画像で同部位および周辺の高信号を認めることが多い．ただし，脳室炎でも同様の所見を呈するため，注意が必要である．また，播種に並行してあるいは画像的に播種が確認される前に，しばしば交通性水頭症による脳室拡大を呈すが[16]，播種がなくとも同様の所見を呈する場合もあり，特異的所見ではない．

E．画像検査の進歩と病理診断の役割

先述の通り，グリオーマの悪性度や代謝活動を把握する目的で ^{11}C-Met-PET が有用であることがしばしば報告されている．PCNSL では，通常脳血流把握の目的で用いられる ^{123}I-IMP-SPECT の遅延像で高集積を認めることが多いが慎重な解釈が必要である[17]．転移性脳腫瘍は，糖代謝を反映する ^{18}F-FDG-PET で高集積を示すことが多い．近年，低酸素や血管新生，移入したリンパ球の存在を反映する PET 画像などの研究も盛んに行われており，今後の発展が期待される．

ゲノム・エピゲノム情報を MRI・PET などの画像検査から得ようとするさまざまな試みもなされている．例えば，グリオーマにおける IDH 変異は組織中への 2-hydroxyglutarate（2-HG）の蓄積をもたらすことから，MRS による 2-HG の検出が試みられている[18,19]．

また，MRI や PET などから得られる質的情報は，時間的・空間的に不均一である一方で，従来 1 個体における病理情報を多次元に扱うことは少なかった．近年，1 個体の病変内にも不均一性があり，造影領域と非造影領域，あるいは高灌流領域と低灌流領域などの画像的所見の違いが腫瘍組織の遺伝子プロファイリングなどにも影響をもたらすとするいわゆる"radiogenomics"という概念が注目されている[20]．今後は，ますます術前の画像情報の重要性が増すことになるとともに，検体採取部位画像情報と病理所見を照らし合わせることが重要になる．

参考文献
1）日本脳神経外科学会・日本病理学会編．臨床・病理 脳腫瘍取扱い規約 第 4 版．金原出版，2018，pp61-7．

2）興梠征典 監・安陪等思 編・平井俊範，野口智幸，古川又一 編著．WHO 分類による脳腫瘍の MRI．金原出版．2014．

3）青木茂樹．よくわかる脳 MRI 改訂第 4 版，青木茂樹，相田典子，井田正博，他 編．画像診断別冊 KEY BOOK シリーズ，秀潤社，2020．

4) Aboian MS, Solomon DA, Felton E, et al. Imaging Characteristics of Pediatric Diffuse Midline Gliomas with Histone H3 K27M Mutation. AJNR Am J Neuroradiol. 2017；38(4)：795-800.

5) Villanueva-Meyer JE, Mabray MC, Cha S. Current Clinical Brain Tumor Imaging. Neurosurgery. 2017；81(3)：397-415.

6) Masdeu JC, Moreira J, Trasi S, et al. The open ring. A new imaging sign in demyelinating disease. J Neuroimaging. 1996；6(2)：104-7.

7) Leung GK, Lopes MB, Thorner MO, et al. Primary hypophysitis：a single-center experience in 16 cases. J Neurosurg. 2004；101(2)：262-71.

8) Nariai T, Tanaka Y, Wakimoto H, et al. Usefulness of L-[methyl-11C]methionine-positron emission tomography as a biological monitoring tool in the treatment of glioma. J Neurosurg. 2005；103(3)：498-507.

9) Smits M. Imaging of oligodendroglioma. Br J Radiol. 2016；89(1060)：20150857.

10) Patel SH, Poisson LM, Brat DJ, et al. T2-FLAIR Mismatch, an Imaging Biomarker for IDH and 1p/19q Status in Lower-grade Gliomas：A TCGA/TCIA Project. Clin Cancer Res. 2017；23(20)：6078-85.

11) Ishikawa E, Yamamoto T, Satomi K, et al. Intraoperative pathological diagnosis in 205 glioma patients in the pre-BCNU wafer era：retrospective analysis with intraoperative implantation of BCNU wafers in mind. Brain Tumor Pathol. 2014；31(3)：156-61.

12) Toh CH, Wei KC, Chang CN, et al. Differentiation of primary central nervous system lymphomas and glioblastomas：comparisons of diagnostic performance of dynamic susceptibility contrast-enhanced perfusion MR imaging without and with contrast-leakage correction. AJNR Am J Neuroradiol. 2013；34(6)：1145-9.

13) Stuckey SL, Wijedeera R. Multicentric/multifocal cerebral lesions：can fluid-attenuated inversion recovery aid the differentiation between glioma and metastases? J Med Imaging Radiat Oncol. 2008；52(2)：134-9.

14) Matsue K, Asada N, Odawara J, et al. Random skin biopsy and bone marrow biopsy for diagnosis of intravascular large B cell lymphoma. Ann Hematol. 2011；90(4)：417-21.

15) Nihashi T, Dahabreh IJ, Terasawa T. Diagnostic accuracy of PET for recurrent glioma diagnosis：a meta-analysis. AJNR Am J Neuroradiol. 2013；34(5)：944-50, S1-11.

16) Onuma K, Ishikawa E, Matsuda M, et al. Clinical characteristics and neuroimaging findings in 12 cases of recurrent glioblastoma with communicating hydrocephalus. Neurol Med Chir(Tokyo). 2013；53(7)：474-81.

17) Osawa S, Tosaka M, Horiguchi K, et al. Usefulness of dual isotope ^{123}I-IMP and ^{201}Tl SPECT for the diagnosis of primary central nervous system lymphoma and glioblastoma. Int J Clin Oncol. 2022；27(8)：1264-72.

18) Choi C, Ganji SK, DeBerardinis RJ, et al. 2-hydroxyglutarate detection by magnetic resonance spectroscopy in IDH-mutated patients with gliomas. Nat Med. 2012；18(4)：624-9.

19) Li X, Strasser B, Jafari-Khouzani K, et al. Super-Resolution Whole-Brain 3D MR Spectroscopic Imaging for Mapping D-2-Hydroxyglutarate and Tumor Metabolism in Isocitrate Dehydrogenase 1-mutated Human Gliomas. Radiology. 2020；294(3)：589-97.

20) Aftab K, Aamir FB, Mallick S, et al. Radiomics for precision medicine in glioblastoma. J Neurooncol. 2022；156(2)：217-31.

2 脳腫瘍診断・治療成績の用語の定義

A．Complete response(CR) 完全奏功，著効
　腫瘍が画像上消失し神経所見が改善または安定化し，かつ対症療法としてのステロイドが使用されていない場合を指す。その腫瘍に相当する腫瘍マーカーがある場合は，基準値上限以下である必要がある。

B．Recurrence 再発
　(局所)再発とは，原発腫瘍に対する手術あるいはほかの治療によって腫瘍がCRとなった状態から，初発部位あるいは組織学的に連続的浸潤が予測される部位に原発巣と同一組織の病巣を生じたものとする。

C．Regrowth 再増生(大)
　再増生(大)とは，原発腫瘍に対する手術あるいはほかの治療によっても腫瘍が消失せず，残存している場合，その腫瘍がさらに増大してきた病態をいう。

D．Progression 増悪
　増悪に関しては，原発巣(標的病変)の増大・進展，新規病変の出現，非評的病変の増大などを示すが，それぞれの判定基準，臨床試験によってそれぞれ基準が定められている。

　原発巣の増大については，WHOにより測定病変の25％の増大をprogressionと定められたものが最初であるが，測定方法については記載されていなかった[1]。その後，Response Evaluation Criteria in Solid Tumors(RECIST guideline(version 1.1))では標的病変の径の和が20％以上の増大とされた[2]。Response Assessment in Neuro-Oncology(RANO)基準では，基本的には標的病変について最大スライスの長径とそれに直交する最大径の積の全標的病変の和(sum of products of diameters：SPD)が25％以上増大した場合をprogressionと定義している[3]。

E．Pseudoprogression 偽増悪
　治療早期に造影病変の増大にもかかわらず，臨床症状の悪化に乏しく，摘出組織での組織所見が壊死像主体である病態。組織診断がなされない場合，確定診断は容易ではない。

F．Overall survival(OS) 全生存期間
　登録日から死亡までの期間。最終生存確認日をもって打ち切りとする。

G．Progression-free survival(PFS) 無増悪生存期間
　登録日または治療開始日から死亡または増悪までの期間。

H．Relapse-free survival(RFS) 無再発生存期間
　登録日または手術日から死亡または再発までの期間。

I．Disease-free survival(DFS) 無病生存期間

登録日または手術日から死亡または再発までの期間。二次腫瘍はイベント(再発と同様)として扱う。

J．Time to treatment failure(TTF) 治療成功期間

登録日または治療開始日から死亡，増悪，治療中止までの期間。Event-free survival (EFS)ともいう。Time to progression(TTP)無増悪期間は試験によって定義が異なることがあり，使用しない。

K．Response duration 奏効期間，効果持続期間

CRまたはPR(後述)が得られた日から死亡または増悪までの期間。最近は比較可能性の問題により用いられないことも多い。

L．Complete response duration 著効期間，完全奏効期間

CRが得られた日から死亡または再発までの期間。最近は比較可能性の問題により用いられないことも多い。

M．Dissemination by cerebrospinal fluid 髄腔内播種

播種とは，脳脊髄液に媒介された腫瘍細胞が組織の表面に生着し増殖する病態とする。その播種部位を特定して，①脳室内播種，②髄膜播種，③大槽内播種などと使用される。

N．Metastasis 転移

原発巣とは連続性の予測されない部位に腫瘍塊を形成し，増殖する病態を指す。

1．脳内転移

同一脳内に連続性のない複数の腫瘍が異時性に見出され，かつ病理組織学的に同一の構造を呈する場合をいうが，確定診断は発生の過程を連続的に追求し得ない限り不可能である。同時性に発見された場合は同様の理由で多発性と診断されることが多いが，確定診断は困難である。

2．頭蓋外転移

原発巣組織と同一の腫瘍が頭蓋外臓器へ非連続性に出現した場合をいう。

O．Meningeal gliomatosis 髄膜膠腫症

グリオーマの腫瘍細胞が髄液中あるいは脳表，さらにはくも膜下腔に広範囲に進展，浸潤した状態。くも膜下腔に小結節を形成することもある。脳内腫瘍が髄液と接する部分から発生した場合(二次性)と，脳内病巣が特定できない場合(原発性)がある。

P．Meningeal carcinomatosis 髄膜癌腫症

癌細胞が髄液中あるいはくも膜下腔に広範囲に進展，浸潤している状態。meningitis

carcinomatosa 癌性髄膜炎とも呼ぶ。くも膜下腔に小結節を形成することもある。

Q．抗がん剤の臨床試験

1．Phase Ⅰ study 第Ⅰ相試験

薬物動態の検討，dose limiting toxicity(DLT)用量制限毒性の検討に基づき maximum tolerated dose(MTD)最大耐用量の決定，第Ⅱ相試験への推奨用量・用法の決定を行う。

2．Phase Ⅱ study 第Ⅱ相試験

第Ⅰ相試験より得られた推奨用量・用法を用いて当該薬剤(治療法)の抗腫瘍効果を調べる。プライマリーエンドポイントとして腫瘍縮小効果が用いられることが多く，セカンダリーエンドポイントとしては安全性，無増悪生存期間，全生存期間などが用いられる。有効性，安全性を評価し，第Ⅲ相に進むか否かを決定する。20～30 例を対象に行われることが多い。

3．Phase Ⅲ study 第Ⅲ相試験

第Ⅱ相試験で有効性，安全性が確認された薬剤(治療法)と従来の標準治療との効果を比較する randomized controlled trial(RCT)ランダム化比較試験。統計的有意差を検定するため数百例を対象に行われる。優位性を検定する場合と非劣性を調べる場合がある。プライマリーエンドポイントは通常，全生存期間を用いる。

参考文献

1) Miller AB, Hoogstraten B, Staquet M, et al. Reporting results of cancer treatment. Cancer. 1981；47(1)：207-14.
2) Eisenhauer EA, Therasse P, Bogaerts J, et al. New response evaluation criteria in solid tumours: revised RECIST guideline(version 1.1). Eur J Cancer. 2009；45(2)：228-47.
3) Wen PY, Chang SM, Van den Bent MJ, et al. Response assessment in neuro-oncology clinical trials. J Clin Oncol. 2017；35(21)：2439-49.

3 治療効果の判定方法

A．生存期間・生存率

1．生存期間

(悪性)腫瘍の治療効果の判定という意味で，全生存期間 overall survival(OS)は人為的判断の入り込む余地のない生存期間であり，最も客観的で標準的な評価基準である。しかし，臨床試験などのエンドポイントに全生存期間を用いる場合，一般に大きなサンプルサイズが必要であり，(長期生存が期待される腫瘍においては特に)時間，費用，労力がかかることや，再発進行後の治療が交絡因子となって真の治療効果判定が難しくなるなどの問題が生じる。このため実際は，画像検査による病変の変化などの種々の代替の基準 surrogate marker が用いられることも多い。

全生存期間のほか，無増悪生存期間 progressing-free survival(PFS)，無再発生存期間 relapse-free survival(RFS)，無病生存期間 Disease-free survival(DFS)などが用いられ，

ある集団における値は，個々の患者の生存期間の中央値 median で表され，比較などに用いられる。全生存期間における死亡は，腫瘍によらないあらゆる死亡を組み入れることが，バイアスを除くためにも必要とされる。

2．粗生存率

従来使用されてきた主な生存率は，粗生存率と相対生存率に大別される。粗生存率は観察対象者の性・年齢に相当する一般集団の生存率（期待生存率）を考慮しない生存率であるのに対し，相対生存率は期待生存率を考慮した生存率である。

粗生存率の計算法は直接法と累積法に大別される。直説法による粗生存率は，観察開始時点から一定の年限を経過した症例について，生存者数を対象者数で割った値である。この場合，消息不明例の取扱いによって，最小生存率，最大生存率，推定（概算）生存率の3種類の生存率が計算されてきた。これに対し，近年では，癌の臨床試験や予後・自然歴の研究において，累積法である生存関数に基づく方法 method based on survival function が広く使用されている。

3．生存率の計算：生存関数に基づく方法・累積法 cumulative method

粗生存率の累積法による計算方法には，生命表法や Kaplan-Meier 法がある。

生存時間の分析によく用いられる概念に生存関数（生存曲線）やハザードがある。$S(t)$ を時間 t より長く生存する確率を与える関数とし，これを生存関数 survival function と呼ぶ。これにより計算されるものが時間 t における累積生存率 cumulative survival rate であり，この確率を時間軸に対してプロットしたものが生存曲線 survival curve である。例えば，時間の単位が年であるとすると，$S(5年)$ は5年より長く生存する確率，すなわち5年生存率を表す。また，時間 t まで生存した人が（次の瞬間に）死亡する確率を時間 t におけるハザードという。

また，生存時間の分析における大きな特徴の一つに打ち切り censoring がある。これは，死亡などの対象となる事象が起こる前に，脱落や研究終了などで観測ができなくなってしまい完全な生存時間が観測できないときに起こる。右側打ち切り right censoring, 左側打ち切り left censoring, 区間打ち切り interval censoring などが考えられるが，生存時間を分析する際には考慮する必要がある。

4．生存率の計算：Kaplan-Meier 法（product-limit 法）

打ち切りの可能性もあるデータを含む生存時間データから生存関数を推定する場合，Kaplan-Meier 法を用いて生存率を計算するのが便利である。この方法は product-limit 法とも呼ばれる。

Kaplan-Meier 法は，全症例を観察期間の短いものから長いものの順に並べ替え，各死亡時点における生存率を逐次計算していく方法である。観察期間が同じ症例がある場合，それが死亡例と打ち切り例（非死亡例）であれば，死亡例の生存期間の方が短いとみなして，打ち切り例よりも順位を先にするのが慣例である。それ以外ではどちらを先にしてもよい。

5．相対生存率

癌患者の転帰を分析する場合，原病死以外の死因で死亡した場合の症例の取扱いをどう

するかは一つの問題である。交通事故など，明らかに原病死でないと断定できる場合を除き，原病と関係があったかどうかについての判断は困難なことが多く，主観により左右される可能性がある。また，癌の進展度別または治療群別に予後を比較しようとした場合，比較すべきグループの間で性・年齢分布に差が生じていることが多く，これらの偏りによる影響を除外する必要がある。相対生存率を計算すれば，これらの問題をある程度解決できる。

相対生存率は，全死因についての粗生存率を各群の対象者の性・年齢と等しい一般人についての生存率(期待生存率)で割ったもので，次式で求められる。

相対生存率＝粗生存率/期待生存率

性・年齢別期待生存率は日本人の生命表から導くことができる。期待生存率は同一の性・年齢でも毎年変化するので，調査対象とマッチした年度の生命表から算出された生存率を使用する必要がある。

また，相対生存率の標準誤差 standard error(SE)は次の式で求められる。

SE＝粗生存率の標準誤差/期待生存率

6．生存率の比較：Cox の比例ハザードモデル(Cox の重回帰型生命表法)

2群の生存率を比較しようとした場合，ほかの予後因子に偏りがあれば，この偏りの影響を除去して生存率を比較する必要がある。偏りの影響を除去するための最も簡単な方法は，偏りを生じた因子のカテゴリー別(例えば癌の進行期別)に生存率を比較する方法である。しかし，同時に多数の因子を考慮して2群の偏りを補正する必要がある場合には極めて多数の生存率を計算しなければならなくなるし，各カテゴリーの症例数が少なくなり，生存率の計算が困難となる。

1972年に Cox は重回帰分析と生命表法を組み合わせた重回帰型生命表法を提唱した。この方法は proportional hazard model 比例ハザードモデルとも呼ばれる。この方法を用いると，同時に多数の因子を考慮しつつ各群の生存率(補正生存率)を計算することができるほか，各因子の予後因子としての影響を推測することが可能となる。任意の時刻での2人の個人のハザード関数の比は一定であると仮定したうえで，ほかの変数がこれに影響する，という考え方に立っている。

Cox の比例ハザードモデル(Cox 回帰モデル)の詳細な理論や具体的な計算方法については，原著またはほかの解説書を参照されたい。

7．統計学的有意性の検定について

a．生存率は粗生存率と相対生存率に大別され，粗生存率はさらに直接法と累積法の2種類に分かれる。必要に応じてこれらの方法のうち適当な方法を使用すればよいが，できるだけ Kaplan-Meier 法や生命表法を用いて計算することが望ましい。この際，次の点に留意する必要がある。

①生存率のほかに，その標準誤差を計算し，95％信頼区間を示すことが望ましい。
②個別データが利用できる場合にはKaplan-Meier法を用いるのが望ましい。
③相対生存率は他病死を考慮して計算されるが，必ずしも必須ではない（相対生存率で生存率を示すときには，比較のため併せて粗生存率も示すとよい）。
④生存率の計算期間は対象の種類や観察期間で異なるが，少なくとも「5年生存率」と生存曲線を示しておくことが望ましい。結果が不良で観察開始後短期間内に大部分の症例が死亡し，5年生存率が0に近い場合は累積法で50％生存期間（生存期間中央値）を計算し，これを示すことが望ましい（平均生存期間はいずれの場合にも採用しない方がよい）。
⑤多くの予後因子を同時に考慮して独自の予後因子としての影響を推計したり，ほかの予後因子（背景因子）の偏りを補正した生存率を計算するためにCoxの比例ハザードモデルを使用するのがよい。

b．2つ以上の生存率を比較するときには，統計学的な有意性の検定を行う必要がある。
①統計学的な有意性の検定方法としては下記のようにさまざまあるが，それぞれの方法には若干の長所・短所があるので最も適当な方法を選び，使用した方法を記載しておくこと。
　(1) 累積生存率の標準誤差に基づく検定
　(2) Mantel-Haenszel検定
　(3) ログランク検定
　(4) 一般化Wilcoxon検定
　(5) Cox-Mantel検定
　(6) その他
②その他，統計学的な有意性が境界域に近い（$0.05<p<0.10$）ときは念のためにほかの方法で検定し，統計学的有意性を確認しておくことが望ましい（異なる結果が得られたときは両方の結果を示しておくこと）。
③2つの生存曲線の差を観察時期を変えて繰り返して検定したときや，3群以上の生存率の差を同時に検定する場合は，1回のみの検定や，2群間の検定より第一種のエラー（取りすぎのエラー）を冒す確率が大きくなるので，やや厳しい有意水準（例えば0.01または0.001）を用いた方が安全である。これは多重比較の問題といわれている。
④生存率の信頼性および統計学的有意性は症例数により左右されるので，あらかじめ必要症例数を統計学的に考慮しておくこと。

B．画像検査を中心とした評価

　従来，わが国では「固形がん化学療法直接効果判定基準」を参考に，1980（昭和55）年に厚生省がん研究助成金研究班「神経膠腫に対する集学的治療の研究」（班長　最上平太郎）により「脳腫瘍治療効果判定基準（案）」が作成され，これに若干の修正を加えた脳腫瘍全国統計委員会・日本脳神経外科学会「脳腫瘍の治療効果判定基準（案）」が用いられてきた。

近年では，国際的に共通する固形がん治療効果判定のためのガイドラインとして，Response Evaluation Criteria in Solid Tumors(RECIST)が主に用いられるようになり，脳腫瘍の治療効果の判定には，国際的な基準である Macdonald 基準や，さらに新しい Response Assessment in Neuro-Oncology(RANO)基準が用いられるようになってきている。

　脳腫瘍の画像評価には MRI を用いることが多いが，術後評価では，出血などの手術による影響が顕著になる以前の早期(可能ならば24～48時間以内，遅くとも72時間以内)に，撮像を行うことが求められる。

1．Response Evaluation Criteria in Solid Tumors(RECIST)

　1970年代より国際対がん連合や WHO により固形腫瘍の腫瘍縮小効果の評価基準が提唱されてきたが，1990年代に入り，いくつかのグループによりこれらの見直しが行われた。これらのなかで，従来の二次元的計測に代わり，腫瘍を一次元的に測定することで奏効率を得るモデルが提唱された。これが RECIST Group により大規模な検証を受け，新しいガイドラインに統合され，European Organization for Research and Treatment of Cancer (EORTC)のメンバーにより2000年に Journal of the National Cancer Institute に発表された。この検討には米国 National Cancer Institute(NCI)，カナダ NCI も参加している。さらにこのガイドラインの問題点について改良した改訂版 RECIST ガイドライン(第1.1版)が，2009年に発表されている。この RECIST ガイドラインは，脳腫瘍領域では基準としては必ずしも十分ではないともされるが，実際に臨床研究で用いられることも多く重要である。この改訂版 RECIST ガイドライン(第1.1版)の日本語訳は，http://www.jcog.jp/doctor/tool/RECISTv11J_20100810.pdf にて入手可能である。

　RECIST では，腫瘍病変は測定可能(measurable)と測定不能(non-measurable)のいずれかに分類される。脳腫瘍における測定可能病変とは，少なくとも一方向で正確な測定が可能であり(最長径を記録する)，CT，MRI で≧10 mm(ただしスライス厚が＞5 mm の場合は，測定可能病変のサイズの最小値はスライス厚の2倍とする)の病変を指す。測定不能病変とは，小病変および真の測定不能病変(軟膜髄膜病変など)を含む，測定可能病変以外のすべての病変である。すべての測定可能病変のうち，すべての浸潤臓器の代表として各臓器につき最大2病変，合計5病変までを標的病変として選択し，全標的病変の径の和を算出して，ベースライン径和とする。標的病変の評価を**表1-4**に基づいて判定する。また，非標的病変の評価を，**表1-5**に基づいて評価する。標的病変と非標的病変の反応および新病変出現の有無を総合して，**表1-6**によって総合効果の判定を行う。

2．Macdonald 基準

　悪性脳腫瘍では，腫瘍自体の増大・縮小に加え，ステロイド使用にても見かけ上，画像的改善が得られることがある。また，通常の造影画像では著しい変化がなくても神経症候の変化がみられることもある。これらを勘案して1990年 Macdonald らは悪性グリオーマに対するステロイド使用や神経学的症状を加味した基準を発表した(**表1-7**)[1]。

　RECIST 基準では，腫瘍の一方向の径が測定されるのに対し，本基準での腫瘍の大きさは，腫瘍の断層像が最も大きく表されている一断層で，(最長径)×(それに直交する最も長

表1-4 標的病変の評価[RECISTガイドライン(第1.1版)](脳腫瘍の場合)

効果	
完全奏効 Complete response(CR)	すべての標的病変の消失。
部分奏効 Partial response(PR)	ベースライン径和に比して,標的病変の径和が30%以上減少。
進行 Progressive disease(PD)	経過中の最小の径和に比して,標的病変の径和が20%以上増加,かつ,径和が絶対値でも5mm以上増加。
安定 Stable disease(SD)	経過中の最小の径和に比して,PRに相当する縮小がなくPDに相当する増大がない。

(引用:固形がんの治療効果判定のための新ガイドライン(RECISTガイドライン)―改訂版 version 1.1―日本語訳JCOG版 ver.1.0)

表1-5 非標的病変の評価[RECISTガイドライン(第1.1版)](脳腫瘍の場合)

効果	
完全奏効 Complete response(CR)	すべての非標的病変の消失かつ腫瘍マーカー値が基準値上限以下。
非CR/非PD (Non-CR/Non-PD)	1つ以上の非標的病変の残存かつ/または腫瘍マーカー値が基準値上限を超える。
進行 Progressive disease(PD)	既存の非標的病変の明らかな増悪。

(引用:固形がんの治療効果判定のための新ガイドライン(RECISTガイドライン)―改訂版 version 1.1―日本語訳JCOG版 ver.1.0)

い径)として計算し比較される。

3.Response Assessment in Neuro-Oncology(RANO)基準

グリオーマの治療における画像評価の問題点として,放射線化学療法後の偽性増悪(pseudoprogression)や,血管新生阻害薬ベバシズマブ(抗VEGF剤)投与による腫瘍血管透過性異常亢進からの回復により,造影病変が縮小するなどして,見かけ上,治療が有効と判断されること(pseudoresponse)などが挙げられる。Macdonald基準では,造影病変のみを腫瘍サイズの指標としており,非造影病変の評価がされておらず,造影効果の少ない低悪性度グリオーマの評価には適さない。また,これらの治療に関連した画像変化を適切に評価し得ない場合があることが問題として提起されてきた。

そこで近年になり,欧米の神経腫瘍専門医師のほか,関連した多職種によるワーキンググループにて改訂のための検討が重ねられ,新しい悪性グリオーマの効果判定法RANO-HGG(high-grade glioma)が2010年に発表された[2]。ワーキンググループによる各種脳腫瘍の評価基準の策定はその後も継続的に続けられており,低悪性度グリオーマ,再発グリオーマ,転移性脳腫瘍,髄膜腫,小児脳腫瘍,脳腫瘍に対する免疫治療の評価基準(iRANO)などが,次々と発表されている。以下に代表的な悪性グリオーマの効果判定基準

表1-6 総合効果判定［RECIST ガイドライン（第1.1版）］

各時点での効果：標的病変（非標的病変の有無にかかわらず）を有する場合

標的病変	非標的病変	新病変	総合効果
CR	CR	なし	CR
CR	non-CR/non-PD	なし	PR
CR	評価なし	なし	PR
PR	non-PD or 評価の欠損あり	なし	PR
SD	non-PD or 評価の欠損あり	なし	SD
評価の欠損あり	non-PD	なし	NE
PD	問わない	あり or なし	PD
問わない	PD	あり or なし	PD
問わない	問わない	あり	PD

CR：完全奏効，PR：部分奏効，SD：安定，PD：進行，NE：評価不能

各時点での効果：非標的病変のみを有する場合

非標的病変	新病変	総合効果
CR	なし	CR
non-CR/non-PD	なし	non-CR/non-PD
評価なしがある	なし	NE
明らかな増悪	あり or なし	PD
問わない	あり	PD

CR：完全奏効，PD：進行，NE：評価不能

（引用：固形がんの治療効果判定のための新ガイドライン（RECIST ガイドライン）―改訂版version 1.1―日本語訳 JCOG 版　ver.1.0）

表1-7 Macdonald 基準

Complete response（CR）	すべての造影される腫瘍病変の消失が1カ月以上継続。 神経所見安定または改善。 ステロイド使用なし。
Partial response（PR）	造影される腫瘍病変の 50％以上の縮小が1カ月以上継続。 神経学的に安定または改善。 ステロイドは同量または減量。
Progressive disease（PD）	造影される腫瘍病変の 25％以上の増大。 または CT，MRI での新しい病変の出現。 または神経学的に増悪かつステロイドが同量あるいは増加。
Stable disease（SD）	上記以外のすべての状況。

（文献1）を参考に作成）

(RANO-HGG)について示す[2]。

悪性グリオーマの効果判定基準 RANO-HGG

　前述の pseudoprogression の問題や，抗 VEGF 剤の血管透過性への影響の問題への対応を考慮して改訂された評価基準である．標的病変は，Macdonald 基準と同様に直交する 2 方向の最長径が 10 mm 以上の造影病変であり（ただし RECIST 第 1.1 版同様，スライス厚が＞5 mm の場合は，測定可能病変のサイズの最小値はスライス厚の 2 倍とする），（最長径）×（それに直交する最も長い径）の和の増減を評価に用いる．MRI による造影病変，非造影病変の変化に加え，ステロイド使用量や臨床症状なども含めた総合的な効果判定が**表1-8** の基準に従い行われる．

　真の病変増悪を，pseudoprogression と鑑別することが困難であるため，初期治療の放射線化学療法終了後 12 週までは，初回増悪と判定できるのは，放射線照射野（高線量領域または 80％等線量曲線）の範囲外に新たな造影病変が出現した場合，あるいは，採取した検体から病理組織学的に明らかな viable な腫瘍が認められた場合（腫瘍細胞の密集，MIB-1 高値または前回の手術組織より増加，病理学的悪性化，異型性増悪など）に限定される．これにより pseudoprogression の症例が，再発悪性グリオーマの臨床試験に組み込まれることを防ぐことができる．12 週以降では，①照射野外に新たな造影病変が出現した場合に加え，②ステロイドの減量がない状況で，造影病変の直交する径の積の総和の，照射終了直後または経過中の最小値から 25％以上の増大，③使用中の薬剤や腫瘍以外の増悪要因によらない明らかな臨床症状の悪化，④血管新生阻害薬による治療を受けている患者の場合，ステロイドの減量がない状況で，非造影病変（T2/FLAIR）の著しい増大があり，腫瘍以外のほかの増悪要因がない場合も増悪と考えることができる．

4．奏効割合（奏効率）response proportion（response rate）

　測定可能病変を有する症例のうち，全コースを通じて最も良好な効果であった最良総合効果が，CR または PR のいずれかであった患者の割合を奏効割合と呼ぶ．また，同様に最良総合効果が CR であった患者の割合を完全奏効割合 complete response proportion（response rate）と呼び，これらも治療効果判定に用いられる．

C．神経症候・performance status（PS）の推移

　画像検査像などにおける治療効果と臨床症候の変化が平行するか否かを検討し，また前者の奏効度を修正する目的で，前者の効果判定と同時に神経症候と PS の評価を行い，その推移を付記し，治療効果の判定の参考とする．

　神経症候は，治療対象病巣と関連する特定の局所神経症候または意識状態の確定的な改善（悪化）をもって改善（悪化）ありとする．

1．Performance status

　表1-9 に評価段階（Grade）を示す．これは神経症状ならびに全身状態を含めた一般的活動性の指標である．

　なお，Karnofsky performance status は**表1-10** の通りである．

表 1-8　RANO-HGG 効果判定基準

Complete response (CR)	以下のすべてを満たす場合 ・すべての造影病変（測定可能および測定不能）の消失が 4 週間以上継続 ・非造影病変（T2/FLAIR）が安定または改善 ・新病変なし ・生理的な用量以上のステロイド使用なし ・臨床症状が安定または改善 注：測定不能病変のみ有する患者は CR とならない。最も治療効果があった場合でも SD である。
Partial response (PR)	以下のすべてを満たす場合 ・すべての造影される測定可能病変の直交する径の積の総和の，ベースラインから 50％以上の縮小が 4 週間以上継続 ・測定不能病変の増悪なし ・新病変なし ・ステロイドの増量をせずに，ベースラインと比べて非造影病変（T2/FLAIR）が安定または改善 ・ベースラインの撮像時と比べて，評価のための撮像時にステロイドの増量なし ・臨床症状が安定または改善 注：測定不能病変のみ有する患者は PR とならない。最も治療効果があった場合でも SD である。
Stable disease (SD)	以下のすべてを満たす場合 ・CR，PR，PD に該当せず ・ステロイドの増量をせずに，ベースラインと比べて非造影病変（T2/FLAIR）が安定 なお，新たな症状出現に対し，画像上の増悪を確認することなくステロイド増量を行い，その後の撮像で，このステロイド増量が病変増悪のために必要となったことがわかった場合に，SD とする最後の撮像は，ステロイドがベースラインと比べて同量であった時の撮像である。
Progressive disease (PD)	以下のいずれかを満たす場合 ・ステロイドの減量がない状況で，造影病変の直交する径の積の総和の，ベースラインまたは経過中の最小値から 25％以上の増大 ・ステロイドの減量がない状況で，ベースラインの画像か治療開始後の最小値と比べて，非造影病変（T2/FLAIR）の著しい増大（ただし，放射線治療，脱髄，虚血，感染，けいれん，術後変化，その他の治療による影響など，他の要因によるものでない場合） ・新病変あり ・腫瘍とは別の原因（けいれん，薬剤副作用，治療の合併症，脳血管イベント，感染など），または，ステロイドの減量によらない，明らかな臨床症状の増悪 ・死亡や状態悪化のため評価できなかった場合 ・測定不能病変の明らかな増悪

下線は編者による強調。
（文献 2）より引用）

表1-9　ECOG(Zubrod)の performance status

Score	定義	Karnofsky scale
0	全く問題なく活動できる。発病前と同じ日常生活が制限なく行える。	100, 90%
1	肉体的に激しい活動は制限されるが，歩行可能で，軽作業や座っての作業は行うことができる。例：軽い家事，事務作業	80, 70%
2	歩行可能で自分の身の回りのことはすべて可能だが作業はできない。日中の50％以上はベッド外で過ごす。	60, 50%
3	限られた自分の身の回りのことしかできない。日中の50％以上をベッドか椅子で過ごす。	40, 30%
4	全く動けない。自分の身の回りのことは全くできない。完全にベッドか椅子で過ごす。	20, 10%

(National Cancer Institute—Common Toxicity Criteria(NCI-CTC Version 2.0, April 30, 1999)～日本語訳 JCOG版-第2版～より引用)

表1-10　Karnofsky performance status

Score	定義
100%	正常。自他覚症状がない。
90	通常の活動ができる。軽度の自他覚症状がある。
80	通常の活動に努力が要る。中等度の自他覚症状がある。
70	自分の身の回りのことはできる。通常の活動や活動的な作業はできない。
60	時に介助が必要だが，自分でやりたいことの大部分はできる。
50	かなりの介助と頻回の医療ケアが必要。
40	活動にかなりの障害があり，特別なケアや介助が必要。
30	高度に活動が障害され，入院が必要。死が迫った状態ではない。
20	非常に重篤で入院が必要。死が迫った状態ではない。
10	死が迫っており，死に至る経過が急速に進行している。

(National Cancer Institute—Common Toxicity Criteria(NCI-CTC Version 2.0, April 30, 1999)～日本語訳JCOG版-第2版～より引用)

2．The Neurologic Assessment in Neuro-Oncology(NANO)Scale

　RANOのワーキンググループが作成した脳腫瘍患者の神経症候・機能の定量化評価法であるNANO scaleも，RANO基準と連動するような形で，治療経過における患者評価に用いられるようになってきている[3]。9項目(歩行，筋力，運動失調，感覚，視野，顔面筋力，言語，意識レベル，行動)からなり，正常を0点とし，症状が重くなるほど点数が増え，各項目3点が最重症を表す。

D．認知機能評価 Neurocognitive assessment

　脳腫瘍の状態のみならず，放射線や化学療法などの治療の効果や副作用によっても患者の認知機能に大きな影響が及び，これが治療効果の評価において重要なことが知られてい

る。認知機能の評価方法としては，簡便でよく使用される長谷川式簡易知能評価スケール（HDS-R）や Mini-Mental State Examination（MMSE）があり，より高次な脳機能に関しては Wechsler Adult Intelligence Scale-Revised（WAIS-R）など各種の評価法がある。臨床試験などの治療評価においては，ある程度簡便で再現性が高く，患者の認知機能をよく反映し，かつ治療による認知機能変化に鋭敏なものが理想的であるが，推奨されるものとして，Hopkins Verbal Learning Test-Revised（HVLT-R）や Trail making test（TMT），Controlled Oral Word Association（COWA）などが挙げられ，組み合わせて使用されている。

E．生活の質 Quality of life（QOL）

近年では，臨床試験などにおいても治療効果評価の一環として，治療経過における健康関連 QOL health related-quality of life（HR-QOL）の推移を観察することが多くなってきている。HR-QOL を定量化した尺度としては，EORTC が開発し，臨床試験でよく用いられる Quality of Life Questionnaire（QLQ）である EORTC QLQ-C30（がん種によらない一般的 QOL の指標）と，これを補完する脳腫瘍モジュール EORTC BN-20（脳腫瘍患者特異的な腫瘍症状，治療副作用，精神的問題などの評価指標）がある。このほか，EQ-5D（Euro-QoL），SF-36，FACT-Br，また Symptom assessment に重きをおいた方法として MD Anderson Cancer Center が開発した M. D. Anderson Symptom Inventory Brain Tumor module（MDASI-BT）などが用いられる。これらの QOL 指標の評価は，医療者が主観的に判断するのではなく，患者からの申告を重視し，自記式質問紙を用いた patient reported outcome（PRO）と呼ばれる形式をとることが必要とされている。質問紙の回収に医療者が介在したり病状の説明がなされたりすると，回答にバイアスが生じることが知られており，回収の方法やタイミングにも留意する必要がある。

小児の QOL 評価尺度には，米国で開発された Pediatric Quality of Life Inventory（PedsQL）があり，脳腫瘍モジュールが用意されていて小児脳腫瘍患者の評価に利用可能である。成人のものと異なり，子供本人に加えて保護者からの回答を併用し，5歳未満では保護者からの回答のみを使用する。

また，薬価の高騰などに伴い，治療薬の及ぼす経済的な効果が，治療薬の有用性評価に導入される事例もみられるようになってきている。この医療経済的な有用性も加味した評価法として，QOL を定量化した効用値と治療コストの比から治療の経済的な価値を評価する費用効用分析 cost utility analysis が行われる。例えば，単純な生存期間の延長でなく，その間の患者 QOL 状態を加味した，質調整生存年 quality adjusted life year（QALY）の値を，1QALY を完全な健康状態で生存する1年に相当するとして EQ-5D から算出して治療の経済性を比較し，これを薬剤評価に用いることがある。

F．腫瘍摘出率

手術所見を参考にして，術前・術後の画像検査像を比較して算出する。腫瘍容積の算出法は，以下に示す測定法のほか，種々の方法があり，特に特定しない。また，摘出率の表

表 1-11 腫瘍摘出率

表　　示	摘 出 率
全摘出（total removal）	（肉眼的）100%
亜全摘出（subtotal removal）	95%≦，<100%
部分摘出（partial removal）	5%≦，<95%
生検（biopsy）	病理組織診断標本採取のみ

一般外科においては摘除，摘出（extirpation）は臓器あるいは病巣の全部を取り去ることをいい，病巣の一部を取り去るときは切除（resection）を用いている。

現としては百分率（%）表示や**表 1-11** の表示などを用いる。

2 方向測定可能な場合（撮影は常に同一条件で行うようにする）。

①腫瘍の長径とそれに直角にまじわる最大径の積を算出する（CT スキャン上腫瘍が多層に描出される場合にはその総和とする）。

②病巣が 2 つ以上の場合はそれぞれの積の総和を算出する。

算出方法（治療前 A，B，C，…，治療後 a，b，c，…）

縮小率 ＝（A－a）＋（B－b）＋（C－c）＋…／A＋B＋C＋…×100
　　　＝100－a＋b＋c＋…／A＋B＋C＋…×100（%）

G．腫瘍マーカー値

Functioning pituitary neuroendocrine tumor 機能性下垂体神経内分泌腫瘍（下垂体腺腫），germ cell tumor 胚細胞腫瘍などにおいては血液（あるいは髄液）中の対象腫瘍マーカー値（前者における対象ホルモン値，後者における HCG，AFP 値など）を測定し，その変動でもって治療効果を判定する。検査値の低下（上昇）をもって改善（悪化）ありとする。そのほかは不変。また，検査値が正常化する症例の比率でもって正常化率が算出できる。

参考文献

1) Macdonald DR, Cascino TL, Schold SC Jr, et al. Response criteria for phase II studies of supratentorial malignant glioma. J Clin Oncol. 1990；8(7)：1277-80.
2) Wen PY, Macdonald DR, Reardon DA, et al. Updated response assessment criteria for high-grade gliomas：response assessment in neuro-oncology working group. J Clin Oncol. 2010；28(11)：1963-72.
3) Nayak L, DeAngelis LM, Brandes AA, et al. The Neurologic Assessment in Neuro-Oncology（NANO）scale：a tool to assess neurologic function for integration into the Response Assessment in Neuro-Oncology（RANO）criteria. Neuro Oncol. 2017；19(5)：625-35.

第2部
脳腫瘍診断・病理カラーアトラス

中枢神経系腫瘍分類

　脳腫瘍取扱い規約第5版は2021年WHO中枢神経系腫瘍分類第5版（以下，WHO 2021）に則るとともに，これまでの規約の取り決めに従って下垂体腫瘍と嚢胞性病変も含めた。下垂体腺腫については，内分泌腫瘍の関連学会の会員によって2022年WHO内分泌/神経内分泌腫瘍分類に準拠した日本語表記が決められたため，その表記を採用した。

　今回の改訂では膠腫の組分けが大きく見直され，従来の星細胞系腫瘍，乏突起膠細胞系腫瘍，上衣腫，神経細胞系腫瘍が1つの大分類にまとめられた。中分類として，成人型びまん性膠腫，小児型びまん性低悪性度膠腫，小児型びまん性高悪性度膠腫，限局性星細胞系膠腫が新設され，脈絡叢腫瘍は膠腫から除外された。また，中分類が設定されたことから小分類は腫瘍型のみとなり，亜型は分類表から削除された。WHO分類では暫定的な腫瘍概念をイタリック体で記載し，確立された腫瘍概念と区別しているが，本規約でもその表記法を採用した。規約の分類表（表2-1）では，従来と同様に英文表記（米国式）と日本語表記を併記した。また，WHO 2021で大きく改変されたグリオーマの項目については，前版との新旧対照表（表2-2）を示した。

表2-1　脳腫瘍取扱い規約　中枢神経系腫瘍分類

Gliomas, glioneuronal tumors, and neuronal tumors	膠腫，グリア神経細胞系腫瘍，神経細胞系腫瘍
Adult-type diffuse gliomas	成人型びまん性膠腫
Astrocytoma, IDH-mutant	星細胞腫，IDH変異
Oligodendroglioma, IDH-mutant and 1p/19q-codeleted	乏突起膠腫，IDH変異および1p/19q共欠失
Glioblastoma, IDH-wildtype	膠芽腫，IDH野生型
Pediatric-type diffuse low-grade gliomas	小児型びまん性低悪性度膠腫
Diffuse astrocytoma, *MYB-* or *MYBL1-*altered	びまん性星細胞腫，*MYB*または*MYBL1*異状
Angiocentric glioma	血管中心性膠腫
Polymorphous low-grade neuroepithelial tumor of the young	若年者多型低悪性度神経上皮腫瘍
Diffuse low-grade glioma, MAPK pathway-altered	びまん性低悪性度膠腫，MAPK経路異状
Pediatric-type diffuse high-grade gliomas	小児型びまん性高悪性度膠腫
Diffuse midline glioma, H3 K27-altered	びまん性正中膠腫，H3 K27異状
Diffuse hemispheric glioma, H3 G34-mutant	びまん性大脳半球膠腫，H3 G34変異

斜体で表記したものは暫定的な腫瘍概念である。

表 2-1 （つづき）

Diffuse pediatric-type high-grade glioma, H3-wildtype and IDH-wildtype	びまん性小児型高悪性度膠腫，H3 野生型および IDH 野生型
Infant-type hemispheric glioma	乳児型大脳半球膠腫
Circumscribed astrocytic gliomas	限局性星細胞系膠腫
Pilocytic astrocytoma	毛様細胞性星細胞腫
High-grade astrocytoma with piloid features	毛様の特徴を伴う高異型度星細胞腫
Pleomorphic xanthoastrocytoma	多形黄色星細胞腫
Subependymal giant cell astrocytoma	上衣下巨細胞星細胞腫
Chordoid glioma	脊索腫様膠腫
Astroblastoma, *MN1*-altered	星芽腫，*MN1* 異状
Glioneuronal and neuronal tumors	グリア神経細胞系および神経細胞系腫瘍
Ganglioglioma	神経節膠腫
Gangliocytoma	神経節細胞腫
Desmoplastic infantile ganglioglioma/desmoplastic infantile astrocytoma	線維形成性乳児神経節膠腫/線維形成性乳児星細胞腫
Dysembryoplastic neuroepithelial tumor	胚芽異形成性神経上皮腫瘍
Diffuse glioneuronal tumor with oligodendroglioma-like features and nuclear clusters	*乏突起膠腫様の特徴と核集塊を伴うびまん性グリア神経細胞腫瘍*
Papillary glioneuronal tumor	乳頭状グリア神経細胞腫瘍
Rosette-forming glioneuronal tumor	ロゼット形成性グリア神経細胞腫瘍
Myxoid glioneuronal tumor	粘液性グリア神経細胞腫瘍
Diffuse leptomeningeal glioneuronal tumor	びまん髄膜性グリア神経細胞腫瘍
Multinodular and vacuolating neuronal tumor	多結節性空胞化神経細胞腫瘍
Dysplastic cerebellar gangliocytoma (Lhermitte-Duclos disease)	異形成性小脳神経節細胞腫 (Lhermitte-Duclos 病)
Central neurocytoma	中枢性神経細胞腫
Extraventricular neurocytoma	脳室外神経細胞腫
Cerebellar liponeurocytoma	小脳脂肪神経細胞腫
Ependymal tumors	上衣系腫瘍
Supratentorial ependymoma	テント上上衣腫
Supratentorial ependymoma, *ZFTA* fusion-positive	テント上上衣腫，*ZFTA* 融合陽性
Supratentorial ependymoma, *YAP1* fusion-positive	テント上上衣腫，*YAP1* 融合陽性
Posterior fossa ependymoma	後頭蓋窩上衣腫
Posterior fossa group A (PFA) ependymoma	後頭蓋窩 A 群 (PFA) 上衣腫

斜体で表記したものは暫定的な腫瘍概念である。

表 2-1 （つづき）

Posterior fossa group B(PFB)ependymoma	後頭蓋窩 B 群(PFB)上衣腫
Spinal ependymoma	脊髄上衣腫
Spinal ependymoma, *MYCN*-amplified	脊髄上衣腫，*MYCN* 増幅
Myxopapillary ependymoma	粘液乳頭状上衣腫
Subependymoma	上衣下腫

Choroid plexus tumors — 脈絡叢腫瘍
 Choroid plexus papilloma — 脈絡叢乳頭腫
 Atypical choroid plexus papilloma — 異型脈絡叢乳頭腫
 Choroid plexus carcinoma — 脈絡叢癌

Embryonal tumors — 胎児性腫瘍
 Medulloblastoma — 髄芽腫
  Medulloblastomas, molecularly defined — 髄芽腫，分子型
   Medulloblastoma, WNT-activated — 髄芽腫，WNT 活性化
   Medulloblastoma, SHH-activated and *TP53*-wildtype — 髄芽腫，SHH 活性化および *TP53* 野生型
   Medulloblastoma, SHH-activated and *TP53*-mutant — 髄芽腫，SHH 活性化および *TP53* 変異
   Medulloblastoma, non-WNT/non-SHH — 髄芽腫，非 WNT/非 SHH
  Medulloblastomas, histologically defined — 髄芽腫，組織型
   Medulloblastomas, histologically defined — 髄芽腫，組織型

 Other CNS embryonal tumors — その他の中枢神経系胎児性腫瘍
  Atypical teratoid/rhabdoid tumor — 非定型奇形腫様ラブドイド腫瘍
  Cribriform neuroepithelial tumor — 篩状神経上皮腫瘍
  Embryonal tumor with multilayered rosettes — 多層ロゼット性胎児性腫瘍
  CNS neuroblastoma, *FOXR2*-activated — 中枢神経系神経芽腫，*FOXR2* 活性化
  CNS tumor with *BCOR* internal tandem duplication — *BCOR* 内部タンデム重複を伴う中枢神経系腫瘍
  CNS embryonal tumor, NEC/NOS — 中枢神経系胎児性腫瘍，未分類/未確定

Pineal tumors — 松果体腫瘍
 Pineocytoma — 松果体細胞腫
 Pineal parenchymal tumor of intermediate differentiation — 中間型松果体実質腫瘍
 Pineoblastoma — 松果体芽腫
 Papillary tumor of the pineal region — 松果体部乳頭状腫瘍
 Desmoplastic myxoid tumor of the pineal region, SMARCB1-mutant — 松果体部線維形成性粘液性腫瘍，*SMARCB1* 変異

斜体で表記したものは暫定的な腫瘍概念である。

表 2-1　(つづき)

Cranial and paraspinal nerve tumors	脳神経および脊髄神経腫瘍
Schwannoma	シュワン細胞腫
Neurofibroma	神経線維腫
Perineurioma	神経周膜腫
Hybrid nerve sheath tumor	混成神経鞘腫瘍
Malignant melanotic nerve sheath tumor	悪性メラニン性神経鞘腫瘍
Malignant peripheral nerve sheath tumor	悪性末梢神経鞘腫瘍
Cauda equina neuroendocrine tumor (previously paraganglioma)	馬尾神経内分泌腫瘍(従来の傍神経節腫)
Meningioma	髄膜腫
Mesenchymal, non-meningothelial tumors involving the CNS	中枢神経系の間葉系，非髄膜性腫瘍
Soft tissue tumors	軟部腫瘍
Fibroblastic and myofibroblastic tumors	線維芽細胞性および筋線維芽細胞性腫瘍
Solitary fibrous tumor	孤立性線維性腫瘍
Vascular tumors	血管性腫瘍
Hemangiomas and vascular malformations	血管腫および血管奇形
Hemangioblastoma	血管芽腫
Skeletal muscle tumors	骨格筋腫瘍
Rhabdomyosarcoma	横紋筋肉腫
Tumors of uncertain differentiation	未定分化型腫瘍
Intracranial mesenchymal tumor, FET::CREB fusion-positive	頭蓋内間葉系腫瘍，FET::CREB 融合陽性
CIC-rearranged sarcoma	CIC 再構成肉腫
Primary intracranial sarcoma, DICER1-mutant	原発性頭蓋内肉腫，DICER1 変異
Ewing sarcoma	Ewing 肉腫
Chondro-osseous tumors	軟骨-骨腫瘍
Chondrogenic tumors	軟骨形成性腫瘍
Mesenchymal chondrosarcoma	間葉性軟骨肉腫
Chondrosarcoma	軟骨肉腫
Notochordal tumors	脊索腫瘍
Chordorma	脊索腫
Melanocytic tumors	メラニン細胞系腫瘍
Diffuse meningeal melanocytic neoplasms	びまん性髄膜メラニン細胞系腫瘍
Melanocytosis and melanomatosis	メラニン細胞増殖症および黒色腫症
Circumscribed meningeal melanocytic neoplasms	限局性髄膜メラニン細胞系腫瘍

斜体で表記したものは暫定的な腫瘍概念である。

表 2-1 （つづき）

Melanocytoma and melanoma	メラニン細胞腫および黒色腫
Hematolymphoid tumors involving the CNS	中枢神経系の血液リンパ系腫瘍
Lymphomas	リンパ腫
CNS lymphomas	中枢神経系リンパ腫
Primary diffuse large B-cell lymphoma of the CNS	中枢神経系原発性びまん性大細胞型B細胞リンパ腫
Immunodeficiency-associated CNS lymphomas	中枢神経系免疫不全関連リンパ腫
Lymphomatoid granulomatosis	リンパ腫様肉芽腫症
Intravascular large B-cell lymphoma	血管内大細胞型B細胞リンパ腫
Miscellaneous rare lymphomas in the CNS	中枢神経系のその他の稀なリンパ腫
MALT lymphoma of the dura	硬膜MALTリンパ腫
Other low-grade B-cell lymphomas of the CNS	中枢神経系のその他のB細胞性の低悪性度リンパ腫
Anaplastic large cell lymphoma （ALK+/ALK−）	未分化大細胞リンパ腫（ALK陽性/ALK陰性）
T-cell and NK/T-cell lymphomas	T細胞およびNK-T細胞リンパ腫
Histiocytic tumors	組織球性腫瘍
Erdheim-Chester disease	Erdheim-Chester病
Rosai-Dorfman disease	Rosai-Dorfman病
Juvenile xanthogranuloma	若年性黄色肉芽腫
Langerhans cell histiocytosis	ランゲルハンス細胞組織球症
Histiocytic sarcoma	組織球肉腫
Germ cell tumors	胚細胞腫瘍
Tumors of the sellar region	トルコ鞍部腫瘍
Adamantinomatous craniopharyngioma	エナメル上皮腫型頭蓋咽頭腫
Papillary craniopharyngioma	乳頭型頭蓋咽頭腫
Pituicytoma	下垂体細胞腫
Pituitary adenoma/pituitary neuroendocrine tumor	下垂体腺腫/下垂体神経内分泌腫瘍
Pituitary blastoma	下垂体芽腫
Metasatases to the CNS	中枢神経系への転移
Genetic tumors syndromes involving the CNS	中枢神経系の遺伝性腫瘍症候群

斜体で表記したものは暫定的な腫瘍概念である。

表 2-1 （つづき）

Anterior neuroendocrine neoplasms	下垂体前葉神経内分泌腫瘍
Pituitary neuroendocrine tumors of PIT1-lineage	PIT1 系統下垂体神経内分泌腫瘍
Somatotroph PitNET/adenoma	下垂体成長ホルモン細胞神経内分泌腫瘍/成長ホルモン細胞腺腫
Mammosomatotroph PitNET/adenoma	下垂体成長ホルモン-プロラクチン細胞神経内分泌腫瘍/成長ホルモン-プロラクチン細胞腺腫
Lactotroph PitNET/adenoma	下垂体プロラクチン細胞神経内分泌腫瘍/プロラクチン細胞腺腫
Thyrotroph PitNET/adenoma	下垂体甲状腺刺激ホルモン細胞神経内分泌腫瘍/甲状腺刺激ホルモン細胞腺腫
Mature plurihormonal PIT1-lineage PitNET/adenoma	下垂体成熟型 PIT1 系統多ホルモン細胞神経内分泌腫瘍/成熟型 PIT1 系統多ホルモン細胞腺腫
Immature PIT1-lineage PitNET/adenoma	下垂体未熟型 PIT1 系統細胞神経内分泌腫瘍/未熟型 PIT1 系統細胞腺腫
Acidophil stem cell PitNET/adenoma	下垂体好酸性幹細胞神経内分泌腫瘍/好酸性幹細胞腺腫
Mixed somatotroph-lactotroph PitNET/adenoma	下垂体成長ホルモン細胞-プロラクチン細胞混合神経内分泌腫瘍/成長ホルモン-プロラクチン産生細胞混合腺腫
Pituitary neuroendocrine tumors of TPIT-lineage	TPIT 系統下垂体神経内分泌腫瘍
Corticotroph PitNET/adenoma	下垂体副腎皮質刺激ホルモン細胞神経内分泌腫瘍/副腎皮質刺激ホルモン細胞腺腫
Pituitary neuroendocrine tumors of SF1-lineage	SF1 系統下垂体神経内分泌腫瘍
Gonadotroph PitNET/adenoma	下垂体ゴナドトロピン細胞神経内分泌腫瘍/ゴナドトロピン産生細胞腺腫
Pituitary neuroendocrine tumors without distinct lineage differentiation	系統分化を示さない下垂体神経内分泌腫瘍
Null cell PitNET/adenoma	下垂体ナルセル神経内分泌腫瘍/ナルセル腺腫
Plurihormonal PitNET/adenoma	下垂体多ホルモン細胞神経内分泌腫瘍/多ホルモン細胞腺腫
Multiple pituitary neuroendocrine tumors	多発性下垂体神経内分泌腫瘍
Multiple synchronous PitNET/adenomas of distinct lineages	下垂体同時発生多系統細胞神経内分泌腫瘍/同時発生多系統細胞腺腫

斜体で表記したものは暫定的な腫瘍概念である。

表 2-1 （つづき）

Metastatic pituitary neuroendocrine tumors	転移性下垂体神経内分泌腫瘍
Metastatic PitNET	転移性下垂体神経内分泌腫瘍
Other anterior pituitary tumors	**その他の下垂体前葉腫瘍**
Pituitary blastoma	下垂体芽腫
Posterior pituitary and hypothalamic neoplasms	**下垂体後葉，視床下部腫瘍**
Pituicyte-derived tumors	後葉細胞派生腫瘍
Pituicyte tumor family	後葉細胞腫瘍家系
Neuronal tumors	神経細胞系腫瘍
Gangliocytoma and mixed gangliocytoma-PitNET/pituitary adenoma	神経節細胞腫，神経節細胞腫-下垂体神経内分泌腫瘍（PitNET）混合腫瘍
Sellar neurocytoma	トルコ鞍部神経細胞腫

斜体で表記したものは暫定的な腫瘍概念である。

表 2-2 WHO 改訂第 4 版と WHO 第 5 版における代表的なグリオーマの新旧対照表

Diffuse astrocytic and oligodendroglial tumors	Gliomas, glioneuronal tumors, and neuronal tumors
	Adult-type diffuse gliomas
Diffuse astrocytoma, IDH-mutant	Astrocytoma, IDH-mutant, grade 2
Anaplastic astrocytoma, IDH-mutant	Astrocytoma, IDH-mutant, grade 3
Glioblastoma, IDH-mutant	Astrocytoma, IDH-mutant, grade 4
Diffuse astrocytoma, *IDH-wildtype*	
Anaplastic astrocytoma, *IDH-wildtype*	
Glioblastoma, IDH-wildtype	Glioblastoma, IDH-wildtype
Oligodendroglioma, IDH-mutant and 1p/19q-codeleted	Oligodendroglioma, IDH-mutant and 1p/19q-codeleted, grade 2
Anaplastic oligodendroglioma, IDH-mutant and 1p/19q-codeleted	Oligodendroglioma, IDH-mutant and 1p/19q-codeleted, grade 3
Oligoastrocytoma, *NOS*	
Anaplastic oligoastrocytoma, *NOS*	
	Pediatric-type diffuse low-grade gliomas
	Diffuse astrocytoma, *MYB*- or *MYBL1*-altered
	Angiocentric glioma
	Polymorphous low-grade neuroepithelial tumor of the young
	Diffuse low-grade glioma, MAPK pathway-altered
	Pediatric-type diffuse high-grade gliomas
Diffuse midline glioma, H3 K27M-mutant	Diffuse midline glioma, H3 K27-altered
	Diffuse hemispheric glioma, H3 G34-mutant
	Diffuse pediatric-type high-grade glioma, H3-wildtype and IDH-wildtype
	Infant-type hemispheric glioma
Other astrocytic tumors	**Circumscribed astrocytic gliomas**
Pilocytic astrocytoma	Pilocytic astrocytoma
	High-grade astrocytoma with piloid features
Pleomorphic xanthoastrocytoma	Pleomorphic xanthoastrocytoma
Anaplastic pleomorphic xanthoastrocytoma	
Subependymal giant cell astrocytoma	Subependymal giant cell astrocytoma
Other gliomas	
Chordoid glioma of the third ventricle	Chordoid glioma
Angiocentric glioma	
Astroblastoma	Astroblastoma, *MN1*-altered

左の欄に斜体で表記したものは WHO 2016 における暫定的な腫瘍概念で，右の欄の WHO 2021 では削除されている．

II 脳腫瘍の分子診断

1 分子遺伝学的解析

A．序論

　2021年に改訂されたWHO中枢神経系腫瘍分類第5版（以下，WHO 2021）では，前版である改訂第4版により初めて導入された分子診断がさらに取り入れられ，グリオーマを中心に分類が大きく再編された[1]。これは，2016年に結成されたcIMPACT-NOW（the Consortium to Inform Molecular and Practical Approaches to CNS Tumor Taxonomy，以下cIMPACT）の提言をほぼ全面的に採用した結果である[2-8]。cIMPACTはWHO分類とは独立した組織であり，最新の研究に基づく分子診断とそれに基づく分類法を提唱して，将来のWHO中枢神経系腫瘍分類改訂に向けての方向性を提案する目的で作られた[9]。cIMPACTの提言も踏まえて，WHO 2021では組織病理所見のみならず好発年齢や部位なども考慮され，より腫瘍の生物学的特性に即した分類となったうえ，各腫瘍型を記述した項目の最後にBoxの中にEssential and Desirable Diagnostic Criteriaが示されており，診断基準がより明確になった。WHO 2021では統合診断（integrated diagnosis）が正式に採用され，病理組織診断，悪性度，分子検査情報を階層化したうえ，これらを統合的に勘案して診断を決定する方法が確立された。一方では，多くの腫瘍型で分子情報が統合診断において決定的な役割を果たすようになった結果，脳腫瘍の診断には分子検査が事実上必須となり，分子診断を実臨床にどのように取り入れていくかは大きな課題となっている。また，脳腫瘍の分類と診断基準はWHO中枢神経系腫瘍分類改訂のたびに大きく変更が加えられており，将来的にもさらに再編されることが予想されている[10]。

　今回の改訂においては，グリオーマが成人型と小児型に明確に区別されたことが大きな特徴である。後述するように，成人型はIDH変異と1p/19q codeletionの有無により3型に整理された。その結果，astrocytomaの診断にはIDH変異の存在が必須になり，逆にglioblastomaではIDHが野生型であることを示すことが必要になったため，IDH変異の検査はグリオーマの診断には絶対的に必要となった。さらに悪性度分類にも一部分子分類が導入され，分子診断なくしては成人グリオーマの診断・悪性度分類は不可能になった。

　一方小児型のびまん性膠腫は低悪性度と高悪性度に分類され，さらに小児に好発する限局性のastrocytomaとglioneuronal and neuronal tumorも別に分類された。これらはさらに多くの腫瘍型に分類され，多くの場合は診断基準に遺伝子所見が含まれる。特にWHO 2021においては，後述するゲノムワイドDNAメチル化解析（以下メチローム解析）に基づくメチル化分類が事実上採用され，小児型のグリオーマの中には確定診断にメチローム解析が必須となる腫瘍型もある。

　WHO 2021においては新たにNEC（not elsewhere classified）という概念が導入された。

これは，必要な分子検査を行ったにもかかわらず診断に結び付くような所見が見つからないか，非典型的な所見が得られた場合に診断名に接辞語として付記する．統合診断において，必要な分子検査が行えなかった場合に診断名に付記するNOS(Not Otherwise Specified)と，分子検査を行ったにもかかわらず診断に至らなかったNECを区別することによって，診断困難症例における診断過程がいわば記述的に記録されることになり，将来的に新たな分子検査を検討するうえで非常に有意義であると考えられる．

　WHO 2021では，分子検査の遺伝子型を表記するにあたり，HUGO遺伝子命名法委員会(Human Genome Organisation Gene Nomenclature Committee, HGNC)(https://www.genenames.org/)に準拠することが推奨されている．ただし，遺伝子名が変更されることがあることに注意が必要である．例えば従来 *H3F3A* で知られたヒストンH3.3の遺伝子名は，*H3-3A* と変更された．なお，WHO 2021ではH3.3またはH3.1と合わせて単にH3と表記されている．また，遺伝子変異(バリアント)の表記法は，Human Genome Variation Society(HGVS)の推奨に従うことが求められる(http://varnomen.hgvs.org/)．ただし慣例的にHGVSとは異なる表記がされるものがあり，注意を要する．例えばH3 p.K27Mは，通常ヒストンのアミノ酸配列には最初のメチオニンを数えないため，従来p.K27Mと表記されてきたが，HGVSに従うとp.K28Mとなる．WHO 2021においては，diffuse midline glioma, H3 K27-alteredのように診断名としては従来の表記を踏襲しつつ，HGVS表記に慣習的表記を併記することがある．本稿では混乱を避けるため，従来通りH3 p.K27Mと表記することとする．

　一方で分子診断に必要な遺伝子検査については，現時点では脳腫瘍の診断を目的として保険収載されている検査はほとんどなく，一部の施設で研究の一環として検査が行われているのにとどまるのが本邦の実情である．また，検査法は施設によりまちまちであり，標準化されるには至っていない．さらに検査法にはそれぞれ一長一短があり，分子診断を有効に活用するためには，それぞれの腫瘍の発生機序に基づいて解析法の特徴と限界を理解することが必要になる．特にIDH変異や1p/19q codeletionの検査のように診断に絶対的に必要な検査については，標準化された検査法を臨床検査として保険収載し，保険医療のもとで日本全国どこの病院でも検査が行える体制を確立することが急務である．また，小児に好発する脳腫瘍の多くは頻度が低いうえに，腫瘍型ごとに特異的な分子診断を必要とすることが多く(後述)，個々の施設で行うことは困難である．現在，日本小児がん研究グループ(JCCG)において小児固形腫瘍観察研究に基づいて行われている小児脳腫瘍の中央診断では，研究レベルではあるが，病理の中央診断と，本稿に記載されているメチローム解析を含む診断確定に必要な多くの分子検査が提供されている．さらに近年，小児固形腫瘍の診断に特化したがんゲノムパネル検査(TOP2)が薬事承認を受けており，臨床実装への期待がかかる．

　今後は，診断における分子検査の役割はさらに増していくことが予想される．一方で，がんゲノムパネル検査を行っても診断的な意義のある所見が得られないことも往々にしてあり，後述するメチローム解析を行っても既存の腫瘍型に合致しない診断困難症例も少なからず存在する．また，WHO 2021には病理診断のみにより診断確定する腫瘍型もある．

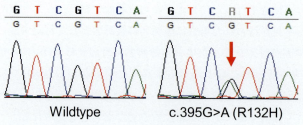

図 2-1　Sanger sequencing により検出された IDH1 変異
IDH 野生型では G アリルのみを認める(左図)が，IDH 変異では変異のあるアリル(A)と野生型のアリル(G)が重なってみられる(矢印，右図)。

　脳腫瘍分類は発展途上であり，いまだに分類されていない極めて希少な未知の腫瘍型が存在することは明らかである．脳腫瘍の診断には，臨床情報，病理診断，分子診断を総合して行う必要があり，その意味において WHO 2021 で統合診断が正式に推奨されたことは，今後の方向性を示すうえで非常に意義が高いと考える．
　本稿においては，まず分子診断に用いられる解析法について概要を示し，腫瘍各論についてはグリオーマ，上衣腫および胎児性腫瘍について日常の診療で比較的遭遇する腫瘍型に絞り，確定診断に必要もしくは診断上有用と考えられている分子遺伝学的所見について解説する．なお，WHO 2021 では WHO の慣習として英語表記に英米綴りが混在しているが(tumour と tumor，paediatric と pediatic など)，本規約内では米式の表記を用いることに留意されたい．

B．解析法各論

　WHO 2021 においては原則として，診断に必要な分子所見を得るにあたり特定の検査法は推奨していない．したがって，検査対象となる分子所見に応じて，各施設の状況に則した検査法を選択することになる．その際には，検査法ごとの利点と限界を認識して用いる必要がある．以下に，主な分子異常の種類とその検査法について，概略を述べる．

1．遺伝子変異解析

a．サンガーシークエンス

　遺伝子の点突然変異解析を行う方法としてのゴールドスタンダードはサンガー法による直接シークエンスである(**図 2-1**)．これは標的の領域を PCR によって増幅し，dideoxy 法によりサイクルシークエンスを行うもので，研究室レベルでは広く行われているうえ，外部委託による解析も比較的安価に行うことができる．ただし，本法には定量性はなく，感度もあまり高くないため，腫瘍細胞含有率の低い検体では変異の検出が困難なことがある[11]．また多数のエクソンをもつ遺伝子などを調べるときは多くのプライマーセットが必要となり，作業量が増加し，煩雑である．

b．パイロシークエンス

　パイロシークエンス法は，DNA 合成時にアデニン(A)/シトシン(C)/グアニン(G)/チミン(T)それぞれのヌクレオチドを指定された順序で加え，それらが取り込まれる際に放出

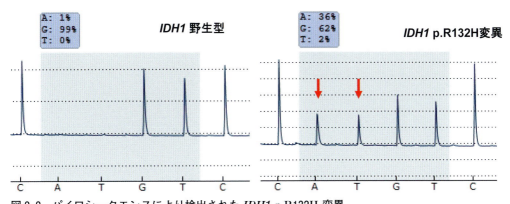

図 2-2 パイロシークエンスにより検出された *IDH1* p.R132H 変異
左図は *IDH1* 野生型，右図は *IDH1* p.R132H 変異を示す．変異例では，矢印で示す変異のピークがみられる．

されるピロリン酸(pyrophosphate)をATPに酵素的に変換して定量し，取り込まれた塩基を測定することにより，塩基配列を決定する方法である[12]．一般的にはATPとルシフェリンの反応による化学発光を測定する方法が使用されている(図2-2)．サンガーシークエンスよりも比較的安価で感度が高く，バリアントの定量も可能なので，IDH変異のようなホットスポット変異（決まった場所で同じ変異がみられること）の検出には有用であり，後述するメチローム解析にも適している．一方，同じ塩基がいくつも続くホモポリマーのような配列の定量にはあまり向かない．また，既知の変異でないとアッセイの確立が困難であること，専用の機器が必要であることなどが難点である．

c．免疫組織化学

点突然変異により置換されたアミノ酸配列を特異的に認識する抗体を用いることにより，免疫組織化学を用いて遺伝子変異を検出することができる．代表的なのは *IDH1* p.R132H 変異に対する特異的抗体を用いた免疫組織化学で，その感受性と特異性は極めて高く，*IDH1* p.R132H に対する標準的な検出法として広く用いられている[13]（疾患別の項参照）．免疫組織化学による遺伝子変異検出法は腫瘍細胞含有率の低い腫瘍組織においては一般にほかの方法よりも変異検出の感度が高く，有用である．ただしp.R132H以外の変異に対しては，それぞれの変異に対する特異的抗体が必要となる[14]．特異的抗体による免疫組織化学が有用な遺伝子変異はほかに *BRAF* p.V600E[15]や *H3F3A* p.K27M[16]などがあるが，ときとして偽陰性・偽陽性がみられることには留意する必要がある（疾患別の項参照）．詳細については他稿に譲る．

d．次世代シークエンス

近年では多くの遺伝子に対して変異解析を行う手段として次世代シークエンス next generation sequence(NGS)が主流になりつつある．現在幅広く使われているIlluminaによるシステムは，固相（フローセル）上に断片化したDNAを固定して増幅し（クラスター形成），蛍光ラベル付きの可逆的ターミネーターにより標識されたヌクレオチドを用いて1塩基ずつ伸長しながらシークエンスを行う，Sequence by Synthesis の技術が用いられてい

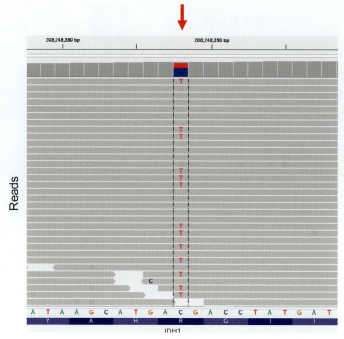

図2-3 次世代シークエンスにより検出された *IDH1* p.R132H 変異
多数のリード(グレイのバー)のアラインメントの中で変異塩基(T)のみハイライトされている。腫瘍細胞含有率が低い検体だが NGS により *IDH1* p.R132H が確認された(c.395G＞A，遺伝子は reverse strand にコードされているが，図では forward strand を読んでおり，C＞T の変異が検出された)(国立がん研究センター研究所 高阪真路分野長のご厚意による)。

る。極めて多数の領域を複数の検体で同時にシークエンスできる点において極めて効率が高く，エクソン全体のシークエンス(全エクソームシークエンス)，ゲノム全体のシークエンス(全ゲノムシークエンス)，全 RNA シークエンス(トランスクリプトームシークエンス)，特定の遺伝子に絞ったシークエンス(標的シークエンス)など応用範囲は広い。治療標的のスクリーニングを目的としたがんゲノムパネル検査にも用いられて，2019 年より保険医療のもとで運用されている(詳細はがんゲノムプロファイリング検査の項参照)[17]。また，Thermo Fisher Scientific によるシステムでは，ビーズ上に固定した1分子ずつの DNA 断片をエマルジョン PCR により増幅し，シリコンチップのウェル内で DNA 伸長を行って，dNTP が取り込まれる反応の際の微弱な pH の変化を検出することによりシークエンスを行う。さらに Oxford Nanopore Technologies 社から，ナノポアシークエンスという DNA の一本鎖を PCR などで増幅することなく1分子ずつ直接塩基配列を読む技術が開発された。この技術は，最大で 1 Mb 以上という極めて長いシークエンスを読むことが可能(ロングリード)で，後述する DNA メチル化も同時に検出することが可能である[18]。これらの NGS は専用の機器と高度のバイオインフォマティクス解析を必要とし，1検体あたり

のコストも高いが，同時にコピー数解析（下記参照）を行うことも可能であり，保険医療下で行う臨床検査として今後は中心的な役割を果たすと予想される。

2．コピー数・LOH・染色体異常解析法

　脳腫瘍には多くの特徴的なコピー数異常がみられる。コピー数異常とは，正常では一対（すなわち2本）あるはずの染色体領域が増減する現象である。コピー数異常には大きく分けて，コピー数が減少する欠失（deletion）と，増加（gain）がある。さらに欠失には1コピーの欠失（便宜上本稿では欠失と呼ぶ）と両方のコピーの欠失（homozygous deletion，本稿ではHDと略する）がある。欠失は染色体全体（monosomy）または長腕・短腕全体ないしそれに準ずる広範囲に及ぶことが多いが，染色体の一部のみの部分欠失のこともある。HDはほとんどの場合数10 kb前後の限られた領域に限定され，1つまたは複数の遺伝子を含む。HDは遺伝子の完全な失活をもたらすので，HDの標的遺伝子はがん抑制遺伝子と考えられる。コピー数増加もまた，染色体全体の1コピー増加（trisomy）または長腕・短腕全体に及ぶことが多い。一方限られた領域（数10 kb～数Mb）における高コピー数の増幅amplificationは1コピー増加とは区別される必要がある（すなわち1コピー増加を増幅と呼ぶべきではない）。そうした領域には1つないし複数の遺伝子が含まれており，遺伝子の高発現を伴うことがある。そういった遺伝子は活性型がん遺伝子であると考えられる。なお，腫瘍ゲノムが4倍体もしくはそれ以上に増加し，そこに染色体の増減が加わるといわゆる異数性（aneuploidy）を示すようになり，通常のコピー数定量法では正確に染色体の増減を判定することが困難になることに注意が必要である。また，いわゆるヘテロ接合性の消失loss of heterozygosity（LOH）は，一塩基多型single nucleotide polymorphism（SNP）や縦列型反復配列多型 short tandem repeat（STR）により相同染色体のアリルのヘテロ接合性が認められるときに，欠失によりヘテロ接合性が失われることを指し，通常は1コピー欠失と同義に用いられることが多い。ただし，astrocytomaにおける*TP53*領域（17p13）のように片方のアリルの欠失にもう一方のアリルの重複（loss and re-duplication）が伴うときは，後述するマイクロサテライトやSNPアレイなどでヘテロ接合性を調べることによりLOHは認められるものの，アレイCGHやFISHなどコピー数を量的に調べる検査では欠失として検出されない（この現象はcopy-neutral LOHと呼ばれる）。したがってLOHは検査法に依存する現象であり，表現には注意を要する。なお，コピー数の変化を伴わないLOHがuniparental disomy（UPD）と呼ばれることがあるが，UPDは生殖細胞系列において相同染色体の両方が一方の親から由来する現象をさし，腫瘍細胞における体細胞性コピー数異常を示す言葉としては正確ではない。

　WHO 2021においては，後述するようにいくつかの腫瘍型でコピー数異常が重要な診断基準の一つとなっている。これにはoligodendrogliomaの診断に必要な1p/19q codeletion，分子的に定義されたglioblastoma（molecular glioblastoma）の要件の一つであるEGFR増幅や染色体7番全体の増加（trisomy 7）および染色体10番全体の欠失（monosomy 10），astrocytoma, IDH-mutant, CNS WHO grade 4の要件の一つである*CDKN2A*のHDなどが含まれ，病理診断の確定に有用である。

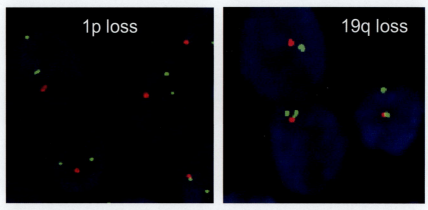

図2-4　FISHにより検出されたOligodendrogliomaにおける1p/19q codeletion
1pプローブ（赤，左図）または19qプローブ（赤，右図）のシグナルが1つ，1qプローブ（緑，左図）または19pプローブ（緑，右図）のシグナルが2つ認められる。

a．FISH

　Fluorescence in situ hybridization(FISH)は，標的とする塩基配列に相補的な配列をもつ核酸プローブを蛍光色素で標識し，組織・細胞または染色体に対してハイブリダイゼーションを行って特異的シグナルを蛍光顕微鏡で観察し，染色体のコピー数測定または転座・再配列を検出するという分子細胞遺伝学的手法である。脳腫瘍の分子遺伝学的解析においては，FISHは組織切片を用いて1p/19q codeletion（図2-4）や *EGFR* などのコピー数異常を増幅の検出などに用いられる。FISHの利点は以下の通りである。

- 診断用のホルマリン固定パラフィン包埋(FFPE)病理組織切片を使うことができるうえ，多くのプローブが市販されているので，臨床検査としては汎用性が高い。
- 病理所見との比較対象が比較的容易であり，腫瘍細胞を含まない組織片が検査に供されることによる偽陰性などの可能性が低い。
- 大量の正常細胞の混入などにより組織内の腫瘍細胞の分布が不均一な場合，標的の部位を特定して検査することが可能である。

一方，FISHには以下のような欠点もあるので，結果の解釈にあたっては注意する必要がある。

- 一定の厚さをもつ組織切片を二次元構造として評価するため，核が分割されたり重なったりしている場合，個々の細胞においてコピー数の判定がしばしば困難である。
- 検体の固定法がFISHに適さない場合や保存期間が長い場合は，検査結果の質が低く判定不能となることがある。
- 通常は一度の実験で限られた標的領域しか判定しないため，1p/19q codeletionのように全長にわたる欠失の評価が必要な場合は，標的領域の部分欠失と全欠失の区別ができない。

　FISHは染色体の転座・再配列の検出にも有用である[19]。脳腫瘍ではpilocytic astrocytomaにおける *KIAA1549::BRAF* 融合遺伝子（図2-5）やテント上上衣腫における *ZFTA(C11orf95)::RELA* 融合遺伝子の検出に用いられる(後述)。融合遺伝子を形成する再配列

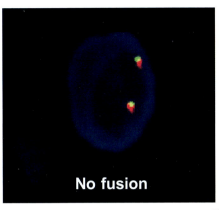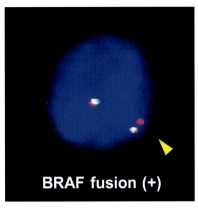

図 2-5 BRAF break-apart FISH により検出された pilocytic astrocytoma における *KIAA1549::BRAF* 融合遺伝子

正常では BRAF の両端にデザインした 2 つのプローブ（赤：N 末端側，緑：C 末端側）が近接または重なってみえるが（左図），BRAF fusion があると赤いシグナルが 1 つ乖離して認められる（右図）。

の両側の遺伝子が既知の場合は，それぞれの領域にプローブをデザインし，両方のプローブが合わさった蛍光色を検出することにより再配列の存在を判定することができる（fusion FISH）。融合遺伝子の一方が未知の場合は，主たる遺伝子（*BRAF* や *RELA* など）において融合遺伝子を形成する切断点の前後にプローブをデザインし，再配列があるときは両者が乖離することを検出することにより融合遺伝子を判定することが可能である（break-apart FISH，**図 2-5**）。

b．マイクロサテライト

いわゆるマイクロサテライト microsatellite は縦列型反復配列 short tandem repeat（STR）とも呼ばれ，その多くは CA の 2 塩基の反復であり，多型性が極めて高い。したがって LOH（上記参照）を調べるためには極めて有用なマーカーである（**図 2-6**）[20]。反復配列を含む領域を PCR で増幅し，キャピラリーシークエンサーで PCR 産物のパターンを同一症例の正常 DNA と腫瘍 DNA の間で比較することにより LOH を判定する。多くのマーカーを含むキットも市販されており，比較的安価で汎用性・信頼性の高い方法であるが，原則として同一症例の正常 DNA（血液または唾液）が必要である。

c．MLPA

Multiplex Ligation-dependent Probe Amplification（MLPA）は複数の領域を同時に多重 multiplex PCR 増幅し，PCR 産物をキャピラリーシークエンサーにより分離して定量し，それぞれのコピー数を解析する方法である（**図 2-7**）。増幅する遺伝子または領域に特異的に結合する隣接した 2 つのプローブをハイブリダイゼーションしたのちに両者をライゲーションし，ユニバーサルプライマーを用いて増幅することにより特異性と簡便性を確保する[21]。染色体上のさまざまな領域をカバーする多くのキットが市販されており，同一症例の正常 DNA を必要とせず，汎用性の高い方法である。

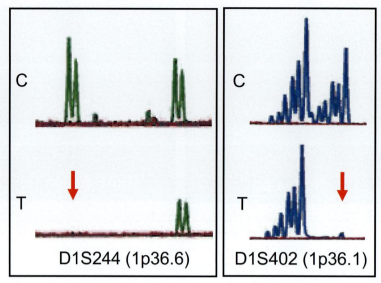

図2-6 マイクロサテライトにより検出されたヘテロ接合性の消失(loss of heterozygosity：LOH)
2つのマイクロサテライトマーカー(D1S244, D1S402)において患者由来正常DNA(C)のヘテロ接合性(2つのピーク)が腫瘍DNA(T)においてほぼ完全に失われている(矢印)(獨協医科大学脳神経外科(現 厚生労働省労働保険審査会)植木敬介教授のご厚意による)。

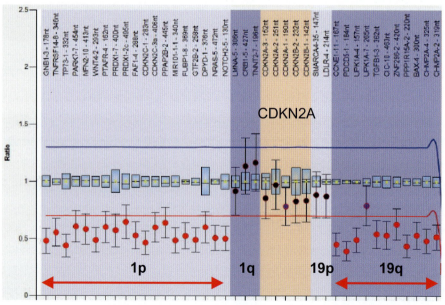

図2-7 MLPAにより検出されたoligodendrogliomaにおける1p/19q codeletion
1pの15のプローブ, 19qの8つのプローブのほぼすべてが閾値以下の値を示し, 1pと19qが全域にわたって欠失があることが示されている。1q(3つのプローブ)と19p(2つのプローブ)は閾値内にあり, それぞれコピー数異常を認めないため, 典型的な1p/19q codeletionであることがわかる。[SALSA® MLPA® P088 kitを用いてCoffalyser.Netにより解析(MRC-Holland)]

d．マイクロアレイ

アレイCGH(comparative genome hybridization)はガラス，シリコンチップまたは微小なビーズ上にDNA断片(多くは25-100塩基のオリゴヌクレオチド)を固定したアレイに，蛍光標識した腫瘍由来のゲノムDNAをハイブリダイゼーションさせ，正常DNAとの比を測定することによりコピー数を解析する[22]。ゲノムワイドにコピー数を解析する方法として一般的であり信頼性も高い。SNPアレイは一塩基多型 single nucleotide polymorphism(SNP)を認識するプローブを集めたアレイを用いて，腫瘍および同一症例の正常組織(血液)由来のDNAの間で多型部位でのヘテロ接合性を比較し，LOHの有無(上記)をみる方法であり，多数の多型部位がゲノム全体で同時に調べられるという利点がある。また，後述するメチローム解析用のアレイ(illumina Infinium® MethylationEPIC BeadChip)はコピー数異常も同時に解析することが可能である[23]。

e．定量PCR

定量PCRはゲノム上の一点においてコピー数異常を解析することが可能である。染色体の広い領域をみることはできず，1コピーの増減の判定は困難だが，特定の遺伝子のHDや増幅を判定する目的では，迅速で安価な検査方法である[24]。ほかの方法と異なり一点で評価する必要があるため，検量線などを用いて厳密なカットオフを事前に設定する必要がある。

f．免疫組織化学

厳密には直接コピー数を解析する方法ではないが，*CDKN2A* HDのサロゲートとして，*CDKN2A*の165 kbテロメア側に位置する*MTAP*の遺伝子産物であるMTAP蛋白の免疫組織化学性消失を用いる方法が開発された[25]。

g．次世代シークエンス

NGSで遺伝子変異解析を行う際に，シークエンスのリード数(read depth)に基づいてコピー数異常を検出することができる。また塩基多型をマッチした正常DNAと比較することにより，LOHを検出することも可能である。これらを組み合わせると，従来のコピー数定量法では見逃されていた，上記のような copy-neutral LOH を検出することが可能になる。Copy-neutral LOH はがん抑制遺伝子の不活化の機序として重要であり，今後その意義が明らかになっていくことが期待される[26]。

3．発現解析

a．融合遺伝子解析

融合遺伝子の存在は特異的なプライマーを使って reverse transcriptase PCR(RT-PCR)により検出することができる。安価で信頼性・汎用性も高いが，融合遺伝子ごとの特異的プライマーが必要であり，融合した遺伝子のエクソンおよび融合点が既知でないと検出系が設定できない。したがってこの方法は pilocytic astrocytoma における *KIAA1549::BRAF* やテント上上衣腫における *ZFTA::RELA* のように高頻度にみられる融合遺伝子に限られる[27,28]。

b．mRNA発現解析

mRNAの発現プロファイル(expression profiling)に基づく脳腫瘍の分類はいくつか提

唱されている。診断的意義が確定しているものとしては medulloblastoma の 4 型分類がよく知られている[29]（後述）。全ゲノム的な発現解析（トランスクリプトーム）は，以前はマイクロアレイが広く用いられていたが，現在は NGS を用いた RNA シークエンスが主流となっている[30]。NGS による RNA シークエンスにより，未知の融合遺伝子を発見することも可能である。標的 RNA 発現解析として，特に FFPE から抽出された断片化された RNA の発現解析を可能にする方法として，NanoString Technologies 社の nCounter® システムがある。これは断片化された RNA を遺伝子特異的なバーコード付きのプローブでキャプチャし，固相に固定して RNA 分子の数を直接測定するシステムであり，測定できる遺伝子の数は限られるものの，特に RNA が断片化されているような FFPE 検体を用いた発現プロファイルには有用である[31]。

c．免疫組織化学

後述するようにヒストン H3 の 27 番目（実際には 28 番目，上記参照）のリジンの 3 メチル化（H3 p.K27me3）に対する特異的抗体の免疫組織化学性の消失ないし減弱は diffuse midline glioma, H3K27-altered の診断基準にもなっており，posterior fossa group A (PFA) ependymoma の診断にも有用である[32]。

4．メチル化解析

一般的に DNA メチル化は，シトシンの後にグアニンが続く 2 連塩基（CpG）の C（シトシン）がメチル化される現象を指す。プロモーター領域の DNA メチル化はプロモーター活性を抑制することにより遺伝子発現の低下をもたらすことがある。MGMT においてプロモーター領域のメチル化が MGMT の発現低下をもたらし，glioblastoma の予後予測因子・テモゾロミドに対する治療効果予測因子であることはよく知られている[33]。

がん細胞におけるゲノム全体の DNA メチル化パターン（メチローム）は，起源細胞のメチロームと体細胞性に獲得されたメチル化の組み合わせを反映していると考えられており，高い再現性をもって脳腫瘍を分類できることが示された[34]。メチローム解析は Illumina 社の Infinium® MethylationEPIC BeadChip（以下メチル化アレイ）を用いて行われ，専用のスキャナーにより得られる一組の idat file をドイツがん研究センター（DKFZ）が公開している Website（https://www.molecularneuropathology.org/mnp/）にアップロードすることにより，メチル化分類の結果を得ることができる（図 2-8）。WHO 2021 においては diagnostic criteria にメチル化分類が含まれている腫瘍が少なからずみられ，事実上診断基準の一つとして確立されたと考えられる。一方，メチローム解析はあくまで研究ツールとされていることに注意が必要である。

DNA メチル化の検査法の主流は，bisulfite modification（BSM）によりメチル化されていないシトシンをウラシルに変換して（PCR 増幅後はチミンに置換される），シトシンとメチル化シトシンを塩基の違いとして検出する方法である。検出法としては，methylation-specific PCR（MSP），パイロシークエンス，メチル化アレイ，NGS などが用いられる。MSP はメチル化された BSM シークエンスに特異的なプライマーを用いて PCR を行い，増幅の有無でメチル化を判定する方法で，その簡便性から最も一般的である[35]が，プライマーのデザインによっては定量性・再現性においてほかの方法に劣ることもある[36]。パイ

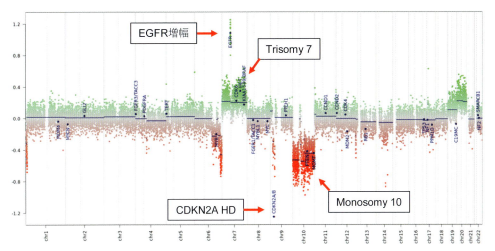

図 2-8 メチル化アレイ（Infinium® HumanMethylationEPIC）を用いた DKFZ Methylation Classifier によるメチル化分類

メチル化アレイ（Infinium® HumanMethylationEPIC）により解析された結果を DKFZ Methylation Classifier によりメチル化分類を行った結果の抜粋。Methylation class（MC）glioblastoma, IDH-wildtype, RTK2 subtype（calibrated score 0.99969）と判定された。下段はメチル化アレイから得られたコピー数プロット。Glioblastoma, IDH-wildtype に典型的な EGFR 増幅，Trisomy 7，*CDKN2A* HD，Monosomy 10 などの所見が認められる。

ロシークエンスは変異解析の項で解説されているが，個々の CpG においてメチル化の割合が正確に定量できる利点がある（図 2-9）。メチル化アレイは上記のようにメチル化分類の標準検査法として確立されているが，専用のスキャナーが必要であり，外注による検査は高価である。NGS はより網羅的にメチル化を調べることが可能であるが，高額であり，臨床検査への応用は今後の課題と考えられる。

2 分子診断各論

A．Gliomas, glioneuronal tumors, and neuronal tumors 膠腫，グリア神経細胞系腫瘍，神経細胞系腫瘍

WHO 2021 においてグリオーマは大きく 6 つに再編された[10]。すなわち成人型（adult-type）びまん性膠腫（diffuse glioma），小児型（pediatric-type）びまん性低悪性度膠腫（diffuse low grade glioma），小児型びまん性高悪性度（diffuse high-grade glioma）膠腫，限局

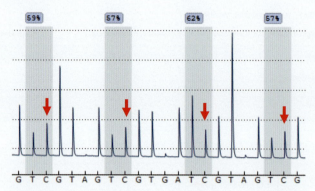

図 2-9　パイロシークエンスによる MGMT メチル化の検出
メチル化された C（メチルシトシン）は bisulfite conversion を受けないので，メチル化は C のピークとして認められる（矢印）。メチル化された C は bisulfite conversion と PCR 増幅により T（チミン）に変換されるため，C と T のシグナルの比により各 CpG でのメチル化が表記のように計算される。

性星細胞系膠腫（circumscribed astrocytic glioma），グリア神経細胞系および神経細胞系腫瘍（glioneuronal and neuronal tumor），および上衣系腫瘍（ependymal tumors）である。脈絡叢腫瘍はグリオーマからは分離された。Pediatric-type と定義されていても，成人（特に若年）にもしばしばみられ，また稀に Adult-type の腫瘍が小児に発生することもある。あくまで小児または成人に多くみられる腫瘍型という意味であり，厳密に年齢によって診断が決まるわけではない。本稿では成人型びまん性膠腫，小児型びまん性膠腫，限局性星細胞系膠腫，上衣系腫瘍について述べる。グリア神経細胞系および神経細胞系腫瘍は極めて多岐にわたり，各腫瘍型が比較的稀なので，割愛することをご容赦いただきたい。

1. Adult-type diffuse gliomas 成人型びまん性膠腫

WHO 2021 においては，成人型びまん性膠腫が IDH 変異と 1p/19q codeletion の有無により 3 つの腫瘍型にまとめられた。Astrocytoma の診断には IDH 変異の存在が必須になった一方，glioblastoma は IDH 野生型に限定された。したがって，glioblastoma, IDH-mutant はもはや腫瘍型としては存在しなくなった。それに伴い，WHO 2016 までは記載のあった secondary glioblastoma の概念も完全に削除された。

a. Astrocytoma, IDH-mutant 星細胞腫，IDH 変異

WHO 2021 においては astrocytoma の診断には *IDH1* または *IDH2* 変異（以下 IDH 変異）の存在が必須となった。したがって，WHO 2016 に含まれていた astrocytoma, IDH-wild-type は腫瘍型としては WHO 2021 においては定義されていない。*IDH1* 変異はグリオーマではほぼ例外なくコドン 132 番のアルギニンに起こり，その中でもヒスチジンへの変異（p.R132H，塩基では c.395G＞A）が IDH 変異全体の 90〜95％と圧倒的に高頻度である[37]。*IDH1* 変異にはほかに p.R132S，p.R132C，p.R132G，p.R132L が報告されているが，いずれも稀である。また，*IDH1* とほぼ同様の機能をもつ *IDH2* にもコドン 172 アルギニンの変異が *IDH1* 変異と相互排他的に認められる（p.R172K，p.R172M，p.R172W など）が，頻

度は低い。IDH1, IDH2変異とも単一のコドンをホットスポットにもつためサンガーシークエンスなどで容易に検出できる[12]。変異の大多数を占めるIDH1 p.R132Hについては極めて感度と特異性の高いモノクローナル抗体を用いて，免疫組織化学で検出することが一般的である（疾患の項参照）。

IDH1/IDH2（以下IDH）はイソクエン酸isocitrateをケトグルタル酸α-ketoglutarateに変換する活性をもつ酵素だが，IDH変異はケトグルタル酸をD-2-hydroxyglutarate（D-2HG）に変換する機能をもつ活性型がん遺伝子である。IDH変異をもつ腫瘍にはほぼ例外なくglioma-CpG island methylator phenotype（G-CIMP）と呼ばれるゲノム全体にDNAのメチル化が亢進する現象がみられる。G-CIMPの機序は不明だが，過剰のD-2HGがDNA脱メチル化酵素であるTET2の機能を阻害するためではないかと示唆する報告もある。詳しくは総説を参照されたい[38]。

IDH変異をもつdiffuse astrocytomaの約70％程度にATRXの不活化変異が認められる[39]。ATRX変異の分布は7,479 bpの蛋白コード領域に広がるため点突然変異自体の検出は極めて煩雑だが，ほとんどが不活型変異（多くはtruncating mutation）であり，抗ATRX特異的抗体を用いた免疫組織化学性の消失により検出が可能である[40]。Astrocytoma, IDH-mutantの診断には1p/19q codeletionを除外する必要がある（後述）が，ATRX変異はIDH変異と1p/19q codeletionをもつoligodendrogliomaにはみられないため，ATRXの免疫組織化学により，1p/19q codeletionの検査は行わずにastrocytoma, IDH-mutantの診断をすることができる[41]。また，IDH変異をもつdiffuse astrocytomaの大多数にTP53変異が認められる。TP53変異の多くはDNA結合ドメインをコードするexon 5〜8に集中してみられるアミノ酸置換型の変異missense mutationで，ほとんどの場合，分解されなかった蛋白が核内に蓄積しており免疫組織化学陽性として検出が可能であるが，10％程度は短縮型変異truncating mutationであるため免疫組織化学では陰性となる[11]。Diffuse astrocytoma, IDH-mutant, CNS WHO grade 2とanaplastic astrocytoma, IDH-mutant, CNS WHO grade 3をそれぞれ特徴づける遺伝子変異は報告されておらず[39]，WHO grade 2およびgrade 3の判定は従来通り病理形態学的診断基準により行われる。WHO 2021では腫瘍型のみが分類名となり，各腫瘍型の下に悪性度分類が位置づけられるため，改訂第4版まではgrade 3を意味していたanaplastic astrocytomaは，独立した腫瘍型としては削除された。一方，WHO 2021においては遺伝子所見に基づき新たにastrocytoma, IDH-mutant, CNS WHO grade 4が定義された。これには，WHO 2016においてglioblastoma, IDH-mutantと診断されていた，glioblastomaの組織像（微小血管増殖や壊死）とIDH変異をもつ腫瘍が含まれる[2]（後述）。さらに，astrocytoma, IDH-mutantのうちCDKN2A/Bのhomozygous deletionをもつ症例は有意に予後不良であるという報告に基づき[42]，それらもIDH-mutant, CNS WHO grade 4に含まれることとなった。後述するoligodendroglioma, IDH-mutant and 1p/19q codeletedのほぼ全例にみられるTERTプロモーター変異は，astrocytoma, IDH-mutantでは例外的にしか認められないが，TERTプロモーター変異をもたないastrocytoma, IDH-mutantに比べて予後が良い傾向がある[43,44]。

なお，diffuse astrocytoma, IDH-wildtype は WHO 2021 には定義されていないが，組織学的に diffuse astrocytoma の像を示し，後述する molecular glioblastoma の遺伝子所見もなく，astrocytoma, IDH-mutant と glioblastoma, IDH-wildtype の中間の予後をもつ腫瘍が存在するという報告がある[45]。

b．Oligodendroglioma, IDH-mutant and 1p/19q-codeleted 乏突起膠腫，IDH 変異および 1p/19q 共欠失

Oligodendroglioma を特徴づける遺伝子・染色体変異は IDH 変異と 1p/19q codeletion である[46]。この両者の存在は oligodendroglioma の診断に必須であり，diffuse glioma の形態学的所見と合わせて oligodendroglioma の診断に必要十分条件となる。Oligodendroglioma は WHO 2021 において分子診断の有意性が明確な腫瘍の一つであり，IDH 変異と 1p/19q codeletion の分子検査が確定診断に必須となる。

1p/19q codeletion は染色体1番短腕(1p)と19番長腕(19q)が全域で同時に欠失している染色体異常を指す。この現象は染色体1番と19番がセントロメア内で不均衡転座を起こし，一方の誘導染色体が失われた結果として生じると考えられている[47]。この機序から明らかなように，oligodendroglioma に極めて特異的な所見である 1p/19q codeletion は 1p と 19q 全体が同時に欠失しているもののみをさし，glioblastoma の一部にみられる 1p36 の部分欠失とは厳密に区別される必要がある[22]。

IDH 変異と 1p/19q codeletion をもつ oligodendroglioma のほとんど全例に TERT プロモーター変異を認める[48,49]。20歳未満の oligodendroglioma, IDH-mutant and 1p/19q-codeleted に TERT プロモーター変異がみられないことが多いという報告がある[50]。IDH 変異・1p/19q codeletion, TERT プロモーター変異は oligodendroglioma 組織内に均一にみられることが報告されており，oligodendroglioma の founder mutation（腫瘍発生の最初のイベントであり，腫瘍の維持に必要な遺伝子変異）と考えられる[39]。1p と 19q 上のがん抑制遺伝子として FUBP1(1p31.1) と CIC(19q13.2) の変異が 1p/19q codeletion をもつ oligodendroglioma のそれぞれ 20〜40% と 50〜80% に認められているが[51]，IDH 変異などと異なり変異の分布は腫瘍組織内で不均一である[39]。また CIC の変異が oligodendroglioma の予後と相関がないという報告もあり，FUBP1 と CIC の oligodendroglioma における意義は必ずしも大きくないと考えられる。これらのグリオーマの現在考えられる分子的発生機序を図2-10に示す。Astrocytoma 同様，WHO 2021 では各腫瘍型の下に悪性度分類が位置づけられるため，改訂第4版までは grade 3 を意味していた anaplastic oligodendroglioma は，独立した腫瘍型としては削除された。Oligodendroglioma, IDH-mutant and 1p/19q-codeleted において CNS WHO grade 2 と grade 3 を特徴づける遺伝子所見は発見されておらず，両者の予後の差も明らかではない[39,43]。

なお，上述のように oligodendroglioma の診断は IDH 変異と 1p/19q codeletion の証明が組織学的所見に優先するため，組織学的に oligoastrocytoma の形態が認められても，WHO 2021 の定義上は IDH および 1p/19q の状態により oligodendroglioma または astrocytoma のいずれかの診断となる。

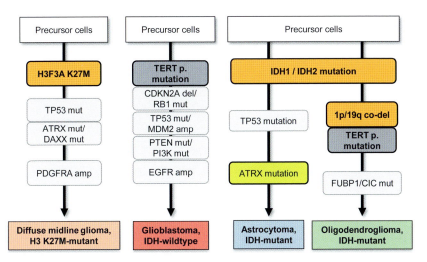

図 2-10　Diffuse glioma の分子的発生機序
それぞれに特徴的な遺伝子変異をラベルで示す。Oligodendroglioma と astrocytoma は IDH 変異をもつ共通の precursor cell から生じると考えられている。Glioblastoma, diffuse midline glioma, H3 K27M-mutant がほかの diffuse astrocytoma と precursor cell を共有するかは不明だが，便宜上分けてある。WHO 2016 で推奨されている分子診断マーカー（IDH1/IDH2, 1p/19q codeletion, Histone H3 p.K27M 変異）はオレンジ，WHO 2016 では推奨されていないものの実用的な診断価値の高い ATRX を黄色，診断・予後マーカーとしての価値が示唆されている *TERT* をグレーに表示してある。変異の発生する順序が明確でない遺伝子変異のラベルは近接して示されている。

c．Glioblastoma, IDH-wildtype 膠芽腫，IDH 野生型

　WHO 2021 では glioblastoma は IDH-wildtype と定義された。これに伴い，WHO 2016 において glioblastoma, IDH-mutant と定義されていた，glioblastoma の組織像をもちながら IDH 変異をもつ diffuse glioma は，上記のように astrocytoma, IDH-mutant, CNS WHO grade 4 に分類されるようになった。一方，glioblastoma の組織学的診断基準を満たさない IDH 野生型のびまん性腫瘍については，cIMPACT-NOW update 3 では *TERT* プロモーター変異，または EGFR 増幅，または染色体 7 番全長のコピー数増加（trisomy 7）と染色体 10 番全長の欠失（monosomy 10）をもつものを，diffuse astrocytic glioma, IDH-wildtype, with molecular features of glioblastoma, WHO grade IV とすることが提唱された[3]。これを受けて，WHO 2021 ではこれらの分子所見をもつ腫瘍は glioblastoma の組織学的所見をもたなくても glioblastoma, IDH-wildtype に分類されることになった（表2-1）。以上から，成人型びまん性膠腫における分子診断の優位性が確立されたといえる。

　全エクソンシークエンスによると glioblastoma, IDH-wildtype には 1 つの腫瘍あたり 60〜70 程度の多彩な体細胞変異が認められる[52-55]。なかでも頻度の高い遺伝子変異には *CDKN2A/CDKN2B*（9p21）のホモ接合性欠失（homozygous deletion，〜60％），*EGFR* 遺伝子の高レベル増幅，*EGFRvIII* バリアントまたは点突然変異（〜55％），*PTEN* 点突然変異または homozygous deletion（〜40％），*TP53* 変異（25〜30％），*PI3K* 経路遺伝子の変異

(〜25％)などがあり，これらの多くは MAPK 経路，AKT 経路，RB1 経路，p53 経路のいずれかに属する[53]。TERT プロモーター変異は IDH 野生型の glioblastoma に極めて高頻度(60〜80％)にみられる[48,49]。染色体異常ではモノソミー10番，トリソミー7番が高頻度にみられる。エピゲノム異常では MGMT プロモーターの高メチル化が 40〜50％程度に認められる。

　WHO 2016 で腫瘍型として定義された epithelioid glioblastoma は，WHO 2021 では glioblastoma, IDH-wildtype の中の subtype として記載されている。BRAF p.V600E の変異が高頻度にみられることが知られているが，後述する pleomorphic xanthoastrocytoma と類似するものなど分子的にいくつかのサブクラスに分けられることが示唆されている[56]。

　Glioblastoma の遺伝子・染色体異常は極めて多岐に至るので，それぞれについての詳細な解説は総説に譲る[57]。Glioblastoma は多発性病変や再発腫瘍において IDH 変異を除く遺伝子変異のパターンが変化することが多いことが報告されており，時間的・空間的に極めて不均一な腫瘍である[58-60]。

2．Pediatric-type diffuse low-grade gliomas 小児型びまん性低悪性度膠腫

　上記のようにびまん性膠腫は WHO 2021 において成人型と小児型に分類され，小児型はさらに低悪性度膠腫と高悪性度膠腫に分けられた[10]。小児型びまん性低悪性度膠腫は，これに含まれる4つの腫瘍型のうち3つまでが WHO 2021 で新しく定義された[5]。いずれも稀な腫瘍であり，概要を簡単に解説する。Diffuse astrocytoma, MYB- or MYBL1-altered は大脳半球に発生し，多くはてんかんで発症する。MYB または MYBL1 の遺伝子増幅や融合遺伝子などさまざまな構造異常を特徴とする。MYB および MYBL1 は転写活性化因子であり，構造異常の場合はアミノ酸 C-末端の抑制ドメインがなくなることにより活性化・過剰発現してがん化に関与すると考えられている[5]。IDH/H3 が野生型であり，MYB/MYBL1 の構造異常がみられることが診断基準に含まれる。Angiocentric glioma は特徴的な病理所見に加えてほぼ全例に MYB::QKI 融合遺伝子がみられる。MYB の活性化は MAPK 経路の活性化をもたらす[61]。Polymorphous low-grade neuroepithelial tumor of the young(PLNTY)は oligodendroglioma に酷似した病理組織像をもつが，IDH 変異や 1p/19q codeletion をもたず，免疫組織化学による CD34 のびまん性発現が特徴である[62]。BRAF p.V600E 変異や FGFR2/FGFR3 の融合遺伝子が高頻度にみられる。Diffuse low-grade glioma, MAPK pathway-altered びまん性低悪性度膠腫，MAPK 経路異状にも BRAF や FGFR1 といった MAPK 経路に属する遺伝子変異がみられ，IDH/H3 野生型かつ CDKN2A の HD を認めないが，上記のようにこういった遺伝子型はこの腫瘍に特異的ではない。メチル化分類による同様の遺伝子型をもつほかの腫瘍型の除外が推奨されている。

3．Pediatric-type diffuse high-grade gliomas 小児型びまん性高悪性度膠腫

a．Diffuse midline glioma, H3 K27-altered びまん性正中膠腫，H3 K27 異状

　小児型びまん性高悪性度膠腫の中で，成人型と鑑別が必要なのは，diffuse midline glioma, H3 K27-altered びまん性正中膠腫，H3 K27 異状である[6]。小児においては脳幹や橋部にびまん性に発生することが多く diffuse intrinsic pontine glioma(DIPG)として知られていた。それらの大多数にヒストン H3.3(遺伝子名は H3F3A から H3-3A に変更された)

または H3.1(*HIST1H3B/3C* から *H3C2/C3* に変更)のコドン 27 番リジンがメチオニンに変換される p.K27M 変異がみられる(がんゲノム検査では K28M として報告される。A. 序論参照)[63,64]。p.K27M 変異をもつ腫瘍は視床や脊髄にも発生し,特に若年成人などでその傾向がある。これらはまとめて diffuse midline glioma, H3 K27M-mutant びまん性大脳半球膠腫,H3 G34 変異として分類される[6]。H3 p.K27M 変異に加えて *TP53* 変異や *PDGFRA* や *EGFR* の変異・増幅も認められ,また,*HIST1H3B/H3C2* K27M 変異には *ACVR1* の変異が高頻度に併存する(ただし,診断基準に含まれるのは p.K27M と *EGFR*)[65-67]。稀に *BRAF* p.V600E 変異が併存することもある。これらの腫瘍ではヒストン H3 の K27(K28)のトリメチル化修飾(H3 p.K27me3/K28me3,A. 序論参照)の減弱が,抗 H3 p.K27me3 抗体による免疫組織化学性消失として認められることが特徴的であり,この所見が診断基準の一つとなっている[16,68]。Diffuse midline glioma, H3 K27-altered の中には稀に K27M 変異がみられず,代わりに EZHIP の過剰発現を認める腫瘍があるが,それらも p.H3K27me3 の免疫組織化学性が消失している[69]。これは K27M と EZHIP が相互排他的に H3K27me3 を阻害するためであり,この腫瘍の本質的な分子異常は p.H3K27me3 の低下であるといえる。

b．Diffuse hemispheric glioma, H3 G34-mutant びまん性大脳半球膠腫,H3 G34 変異

WHO 2021 では,小児の大脳半球に発生する high grade astrocytoma に H3.3(*H3-3A*)の G34R(p.G35R)または G34V(p.G35V)の変異を認める高悪性度グリオーマが独立した腫瘍型として分類された[70]。この変異は midline のグリオーマには認められず,p.G34R/V 変異の存在は診断を確定する。*TP53* 変異や *PDGFRA* 増幅もみられる。

c．その他の pediatric-type diffuse high-grade glioma

Diffuse pediatric-type high-grade glioma, H3-wildtype and IDH-wildtype びまん性小児型高悪性度膠腫,H3 野生型および IDH 野生型は IDH 野生型かつ H3 野生型の高悪性度びまん性膠腫であり,分子所見としては *PDGFRA* や *EGFR* の異常があるとされているが,*MYCN* の増幅以外は特異性が低く,確定診断にはメチローム分類が必要である。Infant-type hemispheric glioma 乳児型大脳半球膠腫は乳幼児の大脳半球に発生し,*NTRK1/2/3, ROS1, ALK, MET* などの融合遺伝子が高頻度にみられる[71]。これらの融合遺伝子は治療標的となるので,乳幼児の大脳半球のグリオーマにはこの腫瘍型を念頭に置いて精査することが推奨される。

4．Circumscribed astrocytic gliomas 限局性星細胞系膠腫

a．Pilocytic astrocytoma 毛様細胞性星細胞腫

Circumscribed astrocytic glioma で最も頻度が高いのは pilocytic astrocytoma である。Pilocytic astrocytoma には約 70％程度に *KIAA1549::BRAF* 融合遺伝子が認められ,この腫瘍を最も特徴づける所見といえる[72]。特に小脳に発生する pilocytic astrocytoma に高頻度にみられ,テント上の腫瘍では頻度は低い。また,この融合遺伝子は diffuse leptomeningeal glioneuronal tumor にも稀にみられるため,その存在が必ずしも pilocytic astrocytoma の診断を確定するものではない *KIAA1549::BRAF* 融合遺伝子は,7q34 上のこれら 2 つの遺伝子を含む約 2 Mb の領域が縦列重複(tandem duplication)を起こすことにより

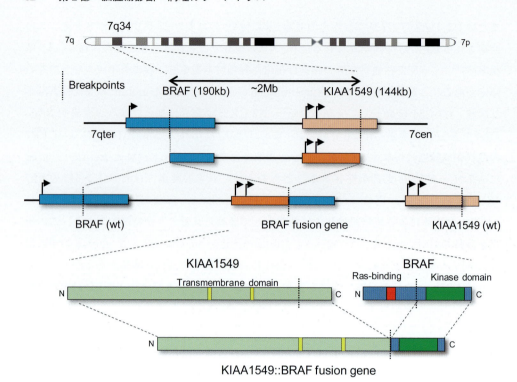

図 2-11　Pilocytic astrocytoma における *KIAA1549::BRAF* 融合遺伝子の模式図
KIAA1549::BRAF 融合遺伝子は 7q34 における縦列重複(tandem duplication)により発生する。融合遺伝子産物において BRAF の制御ドメイン(Ras-binding domain)を含むアミノ末端が KIAA1549 のアミノ末端で置き換えられることにより BRAF リン酸化酵素活性が恒常的に亢進し，がん遺伝子活性をもつと考えられる。N，アミノ末端；C，カルボキシル末端。

BRAF の N 末端側が *KIAA1549* の N 末端により置き換えられたものであり，BRAF のリン酸化活性が恒常的に亢進している(**図 2-11**)[28]。切断点の違いにより多くの融合遺伝子が知られているが，頻度の高いのは 3 種類であり，RT-PCR により検出が可能である。稀に *BRAF* は *KIAA1549* 以外の遺伝子と融合遺伝子を形成することがあり，それらを含めて検出するには *BRAF* の break-apart FISH が有用であり，プローブも市販されている。*BRAF* 融合遺伝子をもたない pilocytic astrocytoma では *BRAF* 変異(V600E は特にテント上腫瘍に多い)，*KRAS* 変異，*RAF1* 融合遺伝子，*NF1* 変異，*FGFR1* 変異，*FGFR1::TACC1* 融合遺伝子などがみられ，これらをすべて含め pilocytic astrocytoma のほぼ全例に何らかの MAPK 経路の異常がみられる[73]。High-grade astrocytoma with piloid features は WHO 2021 で導入された新しい腫瘍型だが，確定診断はメチローム解析によって行われる[74]。この腫瘍には MAPK 経路の遺伝子変異や *CDKN2A/B* の HD などの遺伝子異常が認められるが，特異性はない。

b．多形黄色星細胞腫 Pleomorphic xanthoastrocytoma

Pleomorphic xanthoastrocytoma(PXA)は基本的に病理組織学的所見により診断が確定する。PXA の約 60% に *BRAF* 点突然変異(多くは p.V600E)を認め[75]，ほかにも *NF1* や *NTRK* などの MAPK 経路遺伝子の変異・融合遺伝子を認める。また，*CDKN2A/B* の HD

も高頻度にみられる。診断困難症例にはメチローム解析が有用である。Anaplastic pleomorphic xanthoastrocytoma は WHO 2021 では独立した腫瘍型としては削除され，anaplastic feature をもつ PXA は，PXA の中に CNS WHO grade 3 として含まれる。

c．その他の circumscribed astrocytic glioma

Subependymal giant cell astrocytoma(SEGA)は結節性硬化症にほぼ特異的に発生する腫瘍(5～15%)であり，結節性硬化症の診断基準の一つでもある。結節性硬化症の 85% に *TSC1*(9q34)または *TSC2*(16p13)の不活化変異が認められる(TSC1:TSC2＝1:5)[75]。SEGA では生殖細胞系列変異と腫瘍における体細胞系列の欠失または変異による両側アレルの不活化がみられることが多い。また，一部に *BRAF* 変異を認めるという報告がある。Chordoid glioma は第三脳室前半部に発生し，大多数の症例で *PRKCA* の D463H 変異を認める[76]。Astroblastoma, *MN1*-altered は *MN1* の構造異常，典型的には *MN1::BEND2* 融合遺伝子により特徴づけられるが[77]，*MN1* を含まない *EWSR1::BEND2* 融合遺伝子をもつ astroblastoma の報告も本邦から複数ある[19,78]。

5．Ependymal tumors 上衣系腫瘍

上衣腫については近年の詳細なゲノム解析の結果，発生部位によりその病態が大きく異なることが明らかになり[30,79,80]，WHO 2021 ではテント上上衣腫(supratentorial ependymoma)，後頭蓋窩上衣腫(posterior fossa ependymoma)，脊髄上衣腫(spinal ependymoma)が別々に分類された[4]。WHO 2016 に比べて発生部位による生物学的特性の違いを考慮したうえでの歓迎すべき改訂であるといえる。

a．Supratentorial ependymoma テント上上衣腫

上衣腫では高頻度に変異を認める遺伝子(recurrent mutation)は発見されていないが，テント上上衣腫の 70% 程度に *ZFTA::RELA* 融合遺伝子が認められ[30]，supratentorial ependymoma, *ZFTA*-fusion positive として独立した腫瘍型に分類された(図 2-12)。この腫瘍型は WHO 2016 では，*C11orf95::RELA* 融合遺伝子の存在を特徴とする ependymoma, *RELA*-fusion positive という名称で分類されていたが，*C11orf95* という暫定的な遺伝子名に *zinc finger translocation associated*(ZFTA)という正式名称がついたこと，稀に *ZFTA* が *RELA* 以外とも融合遺伝子を形成すること，さらにテント上上衣腫に特徴的な所見であることから，WHO 2021 では supratentorial ependymoma, ZFTA-fusion positive に変更された[81]。ZFTA-fusion は *ZFTA*(*C11orf95*)の N 末端と RELA の大半に相当する C 末端側からなる融合遺伝子で，両遺伝子内のさまざまな切断点の組み合わせにより少なくとも 8 種類が報告されているが，*ZFTA* exon 2 または 3 と，*RELA* exon 2 または 3 が融合した形が多い[27,30]。ZFTA-fusion はテント上上衣腫に極めて特異性が高く，診断を確定する分子所見である。ZFTA の機能は不明だが，*ZFTA::RELA* 融合遺伝子は転写因子として機能し，NF-kB 経路および ZFTA-fusion そのものを含むさまざまな遺伝子の転写活性を更新させることが報告されている[82-84]。ZFTA-fusion は RT-PCR により検出できるが，非定型的なものを網羅的に調べることは困難なので，break-apart FISH を使う方法が使われることがある。ZFTA-fusion をもたないテント上上衣腫の中には YAP1-fusion をもつものが少数みられ，その多くは *YAP1::MAMLD1* fusion である[81]。これらは Supra-

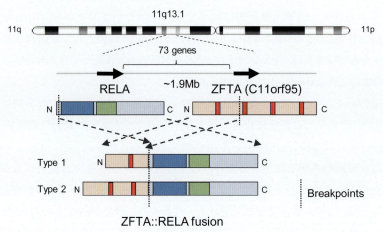

図 2-12　テント上 ependymoma における *ZFTA*(*C11orf95*)::*RELA* 融合遺伝子

テント上 ependymoma における *ZFTA*(*C11orf95*)::*RELA* 融合遺伝子は，chromothripsis と呼ばれる複雑な遺伝子再配列により生じることが多く，本来は RELA よりも下流にあるはずの ZFTA が融合遺伝子では RELA のアミノ末端側に結合する。少なくとも 7 つの融合遺伝子のパターンが知られているが，図中では Type 1 と Type 2 が示されている。

tentorial ependymoma, *YAP1* fusion-positive として独立して分類されている。YAP1-fusion の頻度は ZFTA-fusion に比べて極めて低い。ZFTA-fusion および YAP1-fusion の病態および生命予後における影響は今後さらに検討する必要がある。これらの融合遺伝子が検出されなかったテント上上衣腫は，supratentorial ependymoma と診断され，分子検査が行われていない場合は NOS，融合遺伝子検索が行われたにもかかわらず検出されなかった場合は NEC ということになる。ZFTA または YAP1 融合遺伝子の存在しないテント上上衣腫の病態は不明であり，メチローム解析などにより上衣腫以外の診断を検討する必要がある[27]。

b．Posterior fossa ependymoma 後頭蓋窩上衣腫

WHO 2021 では，後頭蓋窩上衣腫が，乳幼児に好発して予後不良の posterior fossa group A(PFA)ependymoma と，主に若年成人を中心に好発して比較的予後の良い posterior fossa group B(PFB)ependymoma に分類された[79]。PFA と PFB は DNA メチル化解析により診断されるが，H3 p.K27me3(diffuse midline glioma の項を参照)の免疫組織化学染色の減弱によっても判定ができる[27,32]。PFA には稀に H3 K27M の点突然変異が認められ，H3 p.K27M 変異と相互排他的に EZHIP の点突然変異または発現亢進が認められる[85,86]。PFA/PFB の判定が行われなかった後頭蓋窩上衣腫は posterior fossa ependymoma, NOS の診断になる。

c．Spinal ependymoma 脊髄上衣腫

脊髄に発生する上衣腫の中では，*MYCN* の増幅をもち，spinal ependymoma, MYCN-amplified がそれ以外の spinal ependymoma とは独立の腫瘍型として分類された。Spinal ependymoma, MYCN-amplified は稀であり，臨床的に予後不良である[87]。大多数のほかの

脊髄上衣腫は spinal ependymoma と診断され，生命予後は良好である。Neurofibromatosis type 2（NF2）には ependymoma が発生することがあるが，孤発性の ependymoma で NF2 の点突然変異を認めるのは spinal ependymoma のみである[81]。Subependymoma と myxopapillary ependymoma の診断は病理診断により行われる。診断困難な場合はメチローム解析が有用である。

B．Embryonal tumors 胎児性腫瘍

Embryonal tumors は WHO 2016 に続き WHO 2021 においてさらに分子所見に基づく分類が進んだ。Medulloblastoma の分類は WHO 2016 同様分子分類と組織分類が併記されている。WHO 2016 以前の分類で primitive neuroectodermal tumor（PNET）と分類されていた腫瘍でメチローム解析により新たな腫瘍型として提唱されたもののうち，CNS tumor with *BCOR* internal tandem duplication が追加され，CNS neuroblastoma, *FOXR2*-activated に遺伝子型の表記が付記された[88]。

1．Medulloblastoma 髄芽腫

発現解析に基づく分子分類の結果 medulloblastoma は予後の異なる 4 つのサブグループ（WNT，SHH，group 3，group 4）に分けられることが国際コンセンサスにより提唱され，メチローム解析によりさらに SHH，group 3，group 4 はいくつかのサブタイプに分けられている[89]。一方 WHO 2021 では，WNT は medulloblastoma, WNT-activated として分類されているが，SHH は *TP53* 変異の有無により medulloblastoma, SHH-activated and *TP53*-wildtype と medulloblastoma, SHH-activated and *TP53*-mutant に分類されている。これらは分子グループ（molecular group）と呼ばれており，国際コンセンサスの呼称とは異なることに注意する（WHO 2021 のサブグループは国際コンセンサスのサブタイプを指す。図 2-13 参照）。また，group 3 と group 4 は medulloblastoma, non-WNT/non-SHH 髄芽腫，非 WNT/非 SHH として一つのグループにまとめられた。また，分子分類に組織学的分類と転移などの臨床症状を統合した臨床的リスク分類がいくつか提唱されている[90]。Medulloblastoma は脳腫瘍の中でも最もゲノム解析が進んでいる腫瘍であり，詳細は総説を参考にされたい[89]。

a．Medulloblastoma, WNT-activated 髄芽腫，WNT 活性化

Medulloblastoma, WNT-activated は発現プロファイルにより WNT 経路の亢進が認められる腫瘍であり，大多数の症例で β-catenin（*CTNNB1*）に点突然変異を認める。*CTNNB1* 変異は exon 3 にホットスポットがあり，サンガーシークエンスで検出できるほか，変異 CTNNB1 は核内に蓄積され，核内集積像は免疫組織化学によっても検出可能である。WNT グループは 7〜14 歳の小児に多くみられ，生命予後は最も長い。染色体 6 番のモノソミーも多くみられる。

b．Medulloblastoma, SHH-activated and *TP53*-mutant 髄芽腫，SHH 活性化および TP53 変異

Medulloblastoma, SHH-activated and *TP53*-mutant は発現プロファイルにより SHH 経路の亢進がみられるグループのうち *TP53* の変異をもつ腫瘍で，*GLI2* や *MYCN* の増幅

	WNT-activated	SHH-activated TP53-wildtype	SHH-activated TP53-mutant	Non-WNT/non-SHH Group 3	Non-WNT/non-SHH Group 4
Subgroups		SHH-1 to SHH-4	SHH-3	Gp3/4-1 to Gp3/4-8	
Frequency	10%	20%	10%	25%	35%
Predominant age group	Childhood	Infancy / Adulthood	Childhood	Infancy / Childhood	All age groups
Gender ratio (M:F)	1:2	1:1	3:1	2:1	3:1
Predominant morphology	Classic	Desmoplastic / nodular	Large cell / anaplastic	Classic	Classic
Frequent copy number alterations	Monosomy 6	PTCH1 deletion 10q loss	MYCN amplification GLI2 amplification 17p loss	MYC, MYCN amplification 1q, 7 gain 10q, 16q loss Isodicentric 17q	MYCN, OTX2 amplification CDK6 amplification 7 gain 8, 11 loss Isodicentric 17q
Frequent genetic alterations	CTNNB1, DDX3X mutation	PTCH1, SMO, SUFU, ELP1, DDX3X, KMT2D, U1 snRNA, mutation	TP53, DDX3X, U1 snRNA, TERT mutation	GFI1, GFI1B activation SMARCA4, KBTBD4, CTDNEP1, KMT2D mutation	GFI1, GFI1B activation PRDM6 activation KDM6A, ZMYM3, KMT2C, KMT2D, KBTBD4 mutation
Genes with germline mutation	APC	PTCH1, SUFU, ELP1	TP53	Rare BRCA2, PALB2	Rare BRCA2, PALB2

図2-13　Medulloblastoma の分子分類（Molecular groups）
WHO 2021に基づく medulloblastoma の分子分類（Molecular groups）とそれぞれに特徴的な臨床病理像と分子所見を示す。WHO 2021 Table 4.01 より改変。

がみられる一方，PTCH1, SUFU, SMO といった SHH 経路の遺伝子変異の頻度は低い。4～17歳の小児にみられることが多く，予後は不良である。TP53 の germline pathogenic variant をもつ症例があり（リ・フラウメニ症候群），注意を要する。SHH サブグループの medulloblastoma の約15％に U1 spliceosomal small nuclear RNAs（U1 snRNA）の点突然変異が認められることが報告された[91]。

c．Medulloblastoma, SHH-activated and TP53-wildtype 髄芽腫，SHH 活性化および TP53 野生型

Medulloblastoma, SHH-activated and TP53-wildtype は SHH 経路の亢進がみられるが TP53 は野生型で，PTCH1, SUFU, SMO といった SHH 経路の遺伝子変異がみられる。GLI2 の増幅は稀である。4歳未満の乳幼児と20歳以上に多く発生し，予後はさまざまだが，MYCN の増幅があるものは予後不良である[90]。

d．Medulloblastoma, non-WNT/non-SHH 髄芽腫，非 WNT/非 SHH

Medulloblastoma, non-WNT/non-SHH は WNT または SHH の分子的特徴のない medulloblastoma と定義され，国際コンセンサスの提唱する group 3 および group 4 サブグループが含まれる。メチル化分類ではさらに8つのサブタイプ（WHO 2021 では molecular subgroup と呼ばれる）に分けられる[89,92]。Group 3 は特に幼児に発生した腫瘍で MYC の増幅を認めることがあり，予後は不良である。Group 4 では染色体17番の異常（特に isochromosome/isodicentric 17q など)が高頻度にみられる。転移例は予後不良である。なお，WHO 2021 には記載がないが，group 4 medulloblastoma の一部に the core binding factor alpha(CBFA)complex を構成する *CBFA2T2, CBFA2T3, PRDM6, KDM6A*(*UTX*)などの点突然変異が相互排他的にみられることが報告された[93]。

2．Atypical teratoid/rhabdoid tumor(AT/RT)非定型奇形腫様ラブドイド腫瘍

AT/RT の多くは乳幼児期に発生し，大多数に *SMARCB1*(*INI1/hSNF5*)の異常がみられる[94]。その多くは不活化型変異だが，ホモ接合性欠失(homozygous deletion)や構造的異常も少なからず認める。*SMARCB1* の germline 変異による家族性ラブドイド腫瘍として発症することもあり，中枢神経外のラブドイド腫瘍の合併に注意が必要である[95]。*SMARCB1* 異常を認めない AT/RT の一部に *SMARCA4*(*BRG1*)の異常を認める[96]。この2つの遺伝子以外に特徴的な遺伝子変異は認められず，これらの不活化が AT/RT の発生機序であると考えられる[97]。*SMARCB1* の不活化はさまざまな機序で発生し，そのすべてを網羅することは困難だが，いずれの場合も *INI1* に対する抗体を用いた免疫組織化学の陰性所見として検出できる。ただし，INI 免疫組織化学陰性を示す腫瘍は AT/RT 以外にも稀にみられることに注意を要する[98]。その一つに cribriform neuroepithelial tumor がある[99,100]。AT/RT はメチローム解析により AT/RT-SHH，AT/RT-TYR，AT/RT-MYC の3つの亜型(subtype)に分類される[101,102]。

a．Embryonal tumor with multilayered rosettes, C19MC-altered(ETMR)多層ロゼット性胎児性腫瘍

ETMR を特徴づける所見は 19q13.42 に局在する microRNA cluster の増幅(または融合遺伝子)である。WHO 2016 では embryonal tumor with multilayered rosettes, C19MC-altered と定義されていたが，WHO 2021 では単に embryonal tumor with multilayered rosettes と分類された。C19MC は microRNA のクラスターであり，近傍の *TTYH1* と融合遺伝子を形成して発現が亢進する[103]。C19MC に含まれる microRNA のうち miR-517c や miR-520g などはがん遺伝子としての活性があることが示されている。C19MC の増幅を認める3つの組織型(embryonal tumor with abundant neuropil and true rosettes(ETANTR)，ependymoblastoma，medulloepithelioma)はすべて ETMR としてまとめられることになった[104]。稀にこれらの組織型をもち C19MC の異常がない腫瘍には *DICER1* の変異がみられる[105]。

b．CNS neuroblastoma, *FOXR2*-activated 中枢神経系神経芽腫，FOXR2 活性化

CNS neuroblastoma, *FOXR2*-activated は従来 primitive neuroectodermal tumor (PNET)と診断されていた腫瘍の一つである。PNET は，そのほとんどがメチローム解析によりほかの確立されたさまざまな腫瘍型に分類されたため腫瘍型としては削除されたが，そのなかで既存の腫瘍とは別のメチル化プロファイルをもつ腫瘍の一つとして，WHO 2021 において新たに分類された[88]。CNS neuroblastoma, *FOXR2*-activated はさまざまな染色体再配列(chromosomal rearrangement)により転写因子である FOXR2 の活性化をもたらすことにより腫瘍化に至ると考えられている[88]。染色体再配列や融合遺伝子による FOXR2 の活性化を示すことにより診断されるが，メチル化解析の結果も診断に有用

c. CNS tumor with *BCOR* internal tandem duplication BCOR 内部タンデム重複を伴う中枢神経系腫瘍

CNS tumor with *BCOR* internal tandem duplication（*BCOR*-ITD）は *BCOR* の exon 15 の一部が複製されて同じ場所に挿入された配列を特徴とする[106]。この腫瘍も従来PNETと診断されていた腫瘍の中から独立した腫瘍型として見出された腫瘍である[88]。*BCOR*-ITD をもつ腫瘍では転写制御因子（transcription repressor）である BCOR の発現が亢進している。*BCOR*-ITD の存在を確認するか，メチローム化解析により診断する。

参考文献

1) WHO Classification of Tumours Editorial Board. World Health Organization Classification of Tumours of the Central Nervous System. 5th ed. Lyon：IARC. 2021.
2) Brat DJ, Aldape K, Colman H, et al. cIMPACT-NOW update 5：recommended grading criteria and terminologies for IDH-mutant astrocytomas. Acta Neuropathol. 2020；139(3)：603-8.
3) Brat DJ, Aldape K, Colman H, et al. cIMPACT-NOW update 3：recommended diagnostic criteria for "Diffuse astrocytic glioma, IDH-wildtype, with molecular features of glioblastoma, WHO grade IV". Acta Neuropathol. 2018；136(5)：805-10.
4) Ellison DW, Aldape KD, Capper D, et al. cIMPACT-NOW update 7：advancing the molecular classification of ependymal tumors. Brain Pathol. 2020；30(5)：863-6.
5) Ellison DW, Hawkins C, Jones DTW, et al. cIMPACT-NOW update 4：diffuse gliomas characterized by MYB, MYBL1, or FGFR1 alterations or BRAF(V600E)mutation. Acta Neuropathol. 2019；137(4)：683-7.
6) Louis DN, Giannini C, Capper D, et al. cIMPACT-NOW update 2：diagnostic clarifications for diffuse midline glioma, H3 K27M-mutant and diffuse astrocytoma/anaplastic astrocytoma, IDH-mutant. Acta Neuropathol. 2018；135(4)：639-42.
7) Louis DN, Wesseling P, Aldape K, et al. cIMPACT-NOW update 6：new entity and diagnostic principle recommendations of the cIMPACT-Utrecht meeting on future CNS tumor classification and grading. Brain Pathol. 2020；30(4)：844-56.
8) Louis DN, Wesseling P, Paulus W, et al. cIMPACT-NOW update 1：Not Otherwise Specified(NOS) and Not Elsewhere Classified(NEC). Acta Neuropathol. 2018；135(3)：481-4.
9) Louis DN, Aldape K, Brat DJ, et al. Announcing cIMPACT-NOW：the Consortium to Inform Molecular and Practical Approaches to CNS Tumor Taxonomy. Acta Neuropathol. 2017；133(1)：1-3.
10) Louis DN, Perry A, Wesseling P, et al. The 2021 WHO Classification of Tumors of the Central Nervous System：a summary. Neuro Oncol. 2021；23(8)：1231-51.
11) Takami H, Yoshida A, Fukushima S, et al. Revisiting TP53 Mutations and Immunohistochemistry-A Comparative Study in 157 Diffuse Gliomas. Brain Pathol. 2015；25(3)：256-65.
12) Arita H, Narita Y, Yoshida A, et al. IDH1/2 mutation detection in gliomas. Brain tumor pathology. 2015；32(2)：79-89.
13) Capper D, Weissert S, Balss J, et al. Characterization of R132H mutation-specific IDH1 antibody binding in brain tumors. Brain Pathol. 2010；20(1)：245-54.
14) Kaneko MK, Tian W, Takano S, et al. Establishment of a novel monoclonal antibody SMab-1 specific for IDH1-R132S mutation. Biochem Biophys Res Commun. 2011；406(4)：608-13.
15) Koelsche C, Sahm F, Wohrer A, et al. BRAF-mutated pleomorphic xanthoastrocytoma is associated with temporal location, reticulin fiber deposition and CD34 expression. Brain Pathol. 2014；24(3)：221-9.
16) Venneti S, Santi M, Felicella MM, et al. A sensitive and specific histopathologic prognostic marker for H3F3A K27M mutant pediatric glioblastomas. Acta Neuropathol. 2014；128(5)：743-53.
17) Kohno T, Kato M, Kohsaka S, et al. C-CAT：The National Datacenter for Cancer Genomic Medicine

in Japan. Cancer discovery. 2022；12(11)：2509-15.
18) Sakamoto Y, Sereewattanawoot S, Suzuki A. A new era of long-read sequencing for cancer genomics. J Hum Genet. 2020；65(1)：3-10.
19) Tsutsui T, Arakawa Y, Makino Y, et al. Spinal cord astroblastoma with EWSR1-BEND2 fusion classified as HGNET-MN1 by methylation classification：a case report. Brain tumor pathology. 2021；38(4)：283-9.
20) Ueki K, Nishikawa R, Nakazato Y, et al. Correlation of histology and molecular genetic analysis of 1p, 19q, 10q, TP53, EGFR, CDK4, and CDKN2A in 91 astrocytic and oligodendroglial tumors. Clin Cancer Res. 2002；8(1)：196-201.
21) Schouten JP, McElgunn CJ, Waaijer R, et al. Relative quantification of 40 nucleic acid sequences by multiplex ligation-dependent probe amplification. Nucleic Acids Res. 2002；30(12)：e57.
22) Vogazianou AP, Chan R, Backlund LM, et al. Distinct patterns of 1p and 19q alterations identify subtypes of human gliomas that have different prognoses. Neuro Oncol. 2010；12(7)：664-78.
23) Capper D, Stichel D, Sahm F, et al. Practical implementation of DNA methylation and copy-number-based CNS tumor diagnostics：the Heidelberg experience. Acta Neuropathol. 2018；136(2)：181-210.
24) Shimizu Y, Suzuki M, Akiyama O, et al. Utility of real-time polymerase chain reaction for the assessment of CDKN2A homozygous deletion in adult-type IDH-mutant astrocytoma. Brain Tumor Pathol. 2023；40：93-100.
25) Satomi K, Ohno M, Matsushita Y, et al. Utility of methylthioadenosine phosphorylase immunohistochemical deficiency as a surrogate for CDKN2A homozygous deletion in the assessment of adult-type infiltrating astrocytoma. Mod Pathol. 2021；34(4)：688-700.
26) Kage H, Shinozaki-Ushiku A, Ishigaki K, et al. Clinical utility of Todai OncoPanel in the setting of approved comprehensive cancer genomic profiling tests in Japan. Cancer Sci. 2023；114：1710-7.
27) Fukuoka K, Kanemura Y, Shofuda T, et al. Significance of molecular classification of ependymomas：C11orf95-RELA fusion-negative supratentorial ependymomas are a heterogeneous group of tumors. Acta neuropathologica communications. 2018；6(1)：134.
28) Jones DT, Kocialkowski S, Liu L, et al. Tandem duplication producing a novel oncogenic BRAF fusion gene defines the majority of pilocytic astrocytomas. Cancer Res. 2008；68(21)：8673-7.
29) Taylor MD, Northcott PA, Korshunov A, et al. Molecular subgroups of medulloblastoma：the current consensus. Acta Neuropathol. 2012；123(4)：465-72.
30) Parker M, Mohankumar KM, Punchihewa C, et al. C11orf95-RELA fusions drive oncogenic NF-kappaB signalling in ependymoma. Nature. 2014；506(7489)：451-5.
31) Northcott PA, Shih DJ, Remke M, et al. Rapid, reliable, and reproducible molecular sub-grouping of clinical medulloblastoma samples. Acta Neuropathol. 2012；123(4)：615-26.
32) Panwalkar P, Clark J, Ramaswamy V, et al. Immunohistochemical analysis of H3K27me3 demonstrates global reduction in group-A childhood posterior fossa ependymoma and is a powerful predictor of outcome. Acta Neuropathol. 2017；134(5)：705-14.
33) Hegi ME, Diserens AC, Gorlia T, et al. MGMT gene silencing and benefit from temozolomide in glioblastoma. N Engl J Med. 2005；352(10)：997-1003.
34) Capper D, Jones DTW, Sill M, et al. DNA methylation-based classification of central nervous system tumours. Nature. 2018；555(7697)：469-74.
35) Vlassenbroeck I, Califice S, Diserens AC, et al. Validation of real-time methylation-specific PCR to determine O6-methylguanine-DNA methyltransferase gene promoter methylation in glioma. J Mol Diagn. 2008；10(4)：332-7.
36) Quillien V, Lavenu A, Karayan-Tapon L, et al. Comparative assessment of 5 methods(methylation-specific polymerase chain reaction, MethyLight, pyrosequencing, methylation-sensitive high-resolution melting, and immunohistochemistry)to analyze O6-methylguanine-DNA-methyltranferase in a series of 100 glioblastoma patients. Cancer. 2012；118(17)：4201-11.
37) Ichimura K. Molecular pathogenesis of IDH mutations in gliomas. Brain tumor pathology. 2012；29(3)：131-9.
38) Waitkus MS, Diplas BH, Yan H. Isocitrate dehydrogenase mutations in gliomas. Neuro Oncol. 2016；

18(1) : 16-26.
39) Suzuki H, Aoki K, Chiba K, et al. Mutational landscape and clonal architecture in grade II and III gliomas. Nat Genet. 2015 ; 47(5) : 458-68.
40) Reuss DE, Sahm F, Schrimpf D, et al. ATRX and IDH1-R132H immunohistochemistry with subsequent copy number analysis and IDH sequencing as a basis for an "integrated" diagnostic approach for adult astrocytoma, oligodendroglioma and glioblastoma. Acta Neuropathol. 2015 ; 129(1) : 133-46.
41) Tanboon J, Williams EA, Louis DN. The Diagnostic Use of Immunohistochemical Surrogates for Signature Molecular Genetic Alterations in Gliomas. J Neuropathol Exp Neurol. 2016 ; 75(1) : 4-18.
42) Shirahata M, Ono T, Stichel D, et al. Novel, improved grading system(s) for IDH-mutant astrocytic gliomas. Acta Neuropathol. 2018 ; 136(1) : 153-66.
43) Arita H, Matsushita Y, Machida R, et al. TERT promoter mutation confers favorable prognosis regardless of 1p/19q status in adult diffuse gliomas with IDH1/2 mutations. Acta neuropathologica communications. 2020 ; 8(1) : 201.
44) Eckel-Passow JE, Lachance DH, Molinaro AM, et al. Glioma Groups Based on 1p/19q, IDH, and TERT Promoter Mutations in Tumors. N Engl J Med. 2015 ; 372(26) : 2499-508.
45) Fujimoto K, Arita H, Satomi K, et al. TERT promoter mutation status is necessary and sufficient to diagnose IDH-wildtype diffuse astrocytic glioma with molecular features of glioblastoma. Acta Neuropathol. 2021 ; 142(2) : 323-38.
46) Wesseling P, van den Bent M, Perry A. Oligodendroglioma : pathology, molecular mechanisms and markers. Acta Neuropathol. 2015 ; 129(6) : 809-27.
47) Jenkins RB, Blair H, Ballman KV, et al. A t(1 ; 19)(q10 ; p10) mediates the combined deletions of 1p and 19q and predicts a better prognosis of patients with oligodendroglioma. Cancer Res. 2006 ; 66(20) : 9852-61.
48) Arita H, Narita Y, Fukushima S, et al. Upregulating mutations in the TERT promoter commonly occur in adult malignant gliomas and are strongly associated with total 1p19q loss. Acta Neuropathol. 2013 ; 126(2) : 267-76.
49) Pekmezci M, Rice T, Molinaro AM, et al. Adult infiltrating gliomas with WHO 2016 integrated diagnosis : additional prognostic roles of ATRX and TERT. Acta Neuropathol. 2017 ; 133(6) : 1001-16.
50) Lee J, Putnam AR, Chesier SH, et al. Oligodendrogliomas, IDH-mutant and 1p/19q-codeleted, arising during teenage years often lack TERT promoter mutation that is typical of their adult counterparts. Acta neuropathologica communications. 2018 ; 6(1) : 95.
51) Bettegowda C, Agrawal N, Jiao Y, et al. Mutations in CIC and FUBP1 Contribute to Human Oligodendroglioma. Science. 2011 ; 333 : 1453-5.
52) Alexandrov LB, Nik-Zainal S, Wedge DC, et al. Signatures of mutational processes in human cancer. Nature. 2013 ; 500(7463) : 415-21.
53) Brennan CW, Verhaak RG, McKenna A, et al. The somatic genomic landscape of glioblastoma. Cell. 2013 ; 155(2) : 462-77.
54) Lawrence MS, Stojanov P, Polak P, et al. Mutational heterogeneity in cancer and the search for new cancer-associated genes. Nature. 2013 ; 499(7457) : 214-8.
55) Lawrence MS, Stojanov P, Mermel CH, et al. Discovery and saturation analysis of cancer genes across 21 tumour types. Nature. 2014 ; 505(7484) : 495-501.
56) Korshunov A, Chavez L, Sharma T, et al. Epithelioid glioblastomas stratify into established diagnostic subsets upon integrated molecular analysis. Brain Pathol. 2018 ; 28(5) : 656-62.
57) Aldape K, Zadeh G, Mansouri S, et al. Glioblastoma : pathology, molecular mechanisms and markers. Acta Neuropathol. 2015 ; 129(6) : 829-48.
58) Wang J, Cazzato E, Ladewig E, et al. Clonal evolution of glioblastoma under therapy. Nat Genet. 2016 ; 48(7) : 768-76.
59) Korber V, Yang J, Barah P, et al. Evolutionary Trajectories of IDH(WT) Glioblastomas Reveal a Common Path of Early Tumorigenesis Instigated Years ahead of Initial Diagnosis. Cancer Cell. 2019 ; 35(4) : 692-704 e12.
60) Barthel FP, Johnson KC, Varn FS, et al. Longitudinal molecular trajectories of diffuse glioma in adults.

Nature. 2019 ; 576(7785) : 112-20.
61) Ryall S, Zapotocky M, Fukuoka K, et al. Integrated Molecular and Clinical Analysis of 1,000 Pediatric Low-Grade Gliomas. Cancer Cell. 2020 ; 37(4) : 569-83 e5.
62) Huse JT, Snuderl M, Jones DT, et al. Polymorphous low-grade neuroepithelial tumor of the young (PLNTY) : an epileptogenic neoplasm with oligodendroglioma-like components, aberrant CD34 expression, and genetic alterations involving the MAP kinase pathway. Acta Neuropathol. 2017 ; 133(3) : 417-29.
63) Schwartzentruber J, Korshunov A, Liu XY, et al. Driver mutations in histone H3.3 and chromatin remodelling genes in paediatric glioblastoma. Nature. 2012 ; 482(7384) : 226-31.
64) Wu G, Broniscer A, McEachron TA, et al. Somatic histone H3 alterations in pediatric diffuse intrinsic pontine gliomas and non-brainstem glioblastomas. Nat Genet. 2012 ; 44(3) : 251-3.
65) Buczkowicz P, Hoeman C, Rakopoulos P, et al. Genomic analysis of diffuse intrinsic pontine gliomas identifies three molecular subgroups and recurrent activating ACVR1 mutations. Nat Genet. 2014 ; 46(5) : 451-6.
66) Fontebasso AM, Papillon-Cavanagh S, Schwartzentruber J, et al. Recurrent somatic mutations in ACVR1 in pediatric midline high-grade astrocytoma. Nat Genet. 2014 ; 46(5) : 462-6.
67) Taylor KR, Mackay A, Truffaux N, et al. Recurrent activating ACVR1 mutations in diffuse intrinsic pontine glioma. Nat Genet. 2014 ; 46(5) : 457-61.
68) Bender S, Tang Y, Lindroth AM, et al. Reduced H3K27me3 and DNA Hypomethylation Are Major Drivers of Gene Expression in K27M Mutant Pediatric High-Grade Gliomas. Cancer Cell. 2013 ; 24(5) : 660-72.
69) Jain SU, Do TJ, Lund PJ, et al. PFA ependymoma-associated protein EZHIP inhibits PRC2 activity through a H3 K27M-like mechanism. Nature communications. 2019 ; 10(1) : 2146.
70) Mackay A, Burford A, Carvalho D, et al. Integrated Molecular Meta-Analysis of 1,000 Pediatric High-Grade and Diffuse Intrinsic Pontine Glioma. Cancer Cell. 2017 ; 32(4) : 520-37 e5.
71) Guerreiro Stucklin AS, Ryall S, Fukuoka K, et al. Alterations in ALK/ROS1/NTRK/MET drive a group of infantile hemispheric gliomas. Nature communications. 2019 ; 10(1) : 4343.
72) Collins VP, Jones DT, Giannini C. Pilocytic astrocytoma : pathology, molecular mechanisms and markers. Acta Neuropathol. 2015 ; 129(6) : 775-88.
73) Jones DT, Hutter B, Jager N, et al. Recurrent somatic alterations of FGFR1 and NTRK2 in pilocytic astrocytoma. Nat Genet. 2013 ; 45(8) : 927-32.
74) Reinhardt A, Stichel D, Schrimpf D, et al. Anaplastic astrocytoma with piloid features, a novel molecular class of IDH wildtype glioma with recurrent MAPK pathway, CDKN2A/B and ATRX alterations. Acta Neuropathol. 2018 ; 136(2) : 273-91.
75) Schindler G, Capper D, Meyer J, et al. Analysis of BRAF V600E mutation in 1,320 nervous system tumors reveals high mutation frequencies in pleomorphic xanthoastrocytoma, ganglioglioma and extra-cerebellar pilocytic astrocytoma. Acta Neuropathol. 2011 ; 121(3) : 397-405.
76) Goode B, Mondal G, Hyun M, et al. A recurrent kinase domain mutation in PRKCA defines chordoid glioma of the third ventricle. Nature communications. 2018 ; 9(1) : 810.
77) Hirose T, Nobusawa S, Sugiyama K, et al. Astroblastoma : a distinct tumor entity characterized by alterations of the X chromosome and MN1 rearrangement. Brain Pathol. 2018 ; 28(5) : 684-94.
78) Yamasaki K, Nakano Y, Nobusawa S, et al. Spinal cord astroblastoma with an EWSR1-BEND2 fusion classified as a high-grade neuroepithelial tumour with MN1 alteration. Neuropathol Appl Neurobiol. 2020 ; 46(2) : 190-3.
79) Mack SC, Witt H, Piro RM, et al. Epigenomic alterations define lethal CIMP-positive ependymomas of infancy. Nature. 2014 ; 506(7489) : 445-50.
80) Pajtler KW, Witt H, Sill M, et al. Molecular Classification of Ependymal Tumors across All CNS Compartments, Histopathological Grades, and Age Groups. Cancer Cell. 2015 ; 27(5) : 728-43.
81) Kresbach C, Neyazi S, Schuller U. Updates in the classification of ependymal neoplasms : The 2021 WHO Classification and beyond. Brain Pathol. 2022 ; 32(4) : e13068.
82) Ozawa T, Kaneko S, Szulzewsky F, et al. C11orf95-RELA fusion drives aberrant gene expression

through the unique epigenetic regulation for ependymoma formation. Acta neuropathologica communications. 2021 ; 9(1) : 36.
83) Arabzade A, Zhao Y, Varadharajan S, et al. ZFTA-RELA Dictates Oncogenic Transcriptional Programs to Drive Aggressive Supratentorial Ependymoma. Cancer discovery. 2021 ; 11(9) : 2200-15.
84) Kupp R, Ruff L, Terranova S, et al. ZFTA Translocations Constitute Ependymoma Chromatin Remodeling and Transcription Factors. Cancer discovery. 2021 ; 11(9) : 2216-29.
85) Jenseit A, Camgoz A, Pfister SM, et al. EZHIP : a new piece of the puzzle towards understanding pediatric posterior fossa ependymoma. Acta Neuropathol. 2022 ; 143(1) : 1-13.
86) Pajtler KW, Wen J, Sill M, et al. Molecular heterogeneity and CXorf67 alterations in posterior fossa group A(PFA)ependymomas. Acta Neuropathol. 2018 ; 136(2) : 211-26.
87) Ghasemi DR, Sill M, Okonechnikov K, et al. MYCN amplification drives an aggressive form of spinal ependymoma. Acta Neuropathol. 2019 ; 138(6) : 1075-89.
88) Sturm D, Orr BA, Toprak UH, et al. New Brain Tumor Entities Emerge from Molecular Classification of CNS-PNETs. Cell. 2016 ; 164(5) : 1060-72.
89) Hovestadt V, Ayrault O, Swartling FJ, et al. Medulloblastomics revisited : biological and clinical insights from thousands of patients. Nat Rev Cancer. 2020 ; 20(1) : 42-56.
90) Ramaswamy V, Remke M, Bouffet E, et al. Risk stratification of childhood medulloblastoma in the molecular era : the current consensus. Acta Neuropathol. 2016 ; 131(6) : 821-31.
91) Suzuki H, Kumar SA, Shuai S, et al. Recurrent noncoding U1 snRNA mutations drive cryptic splicing in SHH medulloblastoma. Nature. 2019 ; 574(7780) : 707-11.
92) Northcott PA, Buchhalter I, Morrissy AS, et al. The whole-genome landscape of medulloblastoma subtypes. Nature. 2017 ; 547(7663) : 311-7.
93) Hendrikse LD, Haldipur P, Saulnier O, et al. Failure of human rhombic lip differentiation underlies medulloblastoma formation. Nature. 2022 ; 609(7929) : 1021-8.
94) Fruhwald MC, Biegel JA, Bourdeaut F, et al. Atypical teratoid/rhabdoid tumors-current concepts, advances in biology, and potential future therapies. Neuro Oncol. 2016 ; 18(6) : 764-78.
95) Sredni ST, Tomita T. Rhabdoid tumor predisposition syndrome. Pediatr Dev Pathol. 2015 ; 18(1) : 49-58.
96) Hasselblatt M, Gesk S, Oyen F, et al. Nonsense mutation and inactivation of SMARCA4(BRG1)in an atypical teratoid/rhabdoid tumor showing retained SMARCB1(INI1)expression. The American journal of surgical pathology. 2011 ; 35(6) : 933-5.
97) Lee RS, Stewart C, Carter SL, et al. A remarkably simple genome underlies highly malignant pediatric rhabdoid cancers. J Clin Invest. 2012 ; 122(8) : 2983-8.
98) Hulsebos TJ, Plomp AS, Wolterman RA, et al. Germline mutation of INI1/SMARCB1 in familial schwannomatosis. American journal of human genetics. 2007 ; 80(4) : 805-10.
99) Hasselblatt M, Oyen F, Gesk S, et al. Cribriform neuroepithelial tumor(CRINET) : a nonrhabdoid ventricular tumor with INI1 loss and relatively favorable prognosis. J Neuropathol Exp Neurol. 2009 ; 68(12) : 1249-55.
100) Johann PD, Hovestadt V, Thomas C, et al. Cribriform neuroepithelial tumor : molecular characterization of a SMARCB1-deficient non-rhabdoid tumor with favorable long-term outcome. Brain Pathol. 2017 ; 27(4) : 411-8.
101) Johann PD, Erkek S, Zapatka M, et al. Atypical Teratoid/Rhabdoid Tumors Are Comprised of Three Epigenetic Subgroups with Distinct Enhancer Landscapes. Cancer Cell. 2016 ; 29(3) : 379-93.
102) Torchia J, Golbourn B, Feng S, et al. Integrated(epi)-Genomic Analyses Identify Subgroup-Specific Therapeutic Targets in CNS Rhabdoid Tumors. Cancer Cell. 2016 ; 30(6) : 891-908.
103) Kleinman CL, Gerges N, Papillon-Cavanagh S, et al. Fusion of TTYH1 with the C19MC microRNA cluster drives expression of a brain-specific DNMT3B isoform in the embryonal brain tumor ETMR. Nat Genet. 2014 ; 46(1) : 39-44.
104) Korshunov A, Sturm D, Ryzhova M, et al. Embryonal tumor with abundant neuropil and true rosettes(ETANTR), ependymoblastoma, and medulloepithelioma share molecular similarity and comprise a single clinicopathological entity. Acta Neuropathol. 2014 ; 128(2) : 279-89.

105) Lambo S, Grobner SN, Rausch T, et al. The molecular landscape of ETMR at diagnosis and relapse. Nature. 2019；576(7786)：274-80.
106) Yoshida Y, Nobusawa S, Nakata S, et al. CNS high-grade neuroepithelial tumor with BCOR internal tandem duplication：a comparison with its counterparts in the kidney and soft tissue. Brain Pathol. 2018；28(5)：710-20.

3 がんゲノムプロファイリング検査

　がんゲノムプロファイリング検査は，腫瘍組織の塩基置換・挿入/欠失変異，遺伝子増幅・欠失，遺伝子融合および遺伝子発現などを次世代シークエンサー(NGS)を用いて一度の検査で網羅的に解析する検査である。個々の患者のがん遺伝子変化に基づいた個別化治療を行うことで，最適なゲノム治療を提供することを目的としている。本邦では，ゲノム医療を展開するために，2018年よりがんゲノム医療中核拠点病院，がんゲノム医療拠点病院，およびがんゲノム医療連携病院が整備され，臨床ゲノム情報を集約，管理する「がんゲノム情報管理センター(Center for Cancer Genomics and Advanced Therapeutics：C-CAT)が設置されることとなった。このような環境が整備され，がんゲノムプロファイリング検査は2019年6月に保険収載された。2022年9月の段階で，12カ所のがんゲノム医療中核拠点病院，33カ所のがんゲノム医療拠点病院，188カ所のがんゲノム医療連携病院が指定・公開されている。

A．保険収載されているがんゲノムプロファイリング検査の種類

　現在保険適用となっているがんゲノムプロファイリング検査は以下の3つである。がん遺伝子変異以外にも，腫瘍遺伝子変異量(tumor mutation burden：TMB)やマイクロサテライト不安定性(microsatellite instability：MSI)の診断も可能となる。
　それぞれについて以下の特徴がある。

1．FoundationOne® CDx がんゲノムプロファイル

　米国のFoundation Medicine, Inc.(FMI)により開発され，日本では中外製薬が提供している。腫瘍組織のみを対象とした検査である。塩基置換，挿入/欠失，およびコピー数異常を検出するために309の遺伝子と，36の遺伝子融合等を検出でき，最も多くの遺伝子の解析が可能である。分子標的薬に対するコンパニオン診断としての利用も可能である。現在最も多く行われているがんゲノムプロファイリング検査であるが，検査が海外で行われるため，生データが入手できないことが問題である。検査に用いる材料は，ホルマリン固定パラフィン包埋(formalin fixed paraffin embedded：FFPE)検体である。

2．OncoGuide™ NCC オンコパネルシステム

　国立がん研究センターで開発され，腫瘍組織と血液を検査対象としている。114遺伝子の塩基置換，挿入/欠失，およびコピー数異常と，12遺伝子の遺伝子融合が検出できる。血液検体も使用するため，遺伝子多型を除外したうえで，生殖細胞系の遺伝子変異も検出できる。腫瘍組織の解析には，同じくFFPE検体を用いる。

3. FoundationOne® Liquid CDx がんゲノムプロファイル

血漿中の tumor circulating DNA を検出する検査であるが，脳腫瘍における有用性は確立されておらず，現時点では脳腫瘍の診断に役立つかは不明である。

B. がんゲノムプロファイリング検査の対象

がんゲノムプロファイリング検査は，薬物治療の治療効果を予測することを目的としているため基本的には薬物療法の対象となる患者を対象としている。したがって，一般的には局所進行性もしくは転移が認められ標準治療が終了となった患者や，標準治療がない固形がん患者が対象となる。全身状態および臓器機能等から，当該検査施行後に化学療法の適応となる可能性が高いと主治医が判断した者に対して，がんゲノムプロファイリング検査を実施する場合に限り診療報酬を算定できる。悪性脳腫瘍に関しては，テモゾロミドやベバシズマブ以外には使用できる薬物療法は近年開発されていない状況ではあるが，NTRK 融合遺伝子変異に対しては NTRK 阻害薬が治療で使える状況になっている。また BRAF 阻害薬や FGFR 阻害薬を用いた治験も開始されており，これらの分子標的を調べるための意義はあると考える。日本臨床腫瘍学会・日本癌治療学会・日本癌学会の3学会合同による「次世代シークエンサー等を用いた遺伝子パネル検査に基づく診療ガイドライン」[1]では，標準治療の乏しい小児がんや希少がんでは早期から検査を行う意義は確立されておらず，適切な検査時期については結論を得られていない。希少がんに属する悪性脳腫瘍に関しても検査の適切な時期については必ずしもコンセンサスは得られていない。がんゲノムプロファイリング検査により候補となる治療標的が見つかった場合は，治験や臨床試験等に参加する必要があるが，これらの試験の参加基準のほとんどは KPS(Karnofsky performance status)≧70 で外来通院が可能な患者であることや，播種症例は対象外となっているものが多い。したがって治療法が確立していない悪性脳腫瘍に関しては，初発治療後早期に検査をしてもよいと考える。

C. C-CAT へのゲノム情報の登録

C-CAT は，がん患者のゲノム医療の支援し，日本のがん患者のゲノム・診療情報を把握して，がん対策等の政策立案に活用する目的に設立された。C-CAT には患者の臨床情報(組織診断・治療歴・既往歴・生活歴・家族歴・予後など)とゲノム情報が登録され，エキスパートパネルに対し，遺伝子変化の意義付けがなされた「C-CAT 調査結果」を返却する。2019 年 6 月から登録が開始され，2022 年 10 月の段階で約 4 万件の症例が登録されている(https://for-patients.c-cat.ncc.go.jp/)。C-CAT は，日本のがん医療の質を向上させるために，ゲノム情報をもとに革新的な治療法・診断法の開発も目的としている。そのため，プロファイリング検査提出時には，C-CAT へのデータ登録以外に，これらのデータを，審査を経たうえで学術研究や医薬品等の開発目的での利用を希望する第三者に提供することや，解析を実施する企業内もしくはその企業から第三者へゲノム情報が提供されることなどへの二次同意を得る必要がある。データの二次利用に関する同意率は 99％以上である。C-CAT には，エキスパートパネル後の治療方針や治療効果・生存情報などの転記結

果を報告する必要があるが，今後悪性脳腫瘍について膨大なデータベースが構築されることが期待される。

D．エキスパートパネルによる治療方針の決定

　がんゲノムプロファイリング検査の結果は，多職種によってゲノム情報の臨床的解釈を行うエキスパートパネル（専門家会議）を経なければならない。エキスパートパネルを開催できるのは，がんゲノム医療中核拠点病院またはがんゲノム医療中核病院のみであるため，がんゲノム医療連携病院からの検査結果は，がんゲノム医療中核拠点病院・拠点病院のエキスパートパネルで議論される必要がある。エキスパートパネルには，検査を出した診療科の医師以外に，がん薬物療法の専門医，遺伝医学や分子遺伝学，ゲノム医療の専門家，病理医，遺伝カウンセリングを担当する医療スタッフの参加が必須となっている。がん遺伝子パネル検査結果やC-CATへ登録された患者データをもとに，遺伝子変異が疾患特異的なactionable mutationなのかどうか検討し，主治医にレポートを返却する。主治医は，レポートを参考に結果を患者に説明し，治療方針を提案する。

E．診療報酬算定の変更

　希少がんである脳腫瘍に対しても検査することは可能であるが，保険償還するためには，検査結果をがんゲノム医療中核拠点病院または中核病院で開催されるエキスパートパネルで検討して初めて患者に請求できる。保険収載された当初は検査をした段階で8,000点を請求し，エキスパートパネルでの検討結果を踏まえて外来で患者に説明した段階で残りの48,000点を請求できるとされた。しかし，これでは病状が進行し，外来受診できない場合には病院の手出しとなるため，検査時に44,000点，外来で結果説明時に12,000点に変更されている。患者一人につき算定できるのは1回限りであること，DPC診療下では，入院中の患者には保険請求できないことには注意しておく必要がある。

F．がんゲノムプロファイリング検査による治療の実際

　悪性脳腫瘍に対してがんゲノムプロファイリング検査がどのような頻度で行われ，実際にどの程度治療が行われているかについて日本全体でのはっきりとしたデータは現時点ではない。現実的には，検査を行う基準も施設によって異なっていると考えられ，今後のデータ集積が期待される。国立がん研究センターからのデータでは，104例のグリオーマに対してプロファイリング検査を行い，12例（18.5％）に治療標的が見つかったと報告され，実際に治療に結びつくのは10％程度とされる[2]。治療薬としては，ほとんどがBRAF阻害薬またはFGFR阻害薬であった。悪性脳腫瘍に関しては，現時点で保険下で使用できる分子標的薬がほとんどないため，候補となる治療薬が見つかった場合には，先進医療，治験，患者申出療養制度下での治療となり，実際に治療できる施設が限られるのが現状である。今後，悪性脳腫瘍に対してがんゲノムプロファイリング検査が普及するには，有効性が期待される分子標的薬の開発と，治療アクセスの向上が必要である。

G. 膠芽腫で認められる遺伝子異常

　プロファイリング検査では腫瘍に認められる遺伝子変異が網羅的に検出できるため，当然ながら治療標的となる変異以外の変異の検出も可能である．国立がん研究センターでの膠芽腫(Glioblastoma, IDH-wild type)44例の解析では，頻度が高い変異は，*TERT p* が65.9％，*CDKN2A* が59.1％，*CDKN2B* が45.5％，*MTAP* が40.9％，*TP53* が38.6％，*PTEN* が31.8％，*NF1* が20.5％，*EGFR* が18.2％，*EGFR* 増幅が18.2％，*PIK3C* が15.9％，*PDGFRA* が13.6％，*BRAF*・*HGF*・*RB1* が9.1％であった[2]．これらの頻度は，解析する遺伝子を絞って解析したターゲットシークエンスの結果でもほぼ同等の結果である[3]．興味深いことに，*TERT* 遺伝子のプロモーター変異は，欧米では80～90％で認められるが，日本人の解析ではどのstudyでも60～70％前後と欧米と比べて頻度が低いことが明らかになっている．

参考文献
1) 日本臨床腫瘍学会・日本癌治療学会・日本癌学会．次世代シークエンサー等を用いた遺伝子パネル検査に基づくがん診療ガイダンス．2020，第2.1版．
2) Omura T, Takahashi M, Ohno M, et al. Clinical Application of Comprehensive Genomic Profiling Tests for Diffuse Gliomas. Cancers(Basel). 2022；14(10)：2454.
3) Higa N, Akahane T, Yokoyama S, et al. Molecular Genetic Profile of 300 Japanese Patients with Diffuse Gliomas Using a Glioma-tailored Gene Panel. Neurol Med Chir(Tokyo). 2022；62(9)：391-9.

脳腫瘍の病理診断

1 手術検体取扱い・切り出し

　分子分類に移行した腫瘍型のみならず脳腫瘍の診断には遺伝子解析が有用であるため，できる限り新鮮検体を採取し凍結保存することが望ましい。遺伝子解析には十分な腫瘍量を確保することが大切であることから，迅速診断で腫瘍が確認できた部位の検体が保存に適している。

　脳腫瘍の(手術)検体は，断片化した組織片として提出される場合と脳回が一塊として提出される場合がある。前者では解剖学的な位置関係や腫瘍の存在が不明瞭なことが多く，提出された組織のすべてをそのまま標本とせざるを得ない。一方，脳回ごと摘出された材料では，写真撮影とともに大きさや性状に関する記録を残す。脳表がわかれば，それに直交するような割面を数mm間隔で入れて標本とする。びまん性膠腫では部位により細胞密度や悪性度が異なるため，なるべく多くの標本を作製する必要がある。びまん性膠腫は画像上の造影病変を超えて浸潤する腫瘍であり，他臓器の悪性腫瘍と異なり，断端評価の意義は少ない。一方，髄膜腫の切り出しでは，脳内浸潤の有無を判定するため，脳実質との境界部が明確になるように標本を作製する必要がある。

2 組織所見・組織学的悪性度

　脳腫瘍の病理診断において臨床・画像情報を得ることは極めて重要である。組織標本だけで診断を行うと思わぬ誤診につながる可能性がある。脳腫瘍の腫瘍型は発症年齢や発生部位との間に強い関連があり，標本を見る前にそれらを知るだけでおおよその鑑別診断を挙げることができる。また，脳腫瘍では肉眼所見を得ることが難しい場合が多く，それに代わるものがMRIやCTなどの画像所見である。年齢，性別，腫瘍の存在部位，大きさ，周囲との境界，増強効果，嚢胞や浮腫の有無などの基本情報を得るだけで，診断の大きな手掛かりとなる。

　実際に組織標本を鏡検する際には，一定の思考手順(アルゴリズム)に沿って解釈をしていくことが合理的である。

●部位の確認

　腫瘍の局在が脳実質内(髄内)か，あるいは髄膜などの実質外(髄外)かの判断を行う。実質内であれば白質か，あるいは灰白質も含まれているかなどを評価する。灰白質であれば病巣内に神経細胞が含まれていても不思議ではない。

●病巣の有無

　正常組織との対比で病巣が含まれているかどうかを判断する。評価の指標としては，細

胞密度の変化や構築の異常が挙げられる．形成異常では，正常組織との相違が目立たず判断が難しいこともある．

●腫瘍性か，反応性か

病巣が認められれば，次にそれが腫瘍性か，反応性かを判断する．細胞密度の増加や構築の異常がみられても，炎症，循環障害，脱髄など非腫瘍性病変である可能性も否定できない．腫瘍性病変であれば，異型性を示す細胞を見出すことができるし，単調な細胞増殖から構成されていることが多い．しかし，炎症細胞浸潤に富む腫瘍（ジャーミノーマなど）もあるので注意が必要である．

●組織型

腫瘍性病変と判断できれば，臨床・画像情報から推測した鑑別診断を中心に組織型の推定を行う．腫瘍細胞が浸潤性に広がっているのか，限局性の病巣を形成しているのかを評価することは極めて重要である．構成細胞については，膠芽腫のように多様性に富む腫瘍がある一方で，乏突起膠腫や上衣腫のように単調な細胞からなる腫瘍型もある．また，ローゼンタール線維，好酸性顆粒小体などの変性沈着物，硝子化血管，線維化，炎症細胞など，腫瘍細胞以外の所見も参考になる．確定診断には腫瘍型に特徴的な免疫組織化学マーカーを用いた解析や，分子遺伝学的解析が必要な腫瘍型も少なくない．また，転移性腫瘍や悪性リンパ腫など神経上皮系以外の腫瘍の存在も忘れてはならない．

●悪性度

脳腫瘍WHO分類では，伝統的に4段階の悪性度分類を採用してきた．第4版までは腫瘍型と悪性度はほぼ対応関係にあり，腫瘍型を決定すれば自ずと悪性度も決定された．また，悪性度分類は腫瘍横断的な考え方に基づいていたため，脳腫瘍は生物学的に多様な腫瘍群であるにもかかわらず，同じ階級であれば建前として同等の悪性度とみなされてきたが，現実との隔たりが大きなものとなっていた．そこで第5版からは概念の変更が加えられ，4段階の分類は継承しつつも，腫瘍横断的な考え方から各腫瘍型内での階級づけに意味合いを変えて，表記がローマ数字からアラビア数字に変更された．具体的にはCNS WHO grade 1～4と記載される．割り当てられる数値は原則として前版を踏襲しており，診療現場の混乱の回避を意図している．ただし，悪性度分類の原型は効果的な治療法がほとんどなかった時代の腫瘍の自然史に基づいており，ほぼすべての患者が何らかの治療を受ける現在では，悪性度分類を付与することがかえって予後について誤った印象を与える懸念も指摘されている．

●分子情報

膠腫，胎児性腫瘍，間葉系腫瘍など，分子異常で定義された腫瘍型の診断には，その有無を明らかにする必要がある．解析手段に取り決めはないが，適切な手法で得られた結果を組織診断と合わせて，統合診断とする．診断困難な場合は，未確定 not otherwise specified（NOS）や未分類 not elsewhere classified（NEC）を用いた記述的診断も推奨される．

●臨床・画像所見との相関性

このような手順に従って推定した診断名が，臨床・画像情報と矛盾しないか，最後に検証することも必要である．矛盾がある場合には，どこにその原因があるかを再評価し，安

易に免疫組織化学や遺伝子情報に依存した診断名をつけることは避けるべきである。

3 迅速診断

　脳腫瘍における術中迅速診断の役割は，腫瘍と非腫瘍の鑑別，腫瘍の存在診断，膠腫と悪性リンパ腫の鑑別などが挙げられる。術中迅速診断に際して，脳神経外科医は，術前に術中迅速診断の目的を明確にし，適切な臨床情報を病理医に伝え，手術時には変性・挫滅の少ない検体を病理に提出する必要がある。一方，病理医は，臨床情報を把握してから診断に臨み，検体が不適切と判断した場合は再度提出を求めることを躊躇してはならない。また，両者とも迅速診断の適用と限界を理解しておくことが大切である。

　迅速標本の取扱いの注意点として，検体の乾燥と加水を避ける必要がある。水分量が多いと氷結晶が形成され，観察困難な標本となる。乾いたガーゼや水分を過度に含ませたガーゼなどで包むことは避けるべきである。手術室で低温殺菌した防乾性フィルム（パラフィルムなど）に包み，搬送することが推奨される。また，遺伝子解析のための凍結組織の確保は必須である。迅速診断で十分な腫瘍量が確認できた凍結ブロックは，遺伝子解析に最適である。用いた凍結ブロックを保存する場合には，腫瘍組織をOCTコンパウンドごと凍結用チューブに保管する。

　迅速診断の留意点として，特に膠腫ではサンプリングの影響を考慮する必要がある。提出された検体が適切なものであるのか判断するためにも，術前の画像情報が大切である。また，凍結検体では核異型の判定や核分裂像の同定が難しいため，迅速診断でびまん性膠腫の悪性度を判定することはしばしば困難で，迅速診断の限界として理解しておく必要がある。小児のテント下腫瘍では，髄芽腫，上衣腫など細胞密度の高い腫瘍が発生し，鑑別診断が難しいことがある。高齢者の造影病変では，膠芽腫，転移性腫瘍，悪性リンパ腫などとともに，梗塞，膿瘍，脱髄などの非腫瘍性病変も鑑別に含めなければならない。

4 細胞診

　脳腫瘍診断における細胞診の役割は術中迅速診断の補助診断やリンパ腫の髄液細胞診に限られているものの，凍結標本と比較して核と細胞突起の形態保持に優れており，診断に有用な情報が得られることが少なくない。腫瘍と炎症の鑑別，膠腫と悪性リンパ腫の鑑別において特に有用性が高い。迅速診断では，採取量が許す限り，細胞診の併用が推奨される。標本作製は圧挫・すり合わせ法を基本とし，細胞突起を確認するためにHE染色は必須である。膠腫の場合，細胞接着性のためか，捺印法では十分な細胞量が得られないことがある。細胞診は，核異型や核分裂像の同定に優れるが，微小血管増殖の同定には不向きである。

　星細胞系腫瘍では，長い細胞質突起や好酸性の胞体が特徴的である。毛様細胞性星細胞腫では，双極性の細胞突起とローゼンタール線維がみられる。摺り合わせ標本では，乏突起膠腫の核が卵円型を呈することがある。細胞突起は乏しく，単調な円形細胞を認める。

永久標本と異なり，核周囲ハローは認められない．上衣腫では腫瘍細胞が集塊状をなし，毛細血管に細胞突起を伸ばしている像がみられることがある．悪性リンパ腫の診断には lymphoglandular bodies が有用である．髄膜腫ではシート状の細胞を認め，渦巻き状構造や砂粒体がみられれば診断は容易である．

5 電子顕微鏡

下垂体腺腫を含め，脳腫瘍の病理診断における電顕の役割は，事実上，終了したものと考えられる．しかし，脳腫瘍の分化を同定する手法としては依然として有用である．例えば，上衣系腫瘍では，管腔形成（上衣ロゼット）や細胞質内管腔が上衣細胞分化の指標となる．管腔内に多数の微絨毛や線毛が認められ，細胞間には接着装置が発達している．これらの所見は，血管中心性膠腫，松果体部乳頭状腫瘍においても報告されている．神経細胞分化の指標としては，dense core granule，clear vesicle，シナプス，微小管をいれた神経突起などが挙げられる．髄芽腫や松果体実質腫瘍でもこれらの構造が見出される．髄膜腫では，細胞質突起が複雑に入り組んでおり（指状嵌合），それらは発達したデスモゾームによって結合されている．

6 免疫組織化学

脳腫瘍の病理診断において，腫瘍細胞の分化形質や分子異常を明らかにするため免疫組織化学が有用である．代表的な免疫組織化学マーカーを細胞分化マーカーと分子異常マーカーに分けて述べる．

A．細胞分化マーカー

1．GFAP(glial fibrillary acidic protein)

グリア細胞の中間径フィラメントを構成する蛋白である．星細胞系腫瘍では，細胞質や細胞突起に陽性となるが，反応性星細胞にも陽性となる．また，低分化な膠芽腫では陰性となるなど，注意点もある．乏突起膠腫では陰性であるが，minigemistocyte や gliofibrillary oligodendroglia には陽性となる．上衣腫では血管周囲の無核帯に強い陽性所見を示す．

2．Vimentin

乏突起膠腫では陰性になるため鑑別に有用である．GFAP と同様に minigemistocyte や gliofibrillary oligodendroglia には陽性となる．

3．OLIG2(oligodendrocyte transcription factor 2)

乏突起膠細胞の分化に関わる転写因子である．乏突起膠腫細胞の核に強い陽性所見が得られるが，星細胞系腫瘍でも陽性細胞が見出され，乏突起膠腫に対する特異性は低い．胚芽異形成性神経上皮腫瘍やロゼット形成性グリア神経細胞腫瘍などで出現する oligodendroglia-like cell も陽性になる．上衣腫ではテント上を除き陰性のことが多い．

4．S-100 蛋白

神経系を含め多様な細胞に発現している Ca 結合蛋白である。神経膠腫でびまん性に陽性となり，GFAP や OLIG2 が陰性の例でも反応性を示すことがあり，低分化なグリオーマの診断に有用である。シュワン細胞腫，メラニン細胞性腫瘍も陽性で，特異性は低い。

5．EMA（epithelial membrane antigen）

主として上皮細胞に発現する膜貫通型糖蛋白で，脳腫瘍では上衣腫や髄膜腫の診断に用いられている。上衣腫では細胞質内のドット状陽性所見や上衣ロゼットの管腔側の陽性像が特徴である。髄膜腫も細胞膜に陽性となるが，上皮細胞に比べると反応性は弱い。

6．Synaptophysin

神経細胞のシナプス小胞を構成する糖蛋白で，代表的な神経細胞性マーカーである。神経節膠腫，中枢性神経細胞腫，髄芽腫，松果体実質腫瘍などで陽性所見が得られる。

7．Neurofilament protein

神経細胞に局在する中間径フィラメントで，この抗体は神経細胞性マーカーとして用いられている。神経節膠腫で不規則に分布する神経突起が染め出され，一部の神経節細胞も陽性になる。

8．Chromogranin A

神経細胞や内分泌細胞の分泌顆粒に局在する糖蛋白である。神経節膠腫の神経節細胞が陽性となるが，その他の神経細胞系腫瘍での反応性は乏しい。

9．NeuN

神経細胞の核抗原であり，成熟神経細胞の同定に用いられている。神経節膠腫や中枢性神経細胞腫での反応態度はさまざまである。

10．Cytokeratin

上皮細胞がもつ中間径フィラメントであり，脳腫瘍では脈絡叢腫瘍，松果体部乳頭状腫瘍などが陽性を示す。また，転移性腫瘍（癌腫）の多くも陽性である。代表的な AE1/AE3 抗体は GFAP との交差反応が知られており，注意を要する。

11．Nestin

Nestin は，神経幹細胞に選択的に発現する中間径フィラメントを構成する蛋白である。膠芽腫を含む星細胞系腫瘍で陽性となるが，反応性星細胞は陰性ないし弱陽性であるため，腫瘍性性格の確認に有用とされている。

B．分子異常マーカー

1．*IDH1* p.R132H

IDH1 変異で最も代表的な R132H 変異蛋白を認識する抗体であり，IDH 変異型グリオーマの約 9 割が陽性となる。

2．ATRX

ATRX（alpha-thalassemia/mental retardation X-linked）変異は，ALT（alternative lengthening of telomeres）による細胞不死化に関与している。*IDH* 変異を有する星細胞系腫瘍で高率に *ATRX* 変異が認められ，*TERT* プロモーター変異とは相互排他的な関係に

ある。変異の存在は，核内 ATRX 蛋白の発現消失で証明することができる。

3．p53

TP53 遺伝子は代表的な癌抑制遺伝子で，星細胞腫，IDH 変異の多くで変異がみられる。この変異の多くは p53 蛋白の過剰発現として認識できる。また，膠芽腫，IDH 野生型の一部や巨細胞膠芽腫も過剰発現を示す。そのほか，髄芽腫，SHH 活性化の亜分類（TP53 変異，野生型）にも用いられる。

4．H3 K27M

ヒストン H3 遺伝子の p.K28M(K27M)変異を認識する抗体である。びまん性正中膠腫，H3 K27 異状の診断に有用である。

5．H3 G34R

ヒストン H3 遺伝子である H3F3A p.G35R(G34R)変異を認識する抗体である。びまん性大脳半球膠腫，H3 G34 変異の診断に有用である。

6．H3 p.K28Mme3(K27M me3)

ヒストン H3 の 28 番目のリジン(K)残基がトリメチル化された状態を認識する抗体である。びまん性正中膠腫，H3 K27 異状の診断や後頭蓋窩 A 群(PFA)上衣腫では発現が欠失し，診断に有用である。

7．BRAF p.V600E

BRAF 変異の大部分を占める V600E 変異蛋白を認識する抗体である。多形黄色星細胞腫の 60％程度，類上皮膠芽腫の約半数が陽性を示す。そのほか，神経細胞系腫瘍の一部も陽性になる。

8．L1CAM

L1CAM は neural cell adhesion molecule L1 をコードする遺伝子で，テント上上衣腫，ZFTA 融合陽性で過剰発現していることが知られている。この上衣腫の診断に有用な代替マーカーであるが，必ずしも特異的ではない。

9．β-catenin

細胞接着と転写に関わる蛋白である。WNT シグナル系の活性化により β-catenin は核内に移行し，標的遺伝子の転写を促進させる。脳腫瘍領域では，髄芽腫を分子分類する際に，核内発現をもって WNT 活性化と診断することができる。また，エナメル上皮腫型頭蓋咽頭腫でも核内発現がみられる。

10．SMARCB1(INI1)

SMARCB1(INI1, BAF47)は，ATP 依存性 SWI/SNF chromatin remodeling complex の構成因子をコードしており，癌抑制遺伝子としての機能を有している。非定型奇形腫様ラブドイド腫瘍では高率に INI1 の不活化が認められ，蛋白の発現が失われている。本腫瘍の診断には，INI1 蛋白の消失を証明する必要がある。なお，少数は SMARCA4(BRG1)蛋白が消失している。

11．LIN28A

LIN28A は RNA 結合蛋白で，多層ロゼット性胎児性腫瘍で陽性になることが知られている。特異的ではないが，診断に有用なマーカーとして用いられている。

12. BCOR

*BCOR*は転写因子と結合して*BCL6*遺伝子の発現を阻害する。*BCOR*内部タンデム重複を伴う中枢神経系腫瘍の核に発現している。

13. STAT6

孤立性線維性腫瘍では*NAB2::STAT6*融合遺伝子が認められ,その結果STAT6が核内移行し,核が陽性となる。本腫瘍の確定診断に用いられている。

C. その他

1. Ki-67(clone:MIB-1)

細胞周期(G1後期,S期,G2期,M期)にある増殖中の細胞の核に発現する非ヒストン蛋白で,増殖能の評価に有用なマーカーである。その標識率は核分裂数とよく相関している。MIB-1はその代表的な抗体である。

Ⅳ 組織型の解説とカラーアトラス

1 Gliomas, glioneuronal tumors, and neuronal tumors 膠腫,グリア神経細胞系腫瘍,神経細胞系腫瘍

A．Adult-type diffuse gliomas 成人型びまん性膠腫

分子遺伝学的特徴に基づいて定義される腫瘍であり,成人における発生が多いが,稀に小児にも発生し得る(逆に小児型腫瘍も成人に発生することがある)。

旧分類(WHO 2016)では,diffuse astrocytoma, IDH-mutant と anaplastic astrocytoma, IDH-mutant が疾患単位として区別されるなど,分子遺伝学的には一連の腫瘍とみなされるが悪性度の異なる腫瘍型は,それぞれ独立した疾患単位として分類されていたが,新分類では悪性度の相違は亜型に反映されることとなった。また,十分な分子遺伝学的結果が得られていない未確定(NOS)の腫瘍は腫瘍型の記載から削除され,疾患単位としては星細胞腫,IDH 変異と乏突起膠腫,IDH 変異および 1p/19q 共欠失,膠芽腫,IDH 野生型の 3 型に集約されることとなった。

また,星細胞腫,IDH 変異の悪性度分類や膠芽腫,IDH 野生型の診断おいて,新たな分子遺伝学的な基準が導入されたことも大きな変更である(詳細は各論を参照)。なお,旧来の glioblastoma, IDH-mutant は,astrocytoma, IDH-mutant, CNS WHO grade 4 となり,"glioblastoma"の診断名は IDH 野生型のみに用いられることとなった。

1．Astrocytoma, IDH-mutant 星細胞腫,IDH 変異(図 2-14〜20)

定義:IDH 遺伝子変異のあるびまん性発育を示す膠腫で,しばしば *ATRX* 変異や *TP53* 変異を有する一方,1p/19q 共欠失は認められない腫瘍である。

亜型:
 a．Astrocytoma, IDH-mutant, CNS WHO grade 2(図 2-14, 15, 18〜20)
 b．Astrocytoma, IDH-mutant, CNS WHO grade 3(図 2-16)
 c．Astrocytoma, IDH-mutant, CNS WHO grade 4(図 2-17)

特徴:

Grade 2〜3 の腫瘍の多くは 20〜30 代に発症し,grade 4 の腫瘍の発生年齢はやや高い傾向がある。小児や 55 歳以上の成人における発生は稀である。リ・フラウメニ症候群やオリエ病など遺伝性腫瘍症候群を背景とした発生が知られる。中枢神経のあらゆる部位に発生するが,大脳,特に前頭葉の発生が多い。初発症状として頻度が高いのはてんかん発作である。

IDH1 変異は p.R132, *IDH2* 変異は p.R172 に生じ,それぞれ *IDH1* p.R132H, *IDH2* p.R172K が多く,なかでも *IDH1* p.R132H が大半を占める(主な報告例で 83〜91％の頻

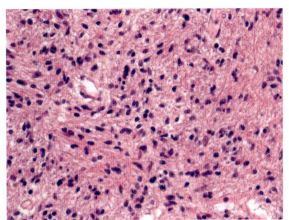

図 2-14 Astrocytoma, IDH-mutant, CNS WHO grade 2
繊細な好酸性の突起をもった腫瘍細胞がびまん性に増殖している。

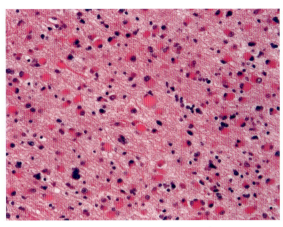

図 2-15 Astrocytoma, IDH-mutant (gemistocytic astrocytoma)
核が偏在した好酸性の豊かな細胞質をもつ細胞が増殖している。

表 2-3 星細胞腫，IDH 変異の悪性度分類

	退形成所見/核分裂像	微小血管増殖 もしくは 壊死 もしくは CDKN2A/2B ホモ接合性欠失
Grade 2	なし	なし
Grade 3	あり	なし
Grade 4	あり	あり

度)。ただし，テント下発生例では約 80％が IDH1 p.R132H 以外の IDH 変異であると報告されている。TP53 変異が約 90％，ATRX 変異が約 80％の頻度でみられる一方で，乏突起膠腫，IDH 変異および 1p/19q 共欠失や膠芽腫，IDH 野生型でしばしばみられる TERT プロモーター変異は稀である。

　組織学的には主に星細胞に類似した異型グリア細胞の浸潤性増殖からなる(図 2-14)。腫瘍細胞は細胞質突起を有するが，HE 染色では突起が不明瞭で裸核状に見えることも多い。細胞密度が低い腫瘍の場合，核腫大，核形不整，クロマチン濃染といった核異型のあることが，腫瘍細胞の同定の際の手掛かりとなる。細胞質が豊かな肥胖細胞型の腫瘍細胞もしばしばみられ，同成分が 20％を超える場合には，gemistocytic astrocytoma と称される(図 2-15)が，予後的意義は不明である。

　細胞・組織所見あるいは分子遺伝学的観点から，grade 2〜4 の 3 亜型に分類される(表 2-3)(図 2-16，17)。Grade 2 と grade 3 の鑑別における核分裂像の数的基準は必ずしも明瞭ではないが，生検検体では 1 個の核分像があれば grade 3 と判断される一方，切除検体では少数の核分裂像は許容される。Grade 4 は微小血管増殖，壊死あるいは CDKN2A/2B

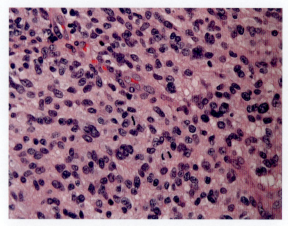

図2-16 Astrocytoma, IDH-mutant, CNS WHO grade 3
細胞密度が上昇し，核異型を示す星細胞が増殖している。核分裂像はみられるが，微小血管増殖は認められない。

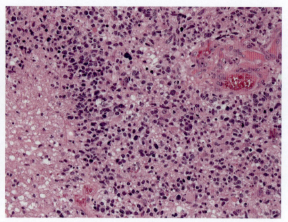

図2-17 Astrocytoma, IDH-mutant, CNS WHO grade 4
微小血管増殖と壊死を伴った異型の強い星細胞腫。組織学的には Glioblastoma, IDH-wildtype と判別できない。

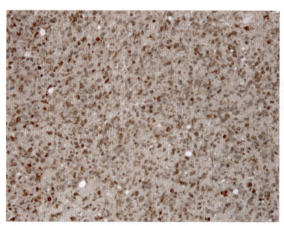

図2-18 Astrocytoma, IDH-mutant, CNS WHO grade 2
IDH1 p.R132H 免疫組織化学。細胞質および核がびまん性に陽性である。

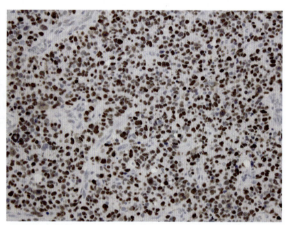

図2-19 Astrocytoma, IDH-mutant, CNS WHO grade 2
p53 免疫組織化学。腫瘍細胞の核が強陽性である。

のホモ接合性欠失のいずれかが認められることが要件となる。膠芽腫，IDH 野生型に比べ，壊死は目立たない傾向がある。

　免疫組織化学では，GFAP，OLIG2 が種々の程度に陽性となる。Ki-67 陽性率は悪性度が高い腫瘍で高くなる傾向があり，grade 2 では 4% 未満のことが多い。分子診断の上では，IDH1 p.R132H，p53，ATRX の染色が有用である。汎用される IDH1 p.R132H 変異特異抗体は感度・特異度ともに優れる（**図2-18**）。IDH1 p.R132H 免疫組織化学が陰性の場合，ほかの IDH 変異の有無についてシークエンスが必要である。ただし，患者年齢が 55 歳を超える grade 4 の腫瘍の場合は，IDH1 p.R132H 陰性をもって，IDH 変異なしと判断してよい。p53 強陽性細胞 10% 以上（**図2-19**），ATRX 発現欠失（**図2-20**）は，それぞれ TP53

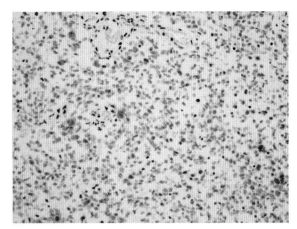

図2-20　Astrocytoma, IDH-mutant, CNS WHO grade 2
ATRX免疫組織化学。背景の血管内皮細胞は陽性であるが，腫瘍細胞の核は陰性である。

変異，*ATRX*変異と相関する。IDH変異と*ATRX*変異が確認されれば（免疫組織化学での判定も可），1p/19q共欠失がないことの確認は不要である。

　Grade 2, grade 3, grade 4腫瘍の全生存率の中央値は，それぞれ10年以上，5〜10年，3年である。

2．Oligodendroglioma, IDH-mutant and 1p/19q-codeleted 乏突起膠腫，IDH変異および1p/19q共欠失（図2-21〜25）

　定義：IDH変異と染色体1p/19q共欠失のあるびまん性発育を示す膠腫である。
　亜型：
　a．Oligodendroglioma, IDH-mutant and 1p/19q-codeleted, CNS WHO grade 2（図2-21, 22, 24, 25）
　b．Oligodendroglioma, IDH-mutant and 1p/19q-codeleted, CNS WHO grade 3（図2-23）
　特徴：
　患者年齢の中央値は40代にあり，grade 3でやや高い。小児には稀な腫瘍である。大脳半球の発生が多く，約60％が前頭葉に発生する。初発症状として頻度が高いのはてんかん発作である。

　IDH1 p.R132HがIDH変異の90％以上を占めるが，星細胞腫，IDH変異と比較すると，*IDH2*変異の頻度が高いとされる。1p/19q共欠失では，1p，19qそれぞれの全長欠失が重要であり，部分欠失はほかの膠腫でもしばしばみられることに留意が必要である。大半の症例が*TERT*プロモーター変異を有する。

　組織学的には，典型例では核周囲明暈を伴う円形核をもつ均一な腫瘍細胞が皮質から白質にかけて浸潤性に増殖し，石灰沈着や金網状の分枝血管の介在を伴う（**図2-21, 22**）。特徴的所見である核周囲明暈はホルマリン固定パラフィン包埋標本作製時の人工産物である。小型の肥胖細胞様の腫瘍細胞（minigemistocyte）や核を取り巻くようにGFAP陽性の狭小な細胞質がみられる腫瘍細胞（gliofibrilllary oligodendrocyte）を含むことがあり，

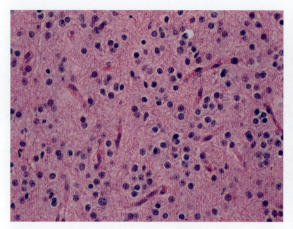

図 2-21　Oligodendroglioma, IDH-mutant and 1p/19q-codeleted, CNS WHO grade 2
円形核をもつ小型細胞のびまん性増殖と間質の毛細血管網。

図 2-22　Oligodendroglioma, IDH-mutant and 1p/19q-codeleted, CNS WHO grade 2
核の周囲にハローがあり，蜂の巣像（目玉焼き像）を示す。

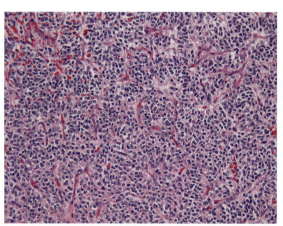

図 2-23　Oligodendroglioma, IDH-mutant and 1p/19q-codeleted, CNS WHO grade 3
核周囲のハローを伴った小型類円形細胞がびまん性に増生している。細胞密度は上昇し，核異型は明らかである。

図 2-24　Oligodendroglioma, IDH-mutant and 1p/19q-codeleted, CNS WHO grade 2
IDH1 p.R132H 免疫組織化学。細胞質および核がびまん性に陽性である。

　grade 3 の症例でより高頻度にみられる。そのほかの細胞所見として，好酸性顆粒状の細胞質，神経細胞分化，多核巨細胞，肉腫様成分などをみることがある。従来の astrocytoma, oligoastrocytoma の形態を呈することもあり，診断においては分子遺伝学所見が重要視される。
　びまん性発育を基本とするが，腫瘍の一部に周囲より細胞密度の高い結節の形成をみることは稀ではなく，同部では細胞の異型が強く，増殖活性も高いのが通常である。皮質浸潤部では神経細胞を取り巻く浸潤や血管に沿った浸潤，軟膜下への集簇といったいわゆる浸潤の二次構造が目立つ。ときに複数の脳葉にかけて浸潤する gliomatosis cerebri パター

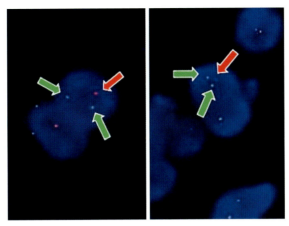

図2-25 Oligodendroglioma, IDH-mutant and 1p/19q-codeleted, CNS WHO grade 2
Fluorescent *in situ* hybridization。コントロールのシグナル（緑）が2個認められるのに対して，1p36のシグナル（赤，左図）と19q13（赤，右図）は1個しか認められない。

ンを呈することや，髄膜進展部における線維形成反応，核の柵状配列（spongioblastic pattern），血管周囲偽ロゼットや神経細胞性ロゼットなどをみることがある。

Grade 3の腫瘍では高細胞密度，高度の細胞異型，核分裂像の増加（2.5個以上/mm^{2}あるいは6個以上/10HPFs（視野数22もしくは視野直径0.55 mm）），微小血管増殖，壊死などの組織学的悪性所見を複数示すことが多い（図2-23）が，grade 3とする明確な診断基準は提示されていない。

免疫組織化学的には，星細胞腫，IDH変異の診断と同様に，IDH1 p.R132H変異特異抗体が有用である（図2-24）。ATRXの発現は保たれ，p53の高発現は通常みられないが，IDH変異とATRX発現保持の確認だけでは診断の根拠としては不十分で，FISH法などを用いた1p/19q共欠失の確認が必要である（図2-25）。α-internexinやNOGO-Aの発現，p.K28me3(K27me3)，CICあるいはFUBP1の発現欠失の診断における有用性が報告されているが，いずれも1p/19q検査を代用するものではない。*TERT*プロモーター変異は，星細胞腫，IDH変異でも認められるため，同変異の検討もやはり1p/19q検査の代用にはならない。

同一悪性度の星細胞腫，IDH変異と比較して，予後は良好である。

3．Glioblastoma, IDH-wildtype 膠芽腫，IDH野生型（図2-26～36）

定義：IDH遺伝子およびH3遺伝子野生型のびまん性発育を示す星細胞性膠腫で，微小血管増殖，壊死，*TERT*プロモーター変異，*EGFR*増幅，+7/−10染色体コピー数異常（7番染色体トリソミーかつ10番染色体モノソミー）の少なくとも1つがみられる腫瘍である。CNS WHO grade 4。

特徴：成人の悪性脳腫瘍の中で最も頻度が高く，頭蓋内腫瘍の約15%，原発性悪性脳腫瘍の45～50%を占める。50代から80代にかけての発生が多く，男性にやや多い。多くは

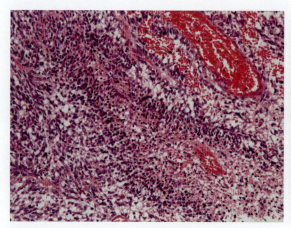

図 2-26　Glioblastoma, IDH-wildtype
細胞密度の高い腫瘍で，壊死巣を取り囲む腫瘍細胞の柵状配列がみられる。

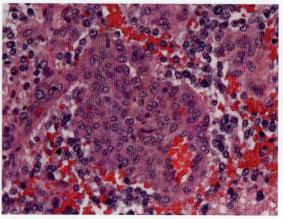

図 2-27　Glioblastoma, IDH-wildtype
血管壁細胞の増殖からなる糸球体係蹄様の微小血管増殖。

　孤発例であるが，一部の症例はリンチ症候群，先天性ミスマッチ修復遺伝子異常症，リ・フラウメニ症候群，神経線維腫症1型などを背景に発生する。頭頸部領域への放射線治療後の発生も知られる。大脳半球の発生頻度が高いものの，中枢神経のいずれの部位にも発生し得る。隣接する脳葉への浸潤や脳梁を介した対側大脳半球への進展がしばしばみられ，後者の典型例はいわゆる butterfly glioma に相当する。発生部位に応じた欠失症状（neurological deficits）やてんかん発作で発症し，初発作から診断までの期間は3カ月以内のことが多い。画像所見では，典型例は辺縁不整な腫瘍で，中心部の壊死とリング状の増強効果，周囲の浮腫がみられる。予後不良で，治療後の平均生存期間は12〜15カ月である。

　組織学的には，少なくとも一部は星細胞の特徴をもった異型グリア細胞のびまん性増殖からなり，比較的単調な腫瘍細胞から構成されることもあるが，腫瘍細胞に多形性がみられることが多い。細胞密度が高く，核分裂像が目立つ。壊死（図2-26）や微小血管増殖（図2-27）がしばしばみられ，壊死巣周囲に腫瘍細胞の柵状配列を伴うことも多いが，分子遺伝学的診断基準を満たしていれば，微小血管増殖や壊死は診断上の必須要件ではない（図2-28）。

　免疫組織化学では GFAP，S-100 蛋白，OLIG2 の発現が種々の程度に認められる。定義上，IDH1 p.R132H 変異特異抗体を用いた免疫組織化学は陰性となる。55歳以上の場合，*IDH1* p.R132H 以外の IDH 変異は極めて稀であることが知られており，grade 2/3 膠腫の既往がない55歳以上の患者に発生した，古典的な膠芽腫の形態を示す非正中発生の腫瘍の場合には，免疫組織化学的な IDH1 p.R132H 陰性所見のみで，膠芽腫，IDH 野生型の診断が可能である。患者が55歳未満の場合や，grade 2/3 膠腫の既往のある場合，ATRX 発現欠失がある場合は，*IDH1* p.R132H 以外の変異の有無の確認のため，シークエンスが推奨される。また，正中発生の場合には，びまん性正中膠腫，H3 K27 異状，若年者の場合にはびまん性大脳半球膠腫，H3 G34 変異などの可能性についても検索が必要である。

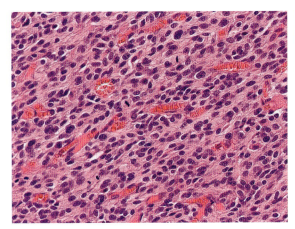 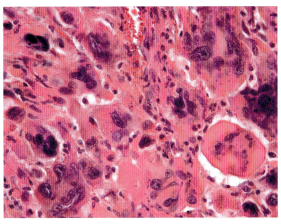

図 2-28　Glioblastoma, IDH-wildtype
小細胞型の膠芽腫。微小血管増殖や壊死は確認されなかったが，EGFR 増幅が確認された。

図 2-29　Giant cell glioblastoma
奇怪な一部多核の巨細胞の密な増殖を認める。

　かつて多形膠芽腫と称されたようにほかの腫瘍に類をみないほど多様な組織像を呈し得る腫瘍であり，個々の腫瘍においても部位により異なった組織像を呈することが多い。以下のような特徴的細胞像が知られ，3つの亜型が定義されている。

a．Giant cell glioblastoma 巨細胞膠芽腫（図 2-29）

　定義：多核・巨核の奇怪な形態を示す巨細胞が主要な構成細胞である膠芽腫である。

　特徴：膠芽腫の 1% 以下の頻度であるが，小児ではやや頻度が高い。側頭葉や頭頂葉の皮質下の境界明瞭な腫瘤をなし，画像所見や術中所見では転移性腫瘍に似ることもある。組織学的には径が 0.5 mm を超えることがあるような大型の腫瘍細胞が多数認められ，多核細胞や奇怪核を有する細胞が多数認められる（図 2-29）。ときに血管周囲偽ロゼットを認める。壊死がみられても，微小血管増殖は通常目立たない。細網線維の増生をしばしば伴う。

　巨細胞は腫瘍細胞のゲノム不安定を反映していることが多く，TP53 変異やミスマッチ修復機構の欠失がしばしばみられる。特に若年者では POLE 遺伝子や DNA ミスマッチ修復遺伝子の変異がみられる。多くは IDH および H3 遺伝子野生型であるが，IDH 変異型腫瘍や H3 変異型腫瘍にも巨細胞が目立つことがある。

　通常の膠芽腫に比べてやや良好な予後が報告されている。

b．Gliosarcoma 膠肉腫（図 2-30，31）

　定義：間葉系への分化が顕著な膠芽腫で，グリア分化と間葉系分化を示す成分が二相性の組織パターンを示す。

　特徴：中高年の男性の大脳半球に多い。初発腫瘍から膠肉腫の像を呈する場合と，再発時に初めて間葉系成分が出現する場合がある。間葉系成分の存在を反映して，通常の膠腫に比して硬く，境界明瞭な傾向があり，転移性腫瘍や髄膜腫に似る。

　組織学的には，膠芽腫の成分と肉腫の成分が二相性に入り組んだモザイク状構造が特徴である（図 2-30）。肉腫成分は膠腫成分の形質変化（化生）によるものと理解されている。肉

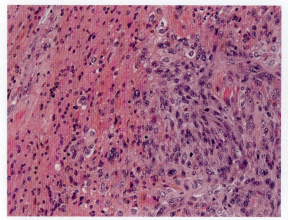

図 2-30　Gliosarcoma
好酸性の紡錘形細胞(左)と核異型の強い紡錘型細胞の 2 種類の腫瘍構成要素がみられる。

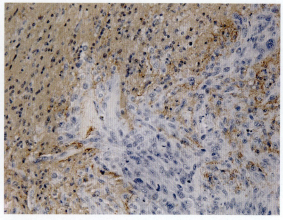

図 2-31　Gliosarcoma
GFAP 免疫組織化学陽性の膠腫成分と陰性の肉腫成分からなる。

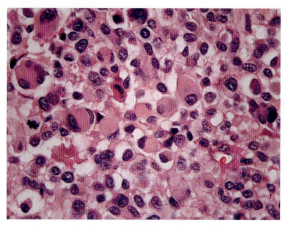

図 2-32　Epithelioid glioblastoma
ラブドイド細胞を混じた細胞境界が明瞭な上皮様形態を示す腫瘍細胞がシート状に増生している。

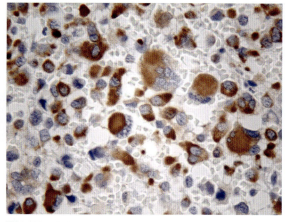

図 2-33　Epithelioid glioblastoma
一部の腫瘍細胞には封入体様構造がみられる(vimentin 免疫組織化学)。

腫成分は紡錘形細胞からなる(線維肉腫様)ことが多く，同成分では膠腫成分とは対照的に GFAP や OLIG2 の発現が消失ないし局所にとどまり(図 2-31)，細網線維が発達している。このほか，骨や軟骨，脂肪，横紋筋などへの分化が知られる。なお，間葉系分化は星細胞腫，IDH 変異や乏突起膠腫，IDH 変異および 1p/19q 共欠失，上衣腫などにもみられることがある。

　c．Epithelioid glioblastoma 類上皮膠芽腫(図 2-32, 33)

　定義：細胞質が豊かで，核小体の明瞭な大型核を有する上皮様細胞ないしラブドイド細胞が密に増殖する膠芽腫である。

　特徴：腫瘍の境界は明瞭なことが多く，腫瘍細胞は比較的均一で，細胞相互の結合性は緩やかである(図 2-32)。しばしば壊死がみられるが，周囲に核の柵状配列を伴うことは多

くない．免疫組織化学では vimentin（図 2-33）や GFAP，OLIG2 が陽性となるが，GFAP の発現は限局的なことがある．Cytokeratin や EMA が陽性となることもあるが，診断上の意義は乏しい．局所的に神経細胞性マーカーが陽性となることがある．

分子遺伝学的には以下の 3 型に分類される．

①小児〜若年成人に発生し，多形黄色星細胞腫と共通性のある遺伝子異常（*BRAF* p.V600E 変異，*CDKN2A* ホモ接合性欠失）や DNA メチル化プロファイルを示す予後良好群．

②成人に発生し，*BRAF* p.V600E 変異の頻度がやや高いほかは，通常の膠芽腫，IDH 野生型と共通した特徴をもつ予後不良群．

③小児型高悪性度膠腫（RTK1 型）の特徴をもつ予後中間群．本群では *BRAF* p.V600E 変異は稀である．

その他の細胞・組織形態

Gemistocyte 肥胖細胞：好酸性の豊かな細胞質と偏在核を有し，細胞質突起に乏しい腫瘍細胞で，通常 GFAP 陽性である．しばしば血管周囲性のリンパ球浸潤を伴う．

Epithelial metaplasia 上皮化生：扁平上皮や腺上皮様の上皮形態を示すことがある．腺様形態を示す場合，同時に GFAP や OLIG2 などグリア形質も保たれている場合（adenoid glioblastoma と称される）と，グリア形質が失われ，真の上皮分化を示す場合がある．間葉系成分と共存することもある．

Oligodendrocyte-like cells 乏突起細胞様細胞：核周囲明量を伴う円形核をもつ乏突起膠細胞様の腫瘍細胞は稀ならずみられる．これら細胞が目立つ場合にも特別な亜型とはしない．

Small cell glioblastoma 小細胞膠芽腫：N/C 比の高い小型の類円形から楕円形の腫瘍細胞が密に増殖する膠芽腫で，多形性に乏しい反面，増殖能は高い（図 2-28）．形態的には grade 3 相当の乏突起膠腫，IDH 変異および 1p/19q 共欠失との鑑別が難しいことがある．*EGFR* 増幅および 10q 欠失が高率にみられる．微小血管増殖や壊死がみられないことがあるが，そのような症例も含めて予後不良である．

Glioblastoma with a primitive neuronal component 未熟神経細胞成分を伴う膠芽腫：N/C 比の高い未熟細胞からなり，細胞密度が高く増殖活性の高い，しばしば結節状を呈する領域を含む膠芽腫であり，同領域は髄芽腫やその他の胎児性腫瘍に類似する（図 2-34, 35）．この成分は GFAP の発現が弱く，synaptophysin をはじめとした神経細胞性マーカーが種々の程度に陽性となる．MCYN 遺伝子や MYC 遺伝子の増幅をしばしば伴う．髄腔内播種をきたす頻度が高い（30〜40％）．未熟神経細胞成分は星細胞腫，IDH 変異やびまん性大脳半球膠腫，H3 G34 変異などでもみられることがある．

Granular cell 顆粒細胞：好酸性顆粒状を示す豊かな胞体を有する腫瘍細胞が目立つ場合があり（図 2-36），しばしば慢性炎症細胞浸潤を伴う．細胞質には多数のライソゾームが含まれることから CD68 が陽性で，しばしば GFAP の染色性が減弱することから組織球との鑑別が問題となる．しかし，CD163 などのより組織球に特異性の高いマーカーには陰性である．典型的な膠芽腫にみられる高度の細胞異型を欠く場合がある．壊死や微小血管増

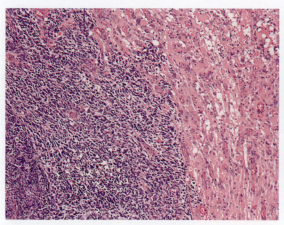

図 2-34　Glioblastoma with a primitive neuronal component
悪性の星細胞腫に隣接して細胞密度の高い未分化な腫瘍成分（図の左側）が認められる。

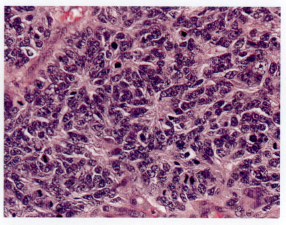

図 2-35　Glioblastoma with a primitive neuronal component
未分化な成分は Homer Wright ロゼットを伴った神経細胞性の分化を示す。

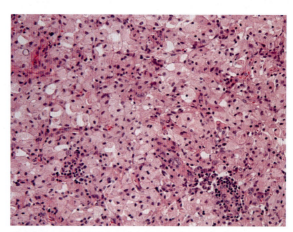

図 2-36　Glioblastoma, IDH-wildtype
顆粒細胞型膠芽腫。比較的よく整った好酸性顆粒状を示す豊かな胞体を伴った細胞がシート状に増生している。血管周囲にリンパ球浸潤を認める。

殖の有無にかかわらず，予後不良であることが知られる。

　Heavily lipidized glioblastoma 高度の脂質化を示す膠芽腫：大型の泡沫状細胞を伴った膠芽腫で，特に脳表に存在する場合に，多形黄色星細胞腫との鑑別が問題となることがある。

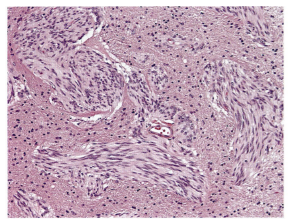

図 2-37　Angiocentric glioma
血管に沿って紡錘形細胞が配列する特徴を示す。

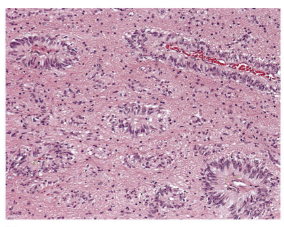

図 2-38　Angiocentric glioma
血管に向かって垂直に突起を伸ばしている。

B．Pediatric-type diffuse low-grade gliomas 小児型びまん性低悪性度膠腫

1．Diffuse astrocytoma, *MYB*- or *MYBL1*-altered びまん性星細胞腫，*MYB* または *MYBL1* 異状

定義：MYB あるいは MYBL1 遺伝子の異常をもち，びまん性浸潤を示す星細胞性腫瘍で，単調な腫瘍細胞から構成される低悪性度腫瘍である。CNS WHO grade 1。

特徴：稀な腫瘍で，大半は大脳に発生し，皮質から皮質下白質にかけて広がる。主な症状は薬剤抵抗性のてんかん発作で，小児期に発症し，成人になって切除に至るのが既報告例の典型的経過である。

組織学的には円形，卵円形，短紡錘形核を有する単調なグリア細胞が浸潤性の発育を示す。個々の細胞の異型は軽度で，細胞密度も低く，核分裂像には乏しい。血管周囲性の局在がうかがえることがある。免疫組織化学では GFAP 陽性で，Ki-67 陽性率は低率である。一般に OLIG2 は陰性である。

IDH 遺伝子および H3 遺伝子は野生型で，*MYB*，*MYBL1* の再構成があり，*PCDHGA1*，*MMP16*，*MAML2*，*QKI* などが融合相手として知られる。

予後は良好である。

2．Angiocentric glioma 血管中心性膠腫（図 2-37，38）

定義：双極性細胞質突起を伸ばす細胞異型に乏しい腫瘍細胞が，少なくとも一部では血管周囲腔に集簇して増殖するびまん性膠腫である。大半の症例が*MYB::QKI*融合遺伝子をもつ。CNS WHO grade 1。

特徴：小児や若年成人に好発する。大脳の脳表付近に境界明瞭な腫瘤を形成することが多く，脳幹発生例も知られる。てんかんに関連しており，難治性の部分発作を主症状とする。

組織学的には細長い紡錘形の均一な腫瘍細胞が，血管周囲に集簇しながら増殖する（図 2-37）。細胞は血管の軸に沿って平行または同心円状に並ぶ場合と，血管軸とは垂直に，すなわち血管から放射状に配列する場合があり（図 2-38），後者は上衣腫の血管周囲性偽ロ

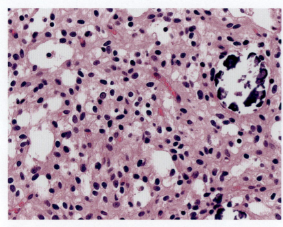
図2-39 Polymorphous low-grade neuroepithelial tumor of the young
類円形核を有する乏突起膠細胞類似の腫瘍細胞を含む膠腫。石灰沈着を伴っている。

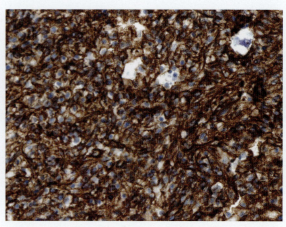
図2-40 Polymorphous low-grade neuroepithelial tumor of the young
CD34免疫組織化学。びまん性に陽性である。

ゼットと類似している。腫瘍細胞は軟膜直下で柵状に集簇したり，脳実質内にびまん性に増殖したりすることもある。腫瘍中心部の充実性の増殖を示す部分の組織像は「シュワン細胞腫様」と表現されている。上皮様成分を含むことがあり，特に同成分にみられる核近傍の好酸性ドット状構造物は，EMA陽性の微小腔に相当し，上衣細胞性分化と考えられている。核異型は乏しく，核分裂像はほとんど認められない。組織壊死や，微小血管増殖像もみられない。免疫組織化学的には，EMA，GFAP，S-100蛋白が陽性で，EMA染色では輪状あるいは点状の陽性像がみられる。OLIG2は陰性である。Ki-67陽性率は低値である。

IDH遺伝子およびH3遺伝子は野生型で，*MYB*の再構成があり，大半は*MYB::QKI*融合遺伝子をもつ。

予後は良好で，切除後の再発は極めて稀である。

3．Polymorphous low-grade neuroepithelial tumor of the young 若年者多型低悪性度神経上皮腫瘍(図2-39, 40)

定義：若年者のてんかん発作と関連し，びまん性発育，乏突起膠腫様成分，石灰化，CD34陽性，MAPK経路の活性化変異で特徴づけられる緩徐発育性の大脳腫瘍である。CNS WHO grade 1。

特徴：10～20代の発生が多い。約80%は側頭葉に発生し，多くは右側頭葉の皮質から白質にかけて広がる。てんかん発作を生じる腫瘍で，難治性てんかんをきたす。少なくとも一部は浸潤性の発育を示す腫瘍である。星細胞類似の細胞も含め，多様な形態を呈し得るが，通常，乏突起膠腫様成分を含み，しばしば同成分が目立つ(図2-39)。ときに腫瘍細胞の血管周囲偽ロゼットがうかがえる。形態異常を示す神経細胞が少数含まれることがある。大半の症例で石灰沈着がみられる。壊死，微小血管増殖はみられない。増殖活性に乏しく，核分裂像はほとんどみられない。免疫組織化学ではOLIG2が陽性，GFAPも種々の

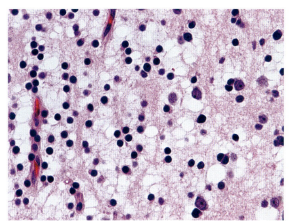

図 2-41　Diffuse low-grade glioma, *FGFR1*-mutant
乏突起膠細胞類似の腫瘍細胞からなるびまん性膠腫。*FGFR1* p.K656E 変異が確認された症例。

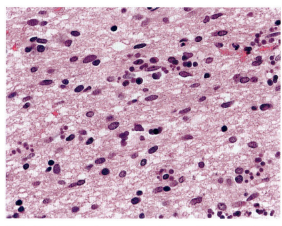

図 2-42　Diffuse low-grade glioma, *BRAF* p.V600E-mutant
BRAF p.V600E 変異のある星細胞腫類似の低異型度びまん性膠腫。

程度に陽性となる。また，CD34 が巣状ないしびまん性に陽性となる（図 2-40）のが特徴で，腫瘍細胞あるいは背景の大脳皮質に存在する多極性突起を伸ばす神経細胞（ramified neural elements）が陽性となる。Ki-67 陽性率は低率である。

IDH 遺伝子および H3 遺伝子は野生型で，*BRAF* p.V600E 変異，*FGFR2* あるいは *FGFR3* の再構成など，MAPK 経路の活性化異常を示す。

稀な悪性転化例の報告があるが，予後は良好である。

4．Diffuse low-grade glioma, MAPK pathway-altered びまん性低悪性度膠腫, MAPK 経路異状（図 2-41, 42）

定義：星細胞腫あるいは乏突起膠腫様の形態を示す低悪性度びまん性膠腫で，主に小児に発生し，MAPK 経路の遺伝子異常をもつ腫瘍である。MAPK 経路異状は，*FGFR1* の異状や *BRAF* p.V600E 変異が多い。IDH 遺伝子および H3 遺伝子野生型で，*CDKN2A* のホモ接合性欠失はみられない。CNS WHO grade は未設定。

特徴：大脳半球の発生が多く，しばしばてんかんと関連する。小児に多い腫瘍であるが，成人における発生頻度については十分な検討がなされておらず，詳細不明である。

組織学的には，低異型度の腫瘍細胞から構成されるびまん性膠腫で，一般に細胞密度は高くなく，増殖活性にも乏しい。微小血管増殖や壊死はみられない。*FGFR1*，*BRAF* 以外では，*FGFR2*，*NTRKs*，*MAP2K1*，*MET* などの異状が知られる。

形態あるいは分子遺伝学的に均一な群ではなく，今後再整理の可能性がある腫瘍である。3 つの亜型が記載されている。

亜型：

a．Diffuse low-grade glioma, *FGFR1* TKD-duplicated びまん性低悪性度膠腫, *FGFR1* TKD 重複

b．Diffuse low-grade glioma, *FGFR1*-mutant びまん性低悪性度膠腫, *FDFR1* 変異

両者は乏突起膠腫の形態を示すことが多い(図2-41)。免疫組織化学ではOLIG2にびまん性に陽性，GFAPは種々の程度に陽性となる。CD34の発現は限定的である。胚芽異形成性神経上皮腫瘍(dysembryoplastic neuroepithelial tumor：DNT)や若年者多型低悪性度神経上皮腫瘍(polymorphous low-grade neuroepithelial tumor of the young：PLNTY)が鑑別対象となる。

　　c．Diffuse low-grade glioma, *BRAF* p.V600E-mutant びまん性低悪性度膠腫，*BRAF* p.V600E 変異

異型に乏しい卵円形〜紡錘形核と細胞質突起を有する腫瘍細胞から構成される星細胞腫の形態を示すことが多い(図2-42)。ローゼンタール線維や好酸性顆粒小体はみられない。免疫組織化学ではOLIG2，GFAP陽性である。毛様細胞性星細胞腫，神経節膠腫，IDH変異型びまん性膠腫やびまん性正中膠腫，H3 K27異状との鑑別が必要である。

C．Pediatric-type diffuse high-grade gliomas 小児型びまん性高悪性度膠腫

1．Diffuse midline glioma, H3 K27-altered びまん性正中膠腫，H3 K27 異状(図2-43〜45)

定義：H3 p.K28me3(K27me3)の発現欠失のある正中発生のびまん性膠腫で，通常はH3 p.K28M(K27M)変異あるいはEZHIPの過剰発現，*EGFR* 変異がみられる。CNS WHO grade 4。

亜型：

　　a．Diffuse midline glioma, H3.3 K27-mutant びまん性正中膠腫，H3.3 K27 変異

　　b．Diffuse midline glioma, H3.1 or H3.2 K27-mutant びまん性正中膠腫，H3.1 ないし H3.2 K27 変異

　　c．Diffuse midline glioma, H3-wildtype with EZHIP overexpression びまん性正中膠腫，H3 野生型，EZHIP 高発現

　　d．Diffuse midline glioma, *EGFR*-mutant びまん性正中膠腫，*EGFR* 変異

特徴：びまん性正中膠腫，H3 K27異状(DMG)の小児例は脳幹に発生することが多く，橋原発腫瘍は diffuse intrinsic pontine glioma(DIPG)として知られる。また，両側の視床に発生することもある。青年期から成人のDMGでは片側視床や脊髄の発生が多い。松果体，視床下部，小脳などの発生も知られる。発症から来院に至る病歴が短期間であるのがDMGの特徴である。DIPGは小児脳腫瘍の10〜15%，小児脳幹腫瘍の75%を占め，脳神経麻痺，錐体路症状，失調症状が三徴候として知られる。小児・成人の脊髄星細胞腫の約40%がDMGである。

組織学的にはびまん性浸潤を示す膠腫で，小型の比較的単調な腫瘍細胞からなることが多い(図2-43)が，星細胞様，毛様，乏突起膠細胞様，巨細胞，未分化細胞，上皮様など，多様な形態を示し得る。微小血管増殖や壊死は診断の要件ではなく，*EGFR* 変異型では稀である。免疫組織化学では，通常はOLIG2，S-100蛋白が陽性で，GFAPの発現は種々の程度である。*EGFR* 変異型DMGではGFAPが陽性となることが多く，OLIG2は陰性のことがある。変異特異抗体を用いたH3 p.K28M(K27M)の発現確認とH3 p.K27me3

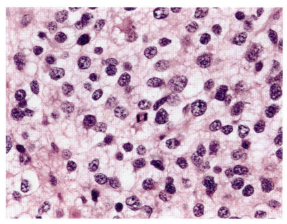

図2-43　Diffuse midline glioma, H3 K27-altered
比較的単調な星細胞腫類似の腫瘍細胞からなる症例。

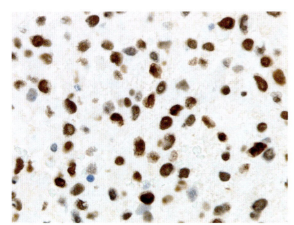

図2-44　Diffuse midline glioma, H3 K27-altered
H3 p.K28M(K27M)変異特異抗体を用いた免疫組織化学。腫瘍細胞が陽性となっている。

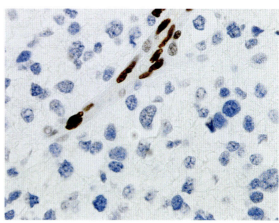

図2-45　Diffuse midline glioma, H3 K27-altered
H3 p.K28me3(K27me3)の免疫組織化学。腫瘍細胞における発現欠失が確認される。

(K27me3)の陰性所見が診断に有用である(図2-44, 45)。H3 p.K28I変異を示すDMGやEZHIP高発現型DMGでは，H3 p.K28M(K27M)の発現は認められないものの，H3 p.K28me3(K27me3)の発現欠失は確認される。EZHIP高発現は免疫組織化学で確認される。DMGの約半数でp53の過剰発現がみられ，約15％でATRXの発現欠失がみられる。なお，H3 p.K28M変異やH3 p.K28me3の発現欠失はほかの腫瘍型でもみられることがあり，診断に際して留意が必要である。

予後不良の腫瘍で，2年生存率は10％未満である。

2．Diffuse hemispheric glioma, H3 G34-mutant びまん性大脳半球膠腫，H3 G34変異(図2-46)

定義：H3-3A遺伝子変異H3.3 p.G35R(G34R)ないしp.G35V(G34V)を有する大脳半球発生のびまん性膠腫である。CNS WHO grade 4。

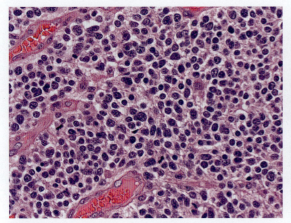

図 2-46　Diffuse hemispheric glioma, H3 G34-mutant
核細胞質比の高い小型細胞からなり，胎児性腫瘍にも類似する症例。

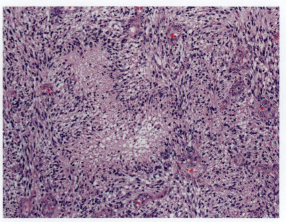

図 2-47　Diffuse pediatric-type high-grade glioma, H3-wildtype and IDH-wildtype
放射線誘発性膠腫である pHGG RTK1 の症例。

特徴：青年〜若年成人の大脳半球に発生し，ときに正中構造への進展や髄膜播種をきたす。

組織学的には古典的な膠芽腫相当の像を呈するのが典型的で，微小血管増殖や壊死を伴うことが多いが，両者は診断要件ではない。胎児性腫瘍に類似し，小型濃染核を有し細胞質の狭小な未分化な腫瘍細胞からなることもあり（図 2-46），ときに Homer Wright ロゼットの形成もみられる。免疫組織化学では OLIG2 の発現がみられないのが特徴的である。GFAP の発現は種々の程度であり陰性のこともある（特に胎児性腫瘍類似例）。*ATRX* 変異，*TP53* 変異がそれぞれ約 95％，90％の症例でみられ，ATRX の発現欠失や p53 の過剰発現が高率に認められる。

予後不良で，報告例の生存期間の中央値は約 20 カ月である。

3．Diffuse pediatric-type high-grade glioma, H3-wildtype and IDH-wildtype びまん性小児型高悪性度膠腫，H3 野生型および IDH 野生型（図 2-47）

定義：主に小児〜若年成人に発生し，組織学悪性所見を呈する H3 遺伝子および IDH 遺伝子野生型のびまん性膠腫である（図 2-47）。CNS WHO grade 4。

亜型：
　a．Diffuse pediatric-type high-grade glioma RTK1（pHGG RTK1）
　b．Diffuse pediatric-type high-grade glioma RTK2（pHGG RTK2）
　c．Diffuse pediatric-type high grade glioma MYCN（pHGG MYCN）

特徴：テント上の発生が多く，脳幹や小脳にも発生する。主に若年者に発生する腫瘍であるが，成人における発生頻度の詳細は不明である。放射線治療後や先天性ミスマッチ修復遺伝子異常症を背景に pHGG RTK1 が発生することが知られている。

古典的な膠芽腫の像を呈する場合（図 2-47）やより未分化な形態を呈する場合がある。微小血管増殖や壊死がみられることが多いが，診断要件ではない。pHGG MYCN では，核細胞質比の高い腫瘍細胞が結節状に増殖し，浸潤性発育を示す成分を伴う。

報告例の多くは膠腫を反映してGFAPやOLIG2が少なくとも一部陽性である。ただし，pHGG MYCNはしばしばグリアマーカーの発現に乏しく，神経細胞性マーカーを発現することが報告されている。

予後は不良である。

【付記】
WHO分類の記載が不十分なため，現状では適用困難な腫瘍であり，定義や診断基準の改訂が必要と思われる。若年者にも膠芽腫，IDH野生型は発生し得るが，これらは現状の本腫瘍型の定義(上記)も満たしてしまう。また，WHO分類では診断の必須項目("Essential")を別途掲げており，本腫瘍は小児，若年成人に発生する腫瘍としている(下記項目1)が，定義や本文の解説の中では，そのほかの年齢層の発生を否定していないため，年長者の膠芽腫，IDH野生型の診断において，厳密には本腫瘍型を除外する必要がある。本腫瘍型の診断必須項目4b(下記)は膠芽腫，IDH野生型でもしばしばみられるため，DNAメチル化プロファイル(必須項目4a)の実施が不可欠と思われる。

診断の必須項目(WHO分類Box2.09を参照)
1. 小児，若年成人に発生する分裂活性を示すびまん性膠腫
2. IDH1，IDH2遺伝子変異なし
3. H3遺伝子変異なし
4. a. pHGG RTK1，pHGG RTK2ないしpHGG MYCN相当のメチル化プロファイル
   もしくは
   b. 各群の主要異常である*PDGFRA*異状，*EGFR*異状ないし*MYCN*増幅がある

4．Infant-type hemispheric glioma 乳児型大脳半球膠腫(図2-48)

定義：幼児の大脳半球に発生する細胞密度の高い高悪性度星細胞腫である。典型的にはNTRK, ROS1, ALK, METなどチロシンキナーゼ受容体遺伝子の再構成がみられる(図2-48)。CNS WHO gradeは未設定。

亜型：
a．Infant-type hemispheric glioma, *NTRK*-altered
b．Infant-type hemispheric glioma, *ROS1*-altered
c．Infant-type hemispheric glioma, *ALK*-altered(図2-48)
d．Infant-type hemispheric glioma, *MET*-altered

特徴：幼児期に発生し，多くは1歳未満に発症する。テント上で粗大な腫瘤をなし，しばしば表在性で，髄膜への進展もみられる。これまでの限られた報告例の記載では，従来の膠芽腫，そのほかの高悪性度膠腫の像を呈することが多い(図2-48)が，神経細胞成分を含む症例や上衣腫，胎児性腫瘍などに類似の像を呈する症例も存在するとされる。一般に細胞密度が高く，周囲との境界が比較的明瞭なことが多い。

*ALK*転座を有する症例の診断にALKの免疫組織化学が有用とされるが，ほかの膠腫においてもALKの発現が見られることがあることに留意が必要である。NTRKについては

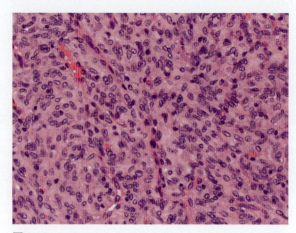

図2-48 Infant-type hemispheric glioma, *ALK*-altered
卵円形～短紡錘形核を有する比較的小型の膠細胞からなり，*ALK*再構成が確認された症例。

正常脳にも発現がみられるため，NTRK転座陽性例の診断にNTRKの免疫組織化学は有用ではない。

チロシンキナーゼ受容体遺伝子の再構成は60～80％の症例に見出されるとされる。融合遺伝子の型によらず独特のDNAメチル化プロファイルを示す。

ほかの高悪性度膠腫に比べて予後が良いとの報告がなされているが，さらなる知見の集積が必要である。

D．Circumscribed astrocytic gliomas 限局性星細胞系膠腫

1．Pilocytic astrocytoma 毛様細胞性星細胞腫（図2-49，50）

定義：毛様の双極性腫瘍細胞を含み，緻密領域と微小嚢胞状領域からなり，ローゼンタール線維や好酸性顆粒小体のみられる星細胞性腫瘍である。MAPK経路の遺伝子異常，なかでも*KIAA1549::BRAF*融合遺伝子の頻度が高い。CNS WHO grade 1。

特徴：小児や思春期の若年者に多い。多くは孤発例であるが，一部は神経線維腫症1型やNoonan症候群など遺伝性症候群を背景に発生する。発生部位は小脳が最も多く，そのほか，脳幹，視神経，視床下部などの正中部にも発生し，成人では大脳半球での発生も多い。限局性の軟らかい腫瘤を作り，しばしば嚢胞を随伴する。緩徐な増殖を示す。

双極細胞からなる充実性の領域と，多極細胞が粘液様基質の貯留を伴ってまばらに増殖する微小嚢胞状領域が交代性に分布する二相性構築を特徴とする（図2-49）。充実性領域と微小嚢胞状領域の比率は腫瘍によりさまざまである。前者ではローゼンタール線維（図2-50）が後者では好酸性顆粒小体がみられる。腫瘍細胞の核は小型均一で，円形核と核周囲明量をもつ乏突起膠腫様細胞がしばしばみられ，ときに変性所見として核の多形性とクロマチンの増量を示す細胞が出現する。間質には血管がよく発達し，微小血管の集簇，アーケード状の配列，糸球体係蹄様の構造，血管壁の硝子化などがみられる。腫瘍のくも膜下

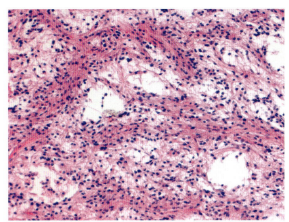

図 2-49　Pilocytic astrocytoma
毛様の細長い細胞からなる充実性部分と微小囊胞性部分の二相性構築を示す。

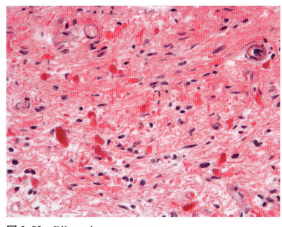

図 2-50　Pilocytic astrocytoma
好酸性のローゼンタール線維を多数認める。

腔への進展はしばしばみられる。核分裂像は乏しい。免疫組織化学では，GFAP や OLIG2 に陽性となる。

KIAA1549::BRAF 融合遺伝子が 60％以上の頻度で認められる。そのほか，*BRAF* 変異（*BRAF* p.V600E を含む），*NF1* 変異，*FGFR1* 変異などさまざまな MAPK 経路の異常が知られる。

亜型：

a．Pilomyxoid astrocytoma 毛様類粘液性星細胞腫（図 2-51）

粘液性背景を伴った単調な双極性腫瘍細胞の増殖からなり，血管周囲性配列を特徴とする毛様細胞性星細胞腫の亜型である。乳幼児の視床下部，視交叉部に発生する。組織学的には，双極細胞の単一成分からなり，毛様細胞性星細胞腫に比し細胞密度は高い傾向がある。ローゼンタール線維や好酸性顆粒小体は通常みられない（図 2-51）。ときに典型的な毛様細胞性星細胞腫と共存し，また，再発時に毛様細胞性星細胞腫へ移行する例も知られる。分子遺伝学的には毛様細胞性星細胞腫と共通した MAPK 経路の異常が知られる一方，両者の相違点の報告もなされている。典型的な毛様細胞性星細胞腫に比し，局所再発の頻度が高く，脳脊髄播種を示すこともあるなど，予後がやや不良の傾向がある。

b．Pilocytic astrocytoma with histological features of anaplasia 組織学的退形成の特徴を有する毛様細胞性星細胞腫

過去の報告では，退形成所見の中で増殖活性が重要視され，毛様細胞性星細胞腫の特徴を示すも核分裂像の増加がみられる腫瘍を "anaplastic pilocytic astrocytoma" あるいは "pilocytic astrocytoma with histological anaplasia" と称し，一部の腫瘍は壊死を随伴している。多くは成人の小脳に発生しており，退形成所見が初回切除時から認められる場合と再発時に出現する場合がある。成人例の解析では，壊死や不完全摘出，ATRX の発現欠失などが予後不良因子とされている。分子遺伝学的にはこうした症例の多くは，新たに定義された high-grade astrocytoma with piloid features に相当する DNA メチル化プロファイ

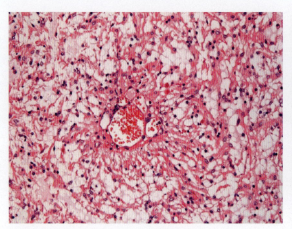

図 2-51　Pilomyxoid astrocytoma
血管周囲のロゼット状配列と類粘液性基質。

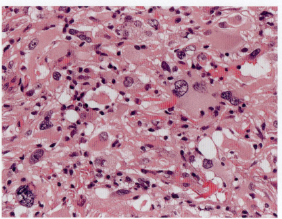

図 2-52　High-grade astrocytoma with piloid features
腫瘍細胞の多形性が目立ち多形黄色星細胞腫にも類似する小脳発生の症例。ローゼンタール線維が認められる。DNA メチル化解析にて本腫瘍型に分類された。

ルを示す。

2．High-grade astrocytoma with piloid features 毛様の特徴を伴う高悪性度星細胞腫（図 2-52）

定義：独特の DNA メチル化プロファイルを示す星細胞腫で，毛様あるいは膠芽腫類似の細胞・組織像を呈することが多い。MAPK 経路関連遺伝子異常に加え，*CDKN2A/2B* ホモ接合性欠失や *ATRX* 変異・ATRX 発現欠失を伴うことが多い。CNS WHO grade は未設定。

特徴：小脳発生例が多いが，テント上や脊髄にも発生する。DNA メチル化プロファイルにて定義される腫瘍で，組織所見のみでは診断できない。報告例の組織像は多様であり，膠芽腫や多形黄色星細胞腫に類似する症例（図 2-52）や，双極性細胞質突起を有する（毛様）腫瘍細胞が目立つ症例が知られる。好酸性顆粒小体やローゼンタール線維は約 1/3 の症例に見出される。介在する小血管に内皮細胞の腫大や多層化，糸球体様変化などが高率にみられ，壊死や核分裂像もしばしば認められる。

MAPK 経路に関わる遺伝子異常として頻度が高いのは，*NF1* 異状，*KIAA1549::BRAF* 融合遺伝子，*FGFR1* 変異である。約 80％の症例で *CDKN2A/2B* のホモ接合性欠失，*ATRX* 変異・ATRX 発現欠失が 45％の頻度で認められると報告されている。

毛様細胞性星細胞腫に比し予後不良であるが，膠芽腫，IDH 野生型と比較すると，予後良好な傾向がある。

3．Pleomorphic xanthoastrocytoma 多形黄色星細胞腫（図 2-53，54）

定義：大型の多形性のある腫瘍細胞，紡錘形腫瘍細胞，脂肪滴を含有する腫瘍細胞など多彩な腫瘍細胞から構成され，好酸性顆粒小体の出現や細網線維の沈着を特徴とする星細胞腫である。*BRAF* p.V600E 変異（ないしほかの MAPK 関連遺伝子異状）と *CDKN2A/2B*

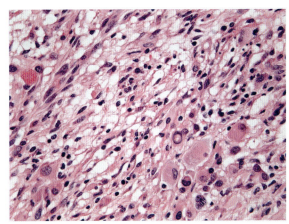

図 2-53 Pleomorphic xanthoastrocytoma
腫瘍細胞は束状の配列を示し，一部では顕著な多形性を示す．細胞質内に微細な脂肪滴（黄色腫性変化）を認める（右下）．

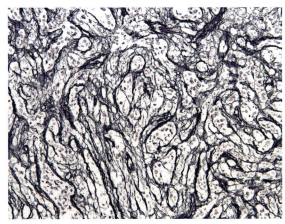

図 2-54 Pleomorphic xanthoastrocytoma
間質には顕著な細網線維形成を認める．鍍銀染色．

のホモ接合性欠失が特徴的である．CNS WHO grade 2 もしくは 3．

特徴：小児から若年成人に好発する．多くの患者はてんかん発作の既往を有する．大脳半球，特に側頭葉表層に限局性の腫瘤を形成し，しばしば髄膜への進展を示す．囊胞成分を含むことが多い．

組織学的に腫瘍細胞はさまざまな形態を示し，多形性のある単核・多核の大型細胞，紡錘形細胞，上皮様細胞などからなり，一部の腫瘍細胞には細胞質に脂肪滴が含まれている（図 2-53）．紡錘形細胞は幅の広い細胞突起を伸ばし，束状に増生して，間葉系腫瘍にも類似した像を示す．増殖活性は腫瘍細胞の異型度に比例せず，核分裂像は一般には目立たない．肉眼的には限局性の腫瘤であるが，組織学的には多少とも周囲組織への浸潤傾向はみられる．細胞間には好酸性顆粒小体などの変性構造物の出現，血管周囲のリンパ球浸潤などがしばしば認められる．豊富な細網線維網の形成は髄膜進展部で目立つ（図 2-54）．

核分裂像の数が 2.5 個未満/mm^2 の腫瘍を grade 2，2.5 個以上/mm^2 の腫瘍が grade 3 と定義される．Grade 3 の腫瘍では壊死もしばしばみられるが，壊死の存在は grade 3 の診断基準ではない．Grade 3 の腫瘍では多形性を失い，周囲組織への浸潤も顕著となる傾向がある．

免疫組織化学では，腫瘍細胞は GFAP，S-100 蛋白などのグリアマーカーに陽性である．多くの腫瘍で CD34 の発現がみられ，また，一部の腫瘍細胞が神経細胞性マーカーを発現することも多い．

MAPK 経路の活性化異常がみられる腫瘍で，50〜70％の症例に *BRAF* p.V600E 変異を認める．*CDKN2A/2B* のホモ接合性欠失も高率に認められる．

5 年生存率は grade 2 の腫瘍で約 90％，grade 3 の腫瘍で約 60％ とされている．

4．Subependymal giant cell astrocytoma 上衣下巨細胞性星細胞腫（図 2-55）

定義：神経節細胞様の星細胞を含む脳室周囲に形成される腫瘍で，結節性硬化症と強い

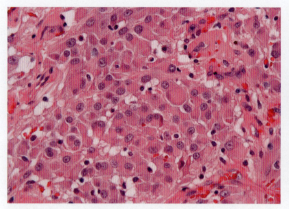

図 2-55 Subependymal giant cell astrocytoma
核が偏在した大型細胞が肥胖細胞ないし神経節細胞の形態を示しつつ，増生している。

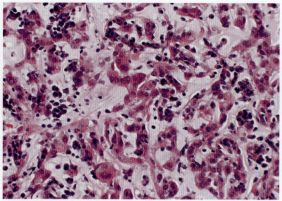

図 2-56 Chordoid glioma
腫瘍細胞の上皮様配列，類粘液性基質，リンパ球・形質細胞浸潤が特徴。

関連を示す。CNS WHO grade 1。

　特徴：典型的にはモンロー孔付近の側脳室周囲に発生する。第三脳室や網膜の発生例も知られる。結節性硬化症患者の 5～15％ に発生する腫瘍で，結節性硬化症の主要診断基準の一つになっている。10 代までの発生が多い。

　肉眼的には境界明瞭な腫瘍で，組織学的には肥胖性星細胞様の大型細胞が主体となり，細線維性基質を伴って増殖する(図 2-55)。小型の紡錘形細胞もみられる。大型細胞の核はときに偏在し，核質が明るく，明瞭な核小体を含むため神経節細胞の核に類似する。細胞質は均一に好酸性硝子様である。ときに核の多形性がみられ，多核細胞も出現するが，核分裂像には乏しい。間質には血管がよく発達し，石灰沈着がしばしばみられる。免疫組織化学的には星細胞と神経細胞の両方の形質を示すことが特徴的で，GFAP，S-100 蛋白，neurofilment，synaptophysin などが種々の程度に陽性となる。TTF-1 が陽性となるのも本腫瘍の特徴である。Ki-67 標識率は低値を示す。

　予後は良好であるが，不完全切除例では再増大の可能性がある。

5．Chordoid glioma 脊索腫様膠腫(図 2-56)

　定義：第三脳室前方に発生する限局性膠腫で，上皮様形態を示す GFAP 陽性の膠細胞が集塊状，索状に増殖する。*PRKCA* p.D463H ミスセンス変異を有する。CNS WHO grade 2。

　特徴：成人の第三脳室前半部に発生し，脳室内を占拠するように発育する。組織学的には，上皮様の形態を示す浸潤性の乏しい膠細胞が集塊状，索状に増殖し，間質には粘液様の基質が豊富にみられる(図 2-56)。リンパ球・形質細胞の浸潤を伴うことも特徴である。症例によっては，粘液様基質の貯留に乏しく，顕著な膠原線維の増生を伴う場合もある。核分裂像は認められても，ごく少数である。免疫組織化学的には，GFAP がびまん性に陽性となり，vimentin や CD34 も陽性となる。TTF-1 も陽性となるが，抗体種(クローン)により染色の程度は異なる。Ki-67 陽性率は低値である。

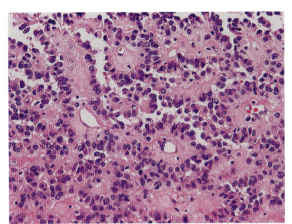

図 2-57　Astroblastoma, *MN1*-altered
Astroblastic rosette を形成する腫瘍細胞。

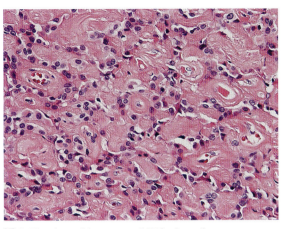

図 2-58　Astroblastoma, *MN1*-altered
硝子化血管の周囲に配列する腫瘍細胞。

6．Astroblastoma, *MN1*-altered 星芽腫，*MN1* 異状（図 2-57, 58）

定義：*MN1* 異状を有する限局性膠腫で，円形，立方状ないし円柱状の腫瘍細胞からなり，腫瘍細胞の偽乳頭状ないし血管周囲性の発育，血管周囲の無核帯，および血管壁や腫瘍細胞間の硝子化を特徴とする。WHO grade は未設定。

特徴：小児から若年成人に好発し，女性の発生が多い。大半は大脳半球に発生する。

組織学的には，好酸性の豊富な細胞質を有する腫瘍細胞が，太く短い単極性の突起を血管に向かって伸ばす，特徴的な星芽腫性偽ロゼット構造を形成する（図 2-57）。血管壁や間質に種々の程度の硝子化がみられる（図 2-58）。非腫瘍部との境界は明瞭である。免疫組織化学的には，GFAP が陽性で，大半の症例で OLIG2 も少なくとも一部は陽性である。EMA に陽性となることも特徴的である。

MN1 の再構成がみられ，*MN1::BEND2* 融合遺伝子の頻度が最も高い。上衣腫，膠芽腫，IDH 野生型（類上皮膠芽腫を含む），多形黄色星細胞腫などで類似の組織所見がみられることがあり，診断の確定には分子遺伝学的検索が必要である。

局所再発の頻度が高い一方，予後が比較的良好とされるが，予後については知見のさらなる集積が必要である。

E．Glioneuronal and neuronal tumors グリア神経細胞系および神経細胞系腫瘍

1．Ganglioglioma 神経節膠腫（図 2-59〜60）

定義：よく分化した腫瘍性神経節細胞と膠細胞からなる緩徐発育性のグリア神経細胞腫瘍である。MAPK 経路の活性化をきたす分子遺伝学的異常をもつ。CNS WHO grade 1。

特徴：小児や若年者に好発する。中枢神経内のいずれの部位にも発生するが，特に側頭葉の発生が多く，てんかん発作の原因となる。

充実成分と囊胞成分をもつ腫瘤をなすことが多い。神経節細胞は細胞の大型化やニッスル小体の核膜周囲への分布，2 核化などの形態異常を示すとともに，配列を欠き，小集簇をなすなど局在の異常もみられる（図 2-59）。膠細胞成分はびまん性星細胞腫，毛様細胞性

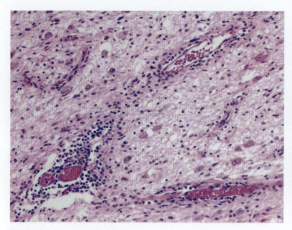

図 2-59　Ganglioglioma
異型を示す神経細胞が浸潤性の星細胞腫に混在している。血管周囲にリンパ球浸潤がみられる。

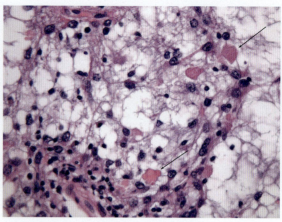

図 2-60　Ganglioglioma
多数の好酸性顆粒小体がみられる。

　星細胞腫，乏突起膠腫などに類似する。血管周囲のリンパ球浸潤と好酸性顆粒小体の出現が特徴的で（図 2-60），ローゼンタール線維もみられることがある。腫瘍が脳表に進展すると著明な線維形成がみられるが，悪性像ではない。石灰沈着も頻発する。膠細胞成分が退形成所見を示す「退形成性神経節膠腫」の報告がなされているが，分子遺伝学的知見も含めた観点での他腫瘍との鑑別が必要で，今後検証が必要である。
　免疫組織化学的に神経節細胞は synaptophysin, chromogranin A, neurofilament protein などの神経細胞性マーカーが陽性となる。非腫瘍性の神経細胞に比し，NeuN の発現は弱い傾向にある。膠細胞成分は GFAP や OLIG2 などが種々の程度に陽性となる。腫瘍内や隣接する大脳皮質内に多極性突起を伸ばす CD34 陽性細胞（ramified cell）が出現する。膠細胞成分の Ki-67 標識率は 1〜3％ 程度で低い。MAPK 経路の活性化する分子異常がみられ，なかでも *BRAF* p.V600E 変異の頻度が高く，1/3〜2/3 症例にみられる。
　切除後の再発は稀で，予後は良好である。*BRAF* p.V600E と H3 p.K28M（K27M）の共存する稀な神経節膠腫様の腫瘍が知られ，予後不良とされる。

2．Gangliocytoma 神経節細胞腫（図 2-61）

　定義：よく分化するもしばしば形態異常を伴った腫瘍性神経節細胞の不規則な集簇からなる神経上皮性腫瘍である。CNS WHO grade 1。
　特徴：小児に発生する。神経節膠腫と同様に，中枢神経内のいずれの部位にも発生するが，特に側頭葉の発生が多い。境界の明瞭な腫瘤を作り，しばしば囊胞や石灰化を伴う。組織形成異常を示唆する異様な形態の大きな神経細胞が特定の配列をもたずに増生して，細胞間には非腫瘍性と考えられる異型に乏しい膠細胞が少数介在する（図 2-61）。2 核・多核化，細胞質の風船状腫大や空胞化がみられることがある。核分裂像は認められない。血管周囲にはしばしばリンパ球浸潤が認められる。免疫組織化学的に神経細胞は synaptophysin, chromogranin A, neurofilament protein などの神経細胞性マーカーが陽性となる。非腫瘍性の神経細胞に比し，NeuN の発現は弱い傾向にある。Ki-67 陽性細胞はほと

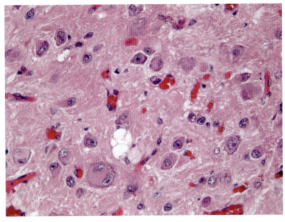

図2-61　Gangliocytoma
中〜大型で異型を示す神経節細胞が散在し，なかには2核の細胞もみられる。基質は線維性であるが，グリア細胞は乏しい。

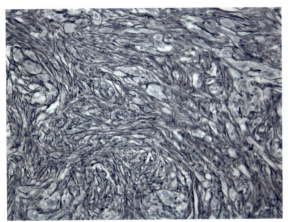

図2-62　Desmoplastic infantile astrocytoma
強い細網線維の沈着を認める。

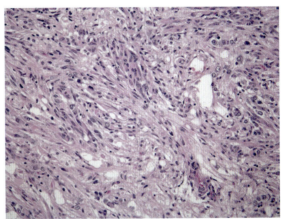

図2-63　Desmoplastic infantile astrocytoma
紡錘形細胞が束状に増生している。

んど存在しない。分子遺伝学的異常は乏しいとされる。予後は良好である。

3. Desmoplastic infantile ganglioglioma and astrocytoma 線維形成性乳児神経節膠腫および星細胞腫（図2-62, 63）

　定義：神経上皮性腫瘍細胞が著しい線維形成を伴いながら増殖する良性腫瘍で，大半が乳幼児の大脳半球に発生し，MAPK経路の活性化異常がみられる。星細胞成分と神経細胞成分を含む desmoplastic infantile ganglioglioma (DIG) と星細胞成分に限られている desmoplastic infantile astrocytoma (DIA) に分類される。両者とも局所的に未分化な腫瘍細胞の増殖巣を伴うことがある。CNS WHO grade 1。

　特徴：主に乳幼児にみられ，大半は2歳未満である。やや男児に多い。大脳脳表に囊胞を伴った巨大な腫瘍を形成する。髄膜内成分をもち，硬膜へ付着することが多い。組織学的に脳実質外を中心に発育する腫瘍で，主にVirchow-Robin腔に沿って脳表部に進展す

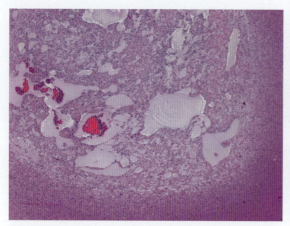

図2-64　Dysembryoplastic neuroepithelial tumor
特有な肺胞様構造 specific glioneuronal element。

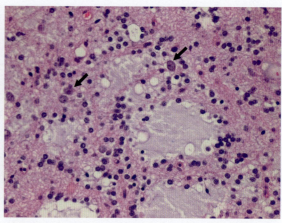

図2-65　Dysembryoplastic neuroepithelial tumor
小型の腫瘍細胞（OLC）と，粘液内に浮遊する神経細胞（矢印）。

る。顕著な膠原線維と細網線維の形成が特徴的で（図2-62），線維芽細胞様の紡錘形細胞に富み，間葉系腫瘍に類似の像を示す。混在する神経上皮成分のうち，神経細胞成分はさまざまな形態を示し，散在性にあるいは集簇して存在するが，その数はさまざまで，免疫組織化学を用いないと同定が困難な場合もある。膠細胞成分は紡錘形あるいは多極性突起をもち，星細胞の特徴を示す（図2-63）。胎児性腫瘍様の未熟な腫瘍細胞群がしばしば出現する。免疫組織化学的には膠細胞成分はGFAPが陽性で，神経細胞成分にはsynaptophysin，neurofilament protein，NeuNなどが陽性となる。Ki-67陽性率は低値で，2%以下であるが，未熟成分では十数%の値を示すこともある。MAPK経路の活性化異常があり，*BRAF*や*RAF1*の変異や融合遺伝子形成が多い。*CDKN2A/2B*のホモ接合性欠失は認められない。

　完全切除されれば予後は極めて良好である。不完全摘出例においても一般に急激な増大はみられない。

4．Dysembryoplastic neuroepithelial tumor 胚芽異形成性神経上皮腫瘍（図2-64，65）

　定義：主として小児から若年成人の大脳皮質に発生するグリア神経細胞系腫瘍で，特異グリア神経細胞要素の形成を特徴とする。CNS WHO grade 1。

　特徴：小児〜若年成人に好発し，約9割の症例で，20歳までに初回てんかん発作を経験する。約2/3が側頭葉に発生し，次いで前頭葉の発生頻度が高い。大半は孤発例であるが，神経線維腫症1型やNoonan症候群などを背景とした発生が知られる。

　組織学的には大脳皮質内で多結節状に増殖し（図2-64），specific glioneuronal element 特異グリア神経細胞要素と呼ばれる特徴的な構造を形成する。これは毛細血管と線維状基質を軸とする柱状の構造が脳表に対して垂直に配列して肺胞状の構築を形成し，その隔壁に沿ってoligodendroglia-like cells（OLC）乏突起膠細胞に類似の小型の細胞が柱状にあるいは集簇して増殖するものである。標本が脳表に対して垂直方向に作製されていない場合には，不規則な肺胞状あるいは小嚢胞状構築を呈する。肺胞腔に相当する部分には多量の粘

液様基質が認められ，細胞異型のない神経細胞がその粘液様基質の中に浮かぶように存在している(図2-65)。このような神経細胞をfloating neuron浮遊神経細胞と呼んでいる。この特有な成分のほかに，乏突起膠細胞や星細胞が増殖した小結節もみられ，病巣は全体として多結節状となっている。いずれの構成成分もよく分化した形態を示し，核分裂像は乏しい。結節の間に介在する大脳皮質には，神経細胞の層構築異常などの皮質異形成が認められる。

上記の組織像を示す腫瘍をcomplex form複雑型とし，特異グリア神経細胞要素のみからなる腫瘍をsimple form単純型と亜分類することがある。

免疫組織化学的にOLCはS-100蛋白，OLIG2に陽性，GFAPは陰性である。浮遊神経細胞はNeuN, synaptophysinなどの神経細胞性マーカーを発現している。Ki-67陽性率は極めて低値である。

FGFR1 の活性化変異がみられることが多く，特にチロシンキナーゼドメインにおける遺伝子内重複の頻度が高く，胚芽異形成性神経上皮腫瘍に特徴的である(完全には特異的ではない)。次いでミスセンス変異の頻度が高い。

稀な悪性転化の報告があるが，基本的には良性の腫瘍である。

5．Diffuse glioneuronal tumor with oligodendroglioma-like features and nuclear clusters 乏突起膠腫様の特徴と核集塊を伴うびまん性グリア神経細胞腫瘍

定義：しばしば核周囲明暈を伴い種々の程度に分化した腫瘍細胞，多核化・核集塊を特徴とする神経上皮性腫瘍で，独特のDNAメチル化プロファイルを示し，大半の症例で14番染色体のモノソミーがみられる。CNS WHO gradeは未設定。暫定腫瘍型。

特徴：これまでの報告例はすべてテント上に発生し，その約半数が側頭葉に生じている。主に小児に発生し，報告例の患者年齢の中央値は9歳である。

浸潤性の発育を示す腫瘍で，細胞質に乏しい小型～中型の細胞からなり，乏突起膠腫に類似した核周囲明暈をしばしば伴う。細胞密度の高い腫瘍では中枢神経系神経芽腫に類似することがある。やや歪な大型核を有する腫瘍細胞が混在し，ときに顕著な多型性を示す。腫瘍核の小集塊がみられ，"pennies on a plate"と称される特徴的な多核細胞も出現する。神経網(ニューロピル)様基質を伴い，一部の症例では血管周囲に島状に神経網様基質が形成される。核分裂像の多寡は症例により異なる。石灰化がしばしばみられる。

免疫組織化学ではOLIG2陽性，GFAP陰性で，synaptophysinが神経網様基質に強陽性となる。NeuNは一部の腫瘍細胞に陽性となる。

現状では診断の確定にDNAメチル化プロファイルが必要となる腫瘍型である。

報告例の5年無増悪生存率は約80％，5年全生存率は約90％である。

6．Papillary glioneuronal tumor 乳頭状グリア神経細胞腫瘍(図2-66, 67)

定義：グリア細胞の偽乳頭状増殖と偽乳頭間に増生する小型から大型の神経細胞から構成されるグリア神経細胞腫瘍である。*PRKCA*融合遺伝子をもつ。CNS WHO grade 1。

特徴：主に小児や若年成人の大脳半球に発生し，囊胞を伴う腫瘤を形成する。組織学的には，硝子化を伴う血管の周囲に，GFAPやOLIG2陽性のグリア細胞が1～数列に配列した偽乳頭状構造を作る(図2-66)。血管壁にはしばしば強い硝子化が認められる。偽乳頭状

112　第2部　脳腫瘍診断・病理カラーアトラス

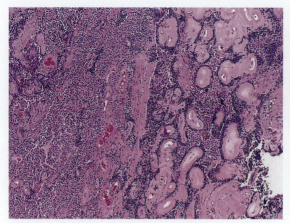

図 2-66　Papillary glioneuronal tumor
血管に富む腫瘍で，腫瘍細胞は偽乳頭状に配列している。偽乳頭状構造間には充実性に神経細胞増生を認める（右側）。

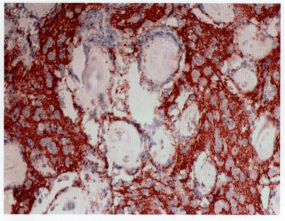

図 2-67　Papillary glioneuronal tumor
偽乳頭間の神経細胞はびまん性に synaptophysin を発現している。

構造の間には小型ないし中型で，synaptophysin などの神経細胞性マーカー陽性の神経細胞がシート状あるいは散在性に増殖している（図 2-67）。大型の神経細胞がみられることもある。乏突起膠腫でみられる微小肥胖細胞が存在する症例もある。腫瘍細胞には退形成所見や核分裂像は乏しく，壊死巣や微小血管増殖はみられない。Ki-67 標識率は 1～2％程度の低値を示す。

　PRKCA 遺伝子再構成があり，特に *SLC44A1::PRKCA* の頻度が高い。

　予後は良好で，切除後の再発は稀である。

7．Rosette-forming glioneuronal tumor ロゼット形成性グリア神経細胞腫瘍（図 2-68）

　定義：神経細胞性ロゼットや血管周囲偽ロゼットを形成する小型神経細胞成分と毛様細胞性星細胞腫に類似したグリア細胞成分から構成されるグリア神経細胞腫瘍である。*FGFR1* 変異があり，しばしば *PIK3CA* 変異や *NF1* 変異が共存する。CNS WHO grade 1。

　特徴：若年成人～小児の第四脳室を中心とした正中部（脳室中隔から脊髄）に好発し，稀には大脳半球にも発生する。

　組織学的には，微小囊胞状や粘液性基質を背景に神経細胞とグリアの 2 種類の成分から構成されている。神経細胞成分は，微細なクロマチンを有する比較的均一な小型円形神経細胞からなる花冠状と血管周囲性ロゼットから構成される。ロゼット中央部あるいは血管壁には短い細胞突起からなる繊細な線維性基質が存在する（図 2-68）。免疫組織化学的には OLIG2 が陽性，NeuN が一部陽性で，ロゼット中心は synaptophysin 陽性である。星細胞成分は毛様細胞性星細胞腫によく似た形態を示し，細長い細胞突起を有する双極性細胞が増殖する充実性領域と，微小囊胞状の線維性基質にハローを有する乏突起膠細胞様細胞（oligodendroglia-like cells：OLC）が散在する海綿状領域がみられる。ロゼットは限られた部位にのみ観察されることが少なくなく，採取される組織量によっては星細胞成分のみの場合もあり得る。ローゼンタール線維，好酸性顆粒小体，微細石灰化，壁の薄い微小血管

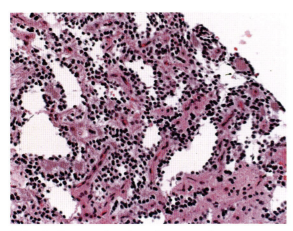

図 2-68　Rosette-forming glioneuronal tumor
小型円形核をもつ細胞が血管周囲や好酸性のコアの周囲にロゼットを形成している。

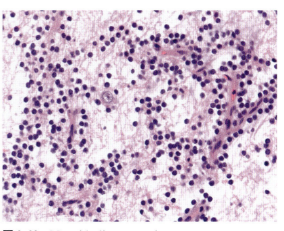

図 2-69　Myxoid glioneuronal tumor
類円形核をもつ小型腫瘍細胞が粘液様基質を伴って増殖している。神経細胞の介在がみられる。

増生など毛様細胞性星細胞腫に認められる所見を伴う。Ki-67 標識率は 3% 以下であるが，増殖能がやや高く，再発する症例も報告されている。

　FGFR1 変異があり，しばしば *PIK3CA* 変異や *NF1* 変異が共存する。

8．Myxoid glioneuronal tumor 粘液性グリア神経細胞腫瘍（図 2-69）

　定義：中隔核，透明中隔，脳梁あるいは脳室周囲白質に発生する低悪性度グリア神経細胞腫瘍で，組織学的には乏突起膠細胞様の腫瘍細胞が，豊富な粘液性基質を伴って増殖する。*PDGFRA* p.K385 変異が特徴的である。CNS WHO grade 1。

　特徴：中隔核，透明中隔部の発生が多い。通常，限局性発育を示す腫瘍で，乏突起膠細胞様の腫瘍細胞が豊富な粘液様基質を背景に増殖する（図 2-69）。症例により浮遊神経細胞や血管周囲の神経網様基質，神経細胞性ロゼットなどがみられ，胚芽異形成性神経上皮腫瘍や乳頭状グリア神経細胞腫瘍に類似する。ローゼンタール線維や好酸性顆粒小体，微小石灰化は通常みられない。増殖活性には乏しく，核分裂像は目立たない。

　OLIG2 に陽性，GFAP の強陽性像もみられる。浮遊神経細胞や血管周囲の神経網様基質，神経細胞性ロゼット部に synaptophysin が陽性となる。

　2 塩基置換からなる *PDGFRA* p.K385L もしくは p.K385I を有する。稀にほかの *PDGFRA* 変異を有することがある。独特の DNA メチル化プロファイルを示す。

　術後再発や脳室内播種の報告もあるが，予後は総じて良好である。

9．Diffuse leptomeningeal glioneuronal tumor びまん髄膜性グリア神経細胞腫瘍（図 2-70）

　定義：広範な髄膜浸潤を主体とする稀なグリア神経細胞腫瘍で，乏突起膠細胞様の細胞像を示す。神経細胞への分化を示すこともある。1p 欠失と MAPK 経路の異常がみられ，後者では *KIAA1549::BRAF* 融合遺伝子の頻度が高い。CNS WHO grade は未設定。

　特徴：小児あるいは若年成人に発生し，男性にやや多い。しばしば Virchow-Robin 腔から実質内への進展や腫瘤形成を伴うものの，頭蓋内や脊髄の髄膜内でのびまん性増殖が主

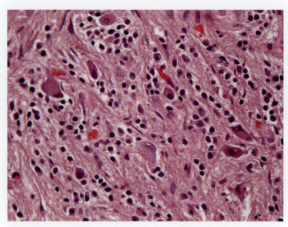

図 2-70　Diffuse leptomeningeal glioneuronal tumor
乏突起膠細胞様の細胞に大型の神経細胞が混在している。

体をなす腫瘍である。

　組織学的には乏突起膠細胞様の小型類円形細胞が粘液様あるいは線維性基質を伴って，髄膜内でびまん性ないし小巣状に増殖する。一部の細胞は神経細胞分化が明瞭で（図2-70），大型神経細胞の出現や，神経細胞性ロゼット，島状の神経網様基質の形成などがみられる。通常，核分裂像には乏しい。実質内成分は胚芽異形成性神経上皮腫瘍や乏突起膠腫，稀にはびまん性星細胞腫に類似する。ときに顕著な細胞異型や多数の核分裂像，微小血管増殖，壊死などの組織学的退形成性所見を示す。

　免疫組織化学では，OLIG2，S-100 蛋白に陽性で，GFAP 陽性細胞が混在することもある。神経細胞性分化が明瞭な領域では，synaptophysin や NeuN などが陽性となる。

　MAPK 経路の異状がみられ，約 70％の症例で，*BRAF* 融合遺伝子が認められる。このほか，*BRAF* p.V600E 変異や *NTRK1/2/3* 融合遺伝子，*FGFR1* 変異，*RAF1* 再構成などの MAPK 関連遺伝子の活性化変異が知られる。また，1p 欠失あるいは 1p/19q 共欠失がみられることがあるが，IDH 変異を欠く。1q 獲得の頻度も高い。DNA メチル化プロファイルでは予後の異なる 2 亜型に分類される。分子遺伝学的に本腫瘍の特徴を示すが，髄膜内成分を欠く稀な症例の報告もなされている。

10. Multinodular and vacuolating neuronal tumor 多結節性空胞化神経細胞腫瘍（図 2-71, 72）

　定義：単調な神経細胞からなる結節が多発し，腫瘍細胞内あるいは細胞間基質の空胞化を特徴とする腫瘍である。CNS WHO grade 1。

　特徴：多くは側頭葉に発生し，頻度の高い症状はてんかん発作であるが，無症状のまま，画像で偶然発見されることも稀ではない。病理学的に診断のついた症例は成人例が多く，患者年齢の中央値は 40 歳代前半で，男性優位である。

　組織学的には，皮質深層から皮質下白質を主座に境界明瞭な大小の結節が多発する（図 2-71）。結節は小型～中型の腫瘍性神経細胞から構成され，腫瘍細胞の細胞質および細胞間基質の両方に空胞形成がみられる（図 2-72）。神経細胞がよりびまん性に分布し，大脳皮質

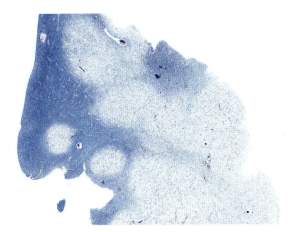

図 2-71　Multinodular and vacuolating neuronal tumor
皮質下白質に結節を形成する(クリューバー・バレラ染色)。

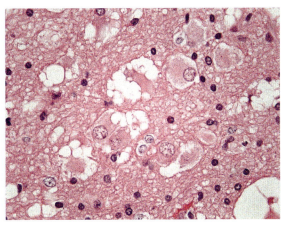

図 2-72　Multinodular and vacuolating neuronal tumor
細胞周囲を空胞で取り囲まれた大型細胞がまばらに配列している。ニッスル顆粒は乏しく，成熟した神経細胞の形態を示していない。

や海馬の拡大をきたすこともある。神経細胞の形態は星細胞様の小型細胞から，明瞭な核小体や水泡状核，両染性細胞質をもち，神経細胞へのより明瞭な分化を示す細胞まで，症例によって幅がある。ニッスル顆粒に富む成熟した神経節細胞は稀である。神経細胞は不規則に配列するが，一部の症例では血管周囲性の配列がうかがえる。

　腫瘍細胞は，神経細胞の分化段階の早期に発現する HuC/HuD や α-internexin に陽性，OLIG2 にも陽性となる。一方で，周囲の大脳皮質に比し，synaptophysin の発現が弱く，NeuN は陰性もしくは弱陽性にとどまる。

　MAPK 経路の活性化異常があり，*MAP2K1* 変異の頻度が高く，ほかに *BRAF* 変異 (*BRAF* p.V600E 以外) や *FGFR2* 融合遺伝子などが知られる。

　良性腫瘍であり，全切除後の再発はなく，部分切除後の残存病変にも増大傾向はみられない。

11. Dysplastic cerebellar gangliocytoma(Lhermitte-Duclos disease)異形成性小脳神経節細胞腫(Lhermitte-Duclos 病)(図 2-73，74)

定義：異形成性の神経細胞からなる小脳腫瘍で，既存の皮質構造を保ちつつ，小脳回の肥厚をきたす。CNS WHO grade 1。

特徴：腫瘍の発生時期については，詳細が不明なところがあるが，多くは成人になって診断される。成人例の大半が *PTEN* 変異を有する。Cowden 症候群の部分症であり，Cowden 症候群の約 3 割に本病変が発生するとの報告がなされている。過誤腫であるのか新生物であるかについては結論を見ておらず，形態上は形成異常を思わせるが，切除後に再増大を示すことがある。病変内には粗大な偽小脳回が形成される。その内側（顆粒層）にはさまざまな大きさの異常な神経細胞が増生し，神経突起を表層に向かって伸ばす(図 2-73)。正常な顆粒細胞やプルキンエ細胞は減少あるいは消失する(図 2-74)。外層（分子層）は神経突起からなる層であり，一部の突起は有髄線維となっている。分子層や白質に空胞

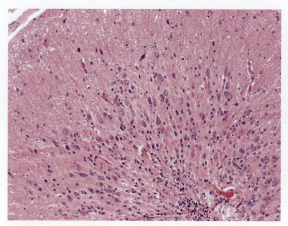

図2-73 Dysplastic cerebellar gangliocytoma
異常小脳回。プルキンエ細胞層には中型から大型神経細胞の厚い層がみられる。

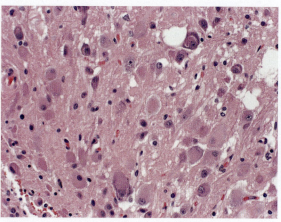

図2-74 Dysplastic cerebellar gangliocytoma
異型性を示す大型の神経細胞の集簇。正常な顆粒細胞層は欠如している。

が目立つことがある。Ki-67標識率は極めて低い。

12. Central neurocytoma 中枢性神経細胞腫（図2-75，76）

定義：神経細胞性の免疫組織化学的形質を示す均一な小型円形細胞からなる増殖能の低い脳室内腫瘍である。CNS WHO grade 2。

特徴：若年成人に好発する。側脳室前半部のモンロー孔付近の発生が最も多い。脳室壁に付着をもつが，脳実質との境界は鮮明であり，主に脳室内に発育する充実性の腫瘍である。組織学的には，腫瘍細胞は細顆粒状のクロマチンと小型核小体を含む均一な円形核を有し，神経網（ニューロピル）様の線維性基質の介在を種々の程度に伴って増殖する（図2-75）。細胞質の淡明な腫瘍細胞が目立つとしばしば乏突起膠腫に類似し，蜂の巣様の構築を示すこともある。核の異型は乏しく，核分裂像は少ない。石灰沈着がしばしば認められる。一部の症例は核分裂像の増加，微小血管増殖や壊死などの組織学的退形成性所見を示し，異型中枢性神経細胞腫と呼ばれる。免疫組織化学的にはsynaptophysinが陽性となり，特に神経性基質が強く陽性となる（図2-76）。NeuNも陽性となるが，発現が限局的であることがある。TTF-1が陽性となることがある。Neurofilament proteinとchromogranin Aは陰性例が多い。OLIG2は一部の腫瘍細胞に陽性となり，GFAP陽性の腫瘍細胞が含まれることもある。Ki-67陽性率は低値のことが多い。

予後は良好で5年生存率は90%を超える。摘出率や増殖活性が予後予測因子となる。

13. Extraventricular neurocytoma 脳室外神経細胞腫（図2-77）

定義：脳室から離れた中枢神経内に発生する中枢性神経細胞腫に類似の腫瘍である。中枢性神経細胞腫と比較して形態の幅が広い。*FGFR1::TACC1*融合遺伝子をしばしば有する。CNS WHO grade 2。

特徴：若年成人に好発し，中枢神経組織のいずれの部位にも発生し得るが，大脳半球と小脳に生じることが多い。腫瘍の境界は比較的明瞭で，囊胞および充実成分をもつことがある。構成細胞は中枢性神経細胞腫よりも多様性があり，円形核と淡明な細胞質をもつ均

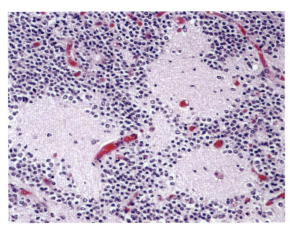

図 2-75　Central neurocytoma
均一な腫瘍細胞が細線維性基質を伴って増殖している。

図 2-76　Central neurocytoma
細線維性基質は synaptophysin に陽性である。

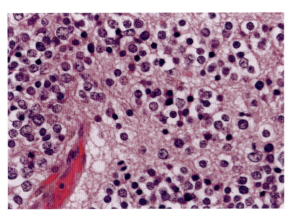

図 2-77　Extraventricular neurocytoma
類円形核をもつ細胞が細線維性基質を背景に増殖している。

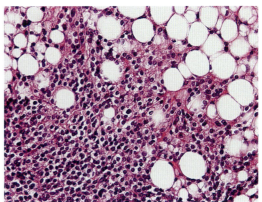

図 2-78　Cerebellar liponeurocytoma
シート状の類円形の核をもつ小型細胞に加えて脂肪滴をもつ細胞が認められる。

一な乏突起膠細胞様の腫瘍細胞に加え，神経節細胞を含めたやや大型の神経細胞が出現しやすい（図 2-77）。免疫組織化学的に腫瘍細胞は synaptophysin 陽性で，chromogranin A，NeuN が陽性となり得るが，発現はしばしば限局的である。OLIG2 は通常陰性である。Ki-67 陽性率は低値であるが，ときに高値を示すことがある。*FGFR1::TACC1* 融合遺伝子がしばしば認められる。

14. Cerebellar liponeurocytoma 小脳脂肪神経細胞腫（図 2-78）

定義：小脳に発生する極めて稀な腫瘍で，中枢性神経細胞腫類似の腫瘍の一部に脂肪細胞への分化を認める。CNS WHO grade 2。

特徴：中高年の成人に発生し，小脳半球に腫瘍を形成することが多い。組織学的には類円形の核と狭い細胞質をもつ小型細胞が充実性に増殖し，その中に大小の脂肪滴をもつ細胞が認められる（図 2-78）。小型の腫瘍細胞には免疫組織化学的，電顕的にも神経細胞性分化が証明される。一部の細胞には GFAP の発現がみられ，星細胞への分化が示唆される。

再発時に顕著な細胞異型や壊死，微小血管増殖がみられることがある．Ki-67 陽性率は低値である．

予後は比較的良好で，手術後の 5 年生存率は約 70％ と報告されている．

F．Ependymal tumors 上衣系腫瘍

　上衣系腫瘍は，組織所見，分子遺伝学的特徴，部位（テント上，後頭蓋窩，脊髄）の 3 つの指標に基づいて分類されることとなった．形態的には上衣腫，粘液乳頭状上衣腫，上衣下腫の 3 群に分類され，後二者については，分子遺伝学的特徴や部位によらず，同形態のみに基づいて腫瘍型が決定される．上衣腫については，テント上・テント下腫瘍とも分子情報と紐づけされた腫瘍型が設定されている一方，分子情報を含まず部位のみが付記された腫瘍型もあり，分類不能（NEC）あるいは未確定（NOS）型の腫瘍に適用される．成人びまん性膠腫の分類と同様，退形成性上衣腫の用語は廃され，悪性度は悪性度分類（grading）でのみ表現されることとなった．

上衣腫の組織学的定義・形態的特徴（図 2-79〜83）

　上衣腫は，類円形核と細長い突起を有する均一な小型細胞からなり，血管周囲の無核帯（偽ロゼット）および（真性）上衣ロゼットの形成を特徴とし，限局性発育を示す膠細胞系腫瘍と組織学的に定義される．

　肉眼的に周囲との境界明瞭な軟らかい腫瘍である．ごま塩状と称される顆粒状のクロマチンを有する類円形核をもつ均一な細胞からなり，偽ロゼットは腫瘍細胞が血管に向かってその細長い突起を伸ばしながら放射状に配列する像で，ほぼ全例にみられる（図 2-79）．（真性）上衣ロゼットは，円柱状の腫瘍細胞が管腔を取り囲むように配列する像で診断的価値が高いが，欠如することも稀ではない（図 2-80）．管腔を囲む細胞配列のみられない症例でも，電顕的な微小管腔に相当する好酸性小体が細胞質内あるいは細胞間に認められることがある（図 2-81，82）．

　免疫組織化学的には，GFAP，S-100 蛋白，EMA が陽性である．EMA の上衣ロゼット内腔の陽性像，およびドット状またはリング状の陽性所見が多くの症例で出現する（図 2-83）．GFAP は，細胞体よりも血管近傍に伸びた突起に強い陽性所見がみられる傾向がある．血管周囲性偽ロゼットに陽性となることが多い．ほかの膠腫と異なり，OLIG2 は通常陰性である．

　悪性度に関わる組織所見としては，核分裂像，微小血管増殖，細胞異型や壊死などが挙げられ，前二者が予後的意義のより大きい所見とされる．こうした組織学的悪性所見が目立つ場合に，CNS WHO grade 3 とする．

1．Supratentorial ependymoma テント上上衣腫

　定義：テント上に発生する上衣腫で，分子遺伝学的解析で *ZFTA* 融合遺伝子や *YAP1* 融合遺伝子が同定されない腫瘍（NEC），あるいは分子遺伝学的解析が未施行ないし不成功の腫瘍（NOS）を含む．CNS WHO grade 2 もしくは 3．

　特徴：前頭葉や頭頂葉の発生が，側頭葉，後頭葉発生例より多い．小児にも成人にも発生する．局所の神経脱落症状やてんかん発作，頭蓋内圧症状が臨床症状となる．組織学的

IV 組織型の解説とカラーアトラス　119

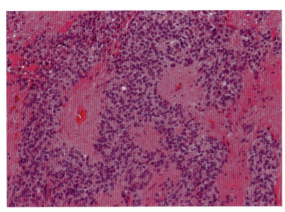

図 2-79　Ependymoma
血管周囲性偽ロゼット配列がみられる。

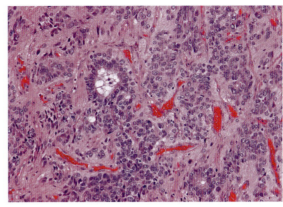

図 2-80　Ependymoma
上衣ロゼットがみられる。

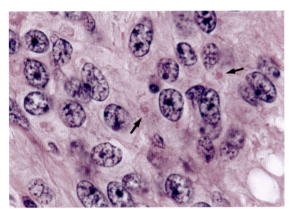

図 2-81　Ependymoma
腫瘍細胞の核の近傍に好酸性ドット（矢印）がみられる。

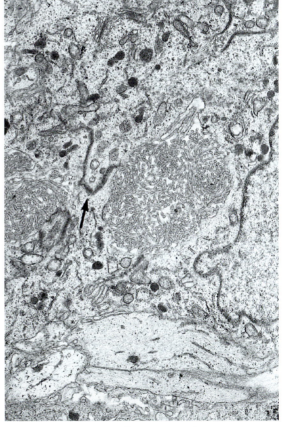

図 2-82　Ependymoma（EM，×7,000）
多数の微絨毛を含む微小管腔（中央）と接着装置（矢印）。

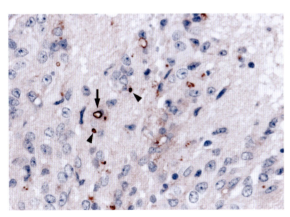

図 2-83　Ependymoma
EMA 免疫組織化学陽性のリング状（矢印），点状（矢頭）構造がみられる。

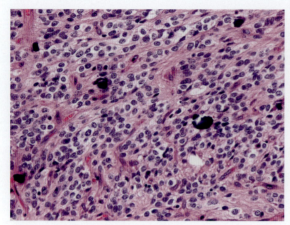 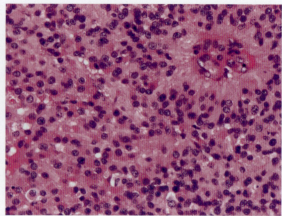

図 2-84　Supratentorial ependymoma, *ZFTA* fusion-positive
淡明な胞体を有する腫瘍細胞が目立つ。石灰化や分枝血管の介在を伴っている。

図 2-85　Supratentorial ependymoma, *YAP1* fusion-positive
一部の腫瘍細胞は好酸性顆粒状の細胞質を有している。

には石灰沈着や血管壁の硝子化がしばしばみられるほか，テント下や脊髄発生の上衣腫に比し，毛細血管網が発達の目立つ傾向がある。淡明細胞型の腫瘍細胞が目立つことも他部位に比し多い。定義上，*ZFTA* や *YAP1* の再構成は認められない。両者以外の特徴的な分子異常が見出された場合は分類不能型（NEC）とする。

2．Supratentorial ependymoma, *ZFTA* fusion-positive テント上上衣腫，*ZFTA* 融合陽性（図 2-84）

定義：*ZFTA*（*C11orf95*）融合遺伝子を有するテント上上衣腫である。大半の症例では *ZFTA::RELA* 融合遺伝子がみられる。CNS WHO grade 2 もしくは 3。

特徴：成人と小児のテント上上衣腫のそれぞれ 20～58％，66～84％を占めると報告されている。前頭葉や頭頂葉の発生が多い。組織学的には偽ロゼットが目立たない傾向がある。分枝血管の介在がしばしばみられ，淡明細胞からなることも多い（図 2-84）。GFAP や EMA などの免疫組織化学的形質はほかの上衣腫と同様である。*ZFTA::RELA* 融合遺伝子陽性例では，p65 の核内発現や L1CAM のびまん性細胞質内発現が特徴的である。*CDKN2A/2B* ホモ接合性欠失例が予後不良因子とされている。予後不良の一群である。

3．Supratentorial ependymoma, *YAP1* fusion-positive テント上上衣腫，*YAP1* 融合陽性（図 2-85）

定義：*YAP1* 融合遺伝子を有するテント上上衣腫である。大半の症例では *YAP1::MAMLD1* 融合遺伝子がみられる。CNS WHO grade 2 もしくは 3。

特徴：稀な腫瘍で，小児に発生する。側脳室内あるいは側脳室周囲に好発し，発見時には粗大な腫瘍となっていることが多い。組織学的には，好酸性顆粒状の細胞質をもつ腫瘍細胞が集簇してみられることがあるのが特徴で，好酸性顆粒小体が出現することも稀ではない。また，石灰化や微小血管増殖，壊死を認める頻度も高い。ほかのテント上上衣腫に比し，予後良好の傾向がある。

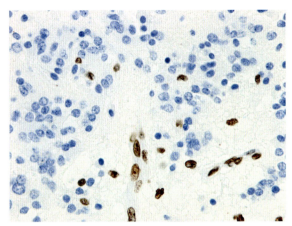

図 2-86　Posterior fossa group A ependymoma
H3 p.K28me3 の免疫組織化学。腫瘍細胞で発現欠失がみられる。

4．Posterior fossa ependymoma 後頭蓋窩上衣腫

　定義：後頭蓋窩に発生する上衣腫で，分子遺伝学的解析により特定の腫瘍型に分類されない腫瘍（NEC），あるいは分子遺伝学的解析が未施行ないし不成功の腫瘍（NOS）を含む。CNS WHO grade 2 もしくは 3。

　特徴：あらゆる年齢に発生するが小児に好発する。多くは第四脳室内に発生する。組織学的には上衣腫の一般的な形態を示す。乳頭状・偽乳頭状パターンや，繊細な細長い突起を伸ばす双極性細胞が束をなして増殖する伸長細胞性（tanycytic）パターンを呈することがある。組織学的悪性度と予後に強固な相関はない。

5．Posterior fossa group A(PFA)ependymoma 後頭蓋窩 A 群（PFA）上衣腫（図 2-86）

　定義：PFA 群に分類される後頭蓋窩発生の上衣腫である。PFA 群の分類は H3 p.K28me3（K27me3）の発現欠失もしくは DNA メチル化解析によってなされる。CNS WHO grade 2 もしくは 3。

　特徴：若年者に多い。患者年齢の中央値は 3 歳で，6 歳未満の後頭蓋窩上衣腫の 95％以上が本腫瘍に相当する。第四脳室，なかでも上壁（第四脳室蓋）や側方部の発生が多いとされる。組織学的には上衣腫の一般的な形態を示す。免疫組織化学による H3 p.K28me3（K27me3）の発現欠失の確認が診断に有用である（図 2-86）。通常は広範な発現欠失がみられるが，部分的欠失を呈することがあり，陽性細胞が 80％未満の場合に欠失ありとする基準が提唱されている。EZHIP の過剰発現がみられることが多い。なお，稀に H3 p.K28M（K27M）変異が認められる。PFB 群に比し，予後不良である。

6．Posterior fossa group B(PFB)ependymoma 後頭蓋窩 B 群（PFB）上衣腫

　定義：PFB 群に分類される後頭蓋窩発生の上衣腫である。PFB 群の分類は DNA メチル化解析によってなされる。H3 p.K28me3（K27me3）の染色性は保持されるが特異的な所見ではない。CNS WHO grade 2 もしくは 3。

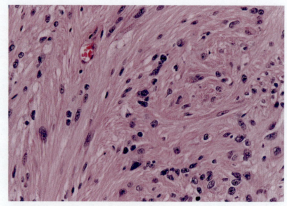

図 2-87　Spinal ependymoma
細長い突起を伸ばす腫瘍細胞が束をなして増殖する伸長細胞性パターンを呈している。

　特徴：青年期以降に多く，発生時年齢の中央値は 30 歳である。第四脳室，なかでも第四脳室底の発生が多いとされる。組織学的には上衣腫の一般的な形態を示す。

7．Spinal ependymoma 脊髄上衣腫（図 2-87）

　定義：脊髄発生の上衣腫である。分子遺伝学的解析がなされた症例において，$MYCN$ 増幅は認められない。CNS WHO grade 2 もしくは 3。

　特徴：上位脊髄の発生が多い。小児にも成人にも発生する。神経線維腫症 2 型患者の約 20〜50% に脊髄上衣腫が発生するとされる。組織学的には上衣腫の一般的な形態を示し，多くは grade 2 相当の像を呈する。伸長細胞性パターンは脊髄上衣腫でみられる頻度が高い（図 2-87）。予後は比較的良好である。

8．Spinal ependymoma, $MYCN$-amplified 脊髄上衣腫，$MYCN$ 増幅

　定義：$MYCN$ 増幅を示す脊髄発生の上衣腫である。CNS WHO grade は未設定。

　特徴：発生時年齢の中央値は約 30 歳である。頸髄・胸髄の発生が多く，しばしば複数の髄節にわたって広がる大型の腫瘍をなす。通常，多数の核分裂像，微小血管増殖，壊死などの組織学的悪性所見がみられる。発生時あるいは経過中に髄膜播種をしばしばきたし，予後不良である。

9．Myxopapillary ependymoma 粘液乳頭状上衣腫（図 2-88）

　定義：粘液様基質の貯留や微小囊胞形成を伴い，紡錘形あるいは上皮様の腫瘍細胞が血管周囲に放射状配列を示す上衣系腫瘍である。CNS WHO grade 2。

　特徴：比較的若年の成人に好発し，男性にやや多い。大半は脊髄円錐，馬尾，終糸に発生する。

　境界明瞭な分葉状の軟らかい腫瘤を作る。組織学的には，立方状ないし細長い腫瘍細胞が血管の周囲に放射状に配列し，乳頭状構築をなす（図 2-88）。細胞間や血管周囲には，alcian-blue 陽性の粘液性基質が豊富に認められる。小さな粘液囊胞も散見される。ときに血管壁の硝子様肥厚がみられる。核分裂像の増加や微小血管増殖，壊死などの組織学的悪性所見を随伴する例が存在する。免疫組織化学的に GFAP 陽性である。EMA の点状，輪

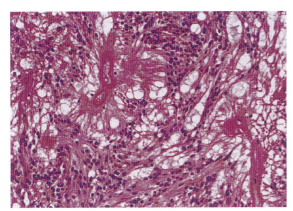
図 2-88　Myxopapillary ependymoma
血管周囲の乳頭状配列と細胞間に貯留した粘液様基質。

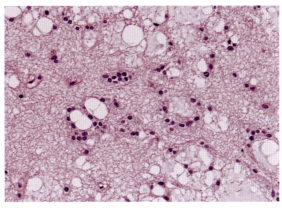
図 2-89　Subependymoma
細胞密度の低い腫瘍で，核の集簇と微小嚢胞変性がみられる。

状陽性像はみられないことが多い。多くの症例でKi-67陽性率は低い。

比較的予後は良好であるが，全摘出はしばしば困難で，再発を繰り返したり，播種をきたしたりすることも稀ではない。

10. Subependymoma 上衣下腫（図2-89）

定義：上衣下細胞の特徴をもつ小型の腫瘍細胞が豊富な線維性基質の間に小集団を作って増殖する。CNS WHO grade 1。

特徴：中高年成人に好発する。第四脳室と側脳室に発生頻度が高く，次いで第三脳室や脊髄の発生例が多い。脳室系の閉塞症状を現すこともあるが，無症状で剖検時に偶然発見されることもある。

典型的には脳室壁から腔内に隆起性に発育する白色充実性の境界明瞭な腫瘤をなす。組織学的には細胞密度の低い腫瘍であり，豊富な細線維性基質の中に小型細胞が集簇しながら散在している（図2-89）。その中に散在する微小嚢胞は本腫瘍の特徴の一つである。核は均一で類円形ないし楕円形を示し，核分裂像は乏しい。ときに核の多形性がみられる。腫瘍内に出血や石灰化がみられることがあるが，微小血管増殖の出現は稀である。上衣腫の一部が上衣下腫に類似することや，上衣下腫が一部に上衣腫様の領域を含むことがある。免疫組織化学的には線維性基質がGFAP陽性で，上衣腫ほど顕著ではないが，EMAの点状の陽性反応も認められる。Ki-67標識率は1％以下で，極めて低い。

予後は良好である。

2　Choroid plexus tumors 脈絡叢腫瘍

1. Choroid plexus papilloma 脈絡叢乳頭腫（図2-90, 91）

定義：脈絡叢上皮に類似の細胞が乳頭状構造を作る脳室内腫瘍である。CNS WHO grade 1。

特徴：小児に多い腫瘍で，脳室内に発生する。小児では側脳室，成人では第四脳室が好

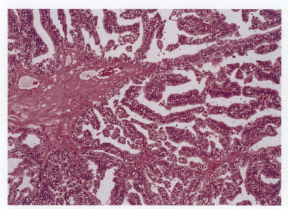

図 2-90　Choroid plexus papilloma
規則的な乳頭状構造が顕著な腫瘍である。

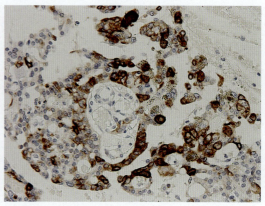

図 2-91　Choroid plexus papilloma
Cytokeratin が陽性である。

発部位である。脳室壁に付着部位を有し，脳実質との境界は明瞭で，カリフラワー状に隆起して脳室腔内に赤色顆粒状の腫瘤を形成する。組織学的には脈絡叢の構造を忠実に模倣した形態を示す。腫瘍細胞は単層立方上皮または偽多層円柱上皮の形態を示し，血管に富む狭い間質に沿って乳頭状に配列して細胞底面には基底膜がみられる（図 2-90）。少数の核分裂像（＜1個/mm^2（＜2個/10 HPF（HPF＝0.23 mm^2））や核の多形性を認めることがある。稀に管腔形成や細胞の oncocytic change を認めることがある。免疫組織化学では cytokeratin（CAM 5.2＋/CK7＋/CK20－）（図 2-91），vimentin，S-100 蛋白が陽性で，一部の腫瘍細胞が transthyretin，GFAP，EMA に陽性となることがある。Ki-67 標識率は通常5％未満で，しばしば1％未満である。

2．Atypical choroid plexus papilloma 異型脈絡叢乳頭腫（図 2-92）

定義：核分裂像の増加した脈絡叢乳頭腫である。CNS WHO grade 2。

特徴：臨床的事項は脈絡叢乳頭腫とほぼ同様であるが，側脳室発生例が多い。1個/mm^2（2個/10 HPF（HPF＝0.23 mm^2））以上の核分裂像を認める。これに加えて，細胞密度の増加（図 2-92），核の多形性，乳頭状構造の不明瞭化（充実性増殖），壊死巣の出現の4項目のうちの1つまたは2つを随伴し得るが，診断に必須ではない。

3．Choroid plexus carcinoma 脈絡叢癌（図 2-93）

定義：明らかな退形成所見を示す脈絡叢腫瘍である。CNS WHO grade 3。

特徴：稀な腫瘍で，ほとんどは側脳室に発生する。約80％は小児例であり，約40％はリ・フラウメニ症候群の遺伝的背景を有する。肉眼的に出血や壊死を伴う腫瘤を形成し，脳実質に浸潤する。診断基準は，細胞密度の増加，核の多形性，乳頭状構造の不明瞭化と乱れたシート状構築（図 2-93），壊死巣の出現，2.5個/mm^2（5個/10 HPF（HPF＝0.23 mm^2））より多いの核分裂像の5項目のうち4つ以上を満たす腫瘍と定義されている。免疫組織化学的には，cytokeratin，S-100 蛋白，transthyretin が種々の程度に陽性となる。p53 蛋白の核内蓄積は *TP53* 変異を示唆する。Ki-67 標識率の中央値は20.3％である。

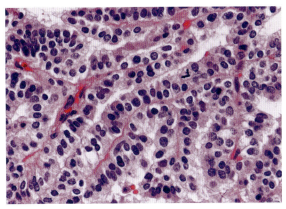

図 2-92　Atypical choroid plexus papilloma
核クロマチン増加と核分裂像がみられる。

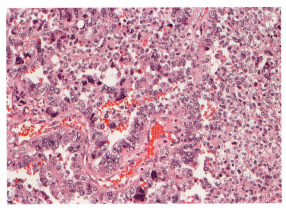

図 2-93　Choroid plexus carcinoma
複雑な乳頭状構造を示す異型の強い細胞からなる。

3　Embryonal tumors 胎児性腫瘍

A．Medulloblastoma 髄芽腫

1．Medulloblastomas, molecularly defined 髄芽腫，分子型

a．Medulloblastoma, WNT-activated 髄芽腫，WNT 活性化

定義：WNT シグナル経路の活性化を有する髄芽腫である。組織学的に大部分が古典型髄芽腫の像を呈する。

特徴：7〜14 歳の年齢層に好発し，分子遺伝学的に WNT シグナル経路の活性化が証明される髄芽腫である。髄芽腫の約 10％を占める。この亜型は脳幹の正中背側部に発生し，第四脳室に進展することが多い。治療反応性が良く，極めて予後良好である。大部分が組織学的には古典的髄芽腫の像を示す。Monosomy 6 および CTNNB1 変異は免疫組織化学的に β-catenin の核内集積を特徴とする。

b．Medulloblastoma, SHH-activated and *TP53*-wildtype 髄芽腫，SHH 活性化および *TP53* 野生型

定義：SHH 経路の活性化を有する髄芽腫のうち，野生型の *TP53* 遺伝子を有する髄芽腫である。線維形成結節性髄芽腫と高度結節性髄芽腫のほとんどすべて，および古典型髄芽腫と大細胞/退形成性髄芽腫の一部がここに含まれる。

特徴：4 歳未満の幼児と若年成人に好発し，分子遺伝学的に SHH 経路の活性化が証明され，*TP53* 遺伝子の変異を示さない髄芽腫である。年代によって好発部位が異なり，乳幼児は小脳虫部に，年長児や若年成人では小脳半球に発生しやすい。分子遺伝学的分類のためには，遺伝子発現プロファイルやメチル化プロファイルなどによる検索が必要だが，免疫組織化学的に有用な抗体がいくつか存在し，代表的なものとして GAB1 と YAP1 がある。GAB1 は SHH 活性化型の腫瘍にのみ陽性になるのに対し，YAP1 は SHH 活性化型と WNT 活性化型のいずれにも陽性となる。この亜型の予後は組織学的な所見によって大きく異なる。幼児に発生する高度結節性髄芽腫はとりわけ予後が良く，若年発生の線維形成結節性髄芽腫も多くは良好な経過を示すが，古典型髄芽腫と大細胞/退形成性髄芽腫は，少

なくとも幼児においては前2者よりも予後が悪い。

c. Medulloblastoma, SHH-activated and TP53-mutant 髄芽腫，SHH 活性化および TP53 変異

定義：SHH 経路の活性化と TP53 変異を有する髄芽腫である。組織学的に大細胞/退形成性髄芽腫の像を呈するものが多い。

特徴：5～14 歳の年齢層に好発し，分子遺伝学的に SHH 経路の活性化と TP53 遺伝子の生殖細胞系変異または体細胞変異が証明される髄芽腫である。SHH 活性化を示す髄芽腫は全体の約 30％で，そのうち TP53 変異を有するものが 10～15％とされ，免疫組織化学的に判定可能である。組織学的に，大細胞/退形成性髄芽腫の像を呈することが多い。しばしば中枢神経系に沿って広がり，予後は非常に悪い。

d. Medulloblastoma, non-WNT/non-SHH 髄芽腫，非 WNT/非 SHH

定義：分子遺伝学的検索により WNT 活性型，および SHH 活性型を除外した髄芽腫で，Group 3 と Group 4 の 2 種類の亜型が含まれる。組織学的に大部分が古典型髄芽腫の像を呈する。

特徴：Group 3 の亜型は髄芽腫全体の約 25％で，幼児発生例の多くを占めるが成人発生例では稀である。診断時に約 4 割の症例で転移巣を形成している。Group 4 は髄芽腫全体の約 40％と最も多くを占める亜型で，5～15 歳が好発年齢で，幼児と成人は少ない。組織学的に，非 WNT/非 SHH の亜型のほとんどは古典型髄芽腫の像を示すが，大細胞/退形成性髄芽腫の一部がここに含まれる。免疫組織化学では，β-catenin の核内集積はなく，GAB1 と YAP1 はいずれも陰性である。

2. Medulloblastomas, histologically defined 髄芽腫，組織型

a. Classic medulloblastoma 古典型髄芽腫（図 2-94～97）

定義：従来，単に髄芽腫と呼ばれていた腫瘍型であり，以下に述べるほかの亜型の髄芽腫の組織学的特徴を示さないもの。小脳または脳幹背側に発生し，組織学的に腫瘍間の線維形成や著明な核異型を欠く。多くは小児に発生する。CNS WHO grade 4。

特徴：髄芽腫全体の 70～80％を占め，乳児から成人までの年齢層に発生するが，60～70％が小児期に発生する。4 つの分子型のすべてに認められる。組織学的には，クロマチンに富む卵円形，人参形，あるいは角張った核をもつ未分化な形態の小型細胞がびまん性かつ高密度に増殖する（図 2-94）。花冠状に配列する腫瘍細胞が繊細な線維性基質を取り囲む Homer Wright ロゼットが一部の症例に認められる（図 2-95）。やや大きな核と明るい細胞質をもつ神経細胞への分化を示す腫瘍細胞が結節をなして，明調野と暗調野からなる二相性構造を形成することがあり（図 2-96），明調野の腫瘍細胞は暗調野と比べて増殖能が低い。線維形成結節性髄芽腫で出現するいわゆる pale islands 淡明島と異なり，細網線維の形成はみられない。免疫組織化学的に synaptophysin（図 2-97），CD56（NCAM1），NeuN などが陽性となる。

髄芽腫要素に加えて横紋筋への分化を示す細胞やメラニン産生細胞が出現することがあり，以前は medullomyoblastoma 髄筋芽腫および melanotic medulloblastoma メラニン性髄芽腫と呼ばれていたが，現在では髄芽腫の亜型とはせず，myogenic differentiation 筋原

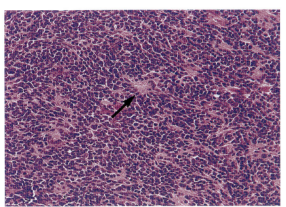

図 2-94　Classic medulloblastoma
細胞密度の高い腫瘍で，小型の細胞が髄様に増殖している。矢印は Homer Wright ロゼットを示す。

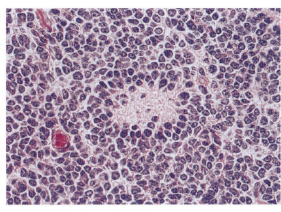

図 2-95　Classic medulloblastoma
均一な核をもつ小型細胞が Homer Wright ロゼットを形成している。

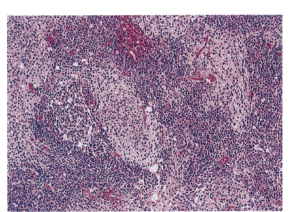

図 2-96　Classic medulloblastoma
明調野と暗調野からなる 2 相性構造。

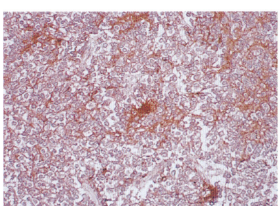

図 2-97　Classic medulloblastoma
腫瘍細胞は synaptophysin 免疫組織化学に陽性である。

性分化，melanotic differentiation メラニン性分化として髄芽腫に出現し得る組織パターンとして扱われている。

b．Desmoplastic/nodular medulloblastoma 線維形成結節性髄芽腫（図 2-98，99）

定義：細網線維の形成を欠く淡明な結節様の領域と，それを取り囲む細網線維の発達を伴った低分化な腫瘍細胞からなる暗調な領域によって特徴づけられる髄芽腫である。CNS WHO grade 4。

特徴：髄芽腫全体の約 20％を占める。小脳半球に主座を置く髄芽腫のほとんどは本亜型であり，幼児，思春期および成人に発生する。乳幼児では低リスクの腫瘍である。分子型ではほとんどが SHH 活性化および *TP53* 野生型に相当する。組織学的には，細網線維の形成を欠く淡明な結節様構造である pale islands 淡明島が，高い増殖能を有する低分化な腫瘍細胞によって取り囲まれる像を特徴とし，後者で細網線維が発達している（図 2-98，99）。結節内の腫瘍細胞は神経細胞への分化を示し，周囲の細胞よりも増殖能が低い。免疫

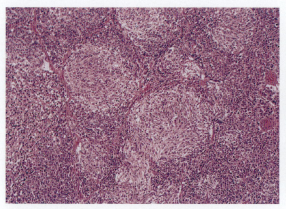

図 2-98　Desmoplastic/nodular medulloblastoma
境界鮮明な類円形の明るい領域が島状に散在している。

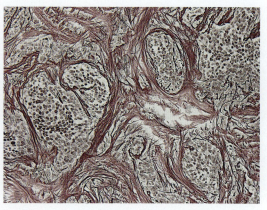

図 2-99　Desmoplastic/nodular medulloblastoma
淡明島を囲むように細網線維が発達している。

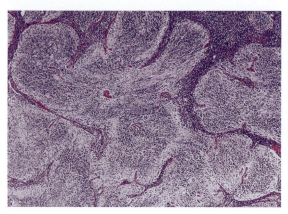

図 2-100　Medulloblastoma with extensive nodularity
癒合傾向を示す大型の結節は狭い暗調野で縁どりされている。

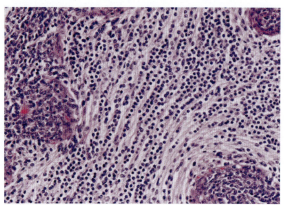

図 2-101　Medulloblastoma with extensive nodularity
結節内には小型の神経細胞が列を作って配列している。

　組織化学的に synaptophysin，NeuN などの神経細胞性マーカーが陽性になり，結節内で強く発現する。p53 陰性ないし弱陽性である。Ki-67 標識率は，結節間の細胞でより高値である。

c．Medulloblastoma with extensive nodularity 高度結節性髄芽腫（図 2-100，101）

　定義：淡明で大きな結節状構造が出現する髄芽腫で，結節内には神経細胞へ分化した小型の細胞がニューロピル様の線維性基質を形成して数珠状に配列し，結節間の狭い領域には細網線維の形成を伴った低分化な細胞が分布する。CNS WHO grade 4。

　特徴：髄芽腫全体の 3～4％ と稀な亜型であり，小脳虫部から両側小脳半球に局在し，MRI 画像ではブドウの房状の結節状パターンが特徴である。淡明な結節内では，神経細胞への分化を示す小型円形核を有する腫瘍細胞が線維性基質を背景に流れるように配列するのが特徴的な所見である（図 2-100，101）。小型細胞に核分裂像はほとんどみられず，Ki-67 標識率は低い。結節の周囲は細胞線維に富む暗調な領域が縁どっており，ここには未分

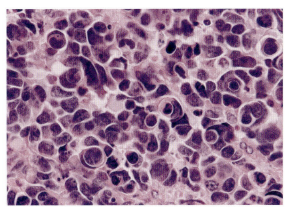

図 2-102　Large cell/anaplastic medulloblastoma
著しく異型の強い細胞からなり，cell wrapping 細胞包み込み像がみられる。

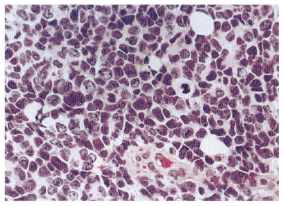

図 2-103　Large cell/anaplastic medulloblastoma
大型の腫瘍細胞の均一な増殖からなる。

化な形態を示す髄芽腫細胞が増殖している。暗調な領域の Ki-67 標識率は極めて高い。結節内の腫瘍細胞は synaptophysin，NeuN などの神経細胞性マーカーが強発現する。

　d．Large cell/anaplastic medulloblastoma 大細胞/退形成性髄芽腫(図 2-102，103)

　定義：大型の腫瘍細胞あるいは退形成性変化の目立つ腫瘍細胞からなる髄芽腫である。CNS WHO grade 4。

　特徴：髄芽腫全体の約 10% を占め，小脳正中線上に発生する。従来は large cell medulloblastoma 大細胞髄芽腫と anaplastic medulloblastoma 退形成性髄芽腫に区別されていたが，ほぼすべての症例で両者の成分が混在しており，ともに予後不良で分子遺伝学的にも重複するため統合された。いずれの分子遺伝学的亜型にもみられるが，非 WNT/非 SHH (Group 3) および SHH 活性化および *TP53* 変異に多い。組織学的に，多形性に富み，多数の核分裂像，アポトーシス像，腫瘍細胞が他の腫瘍細胞を包み込むラッピング像，核の鋳型像など(図 2-102)や，核小体明瞭な大型の腫瘍細胞が多形性を伴わずに増殖する像(図 2-103)が混在して出現する。

B．Other CNS embryonal tumors その他の中枢神経系胎児性腫瘍

1．Atypical teratoid/rhabdoid tumor 非定型奇形腫様ラブドイド腫瘍(図 2-104〜107)

　定義：主として未熟な細胞からなる悪性度の高い胎児性腫瘍で，特徴的なラブドイド細胞の出現を伴う。INI1 をコードする *SMARCB1*，または稀に BRG1 をコードする *SMARCA4* の不活性化がみられる。CNS WHO grade 4。

　特徴：Atypical teratoid/rhabdoid tumor (AT/RT) は 2 歳未満に好発し，ときに成人にも発生する。頭蓋内のあらゆる部位に発生し，テント上では大脳半球，脳室系，鞍上部，松果体に，テント下では小脳半球，小脳橋角部，脳幹に発生する。脳脊髄液を介した播種や，軟膜下へ播種を呈することが多い。組織学的には，多彩な像を呈することが特徴の一つであり，多くの症例で明瞭な核小体を有する偏在核と好酸性の球形封入体を有するラブドイド細胞，淡好酸性の細胞質を有する細胞，および空胞状の細胞質を有する細胞が混在

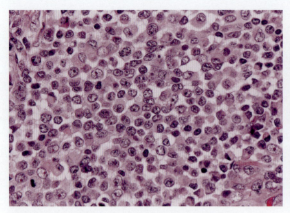

図 2-104　Atypical teratoid/rhabdoid tumor
類円形の小型細胞の増殖からなる領域。

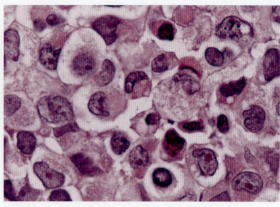

図 2-105　Atypical teratoid/rhabdoid tumor
ラブドイド細胞の核は偏在し，細胞質は好酸性で封入体様構造を入れている。

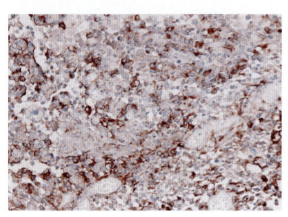

図 2-106　Atypical teratoid/rhabdoid tumor
EMA 免疫組織化学で腫瘍細胞が陽性を呈する。

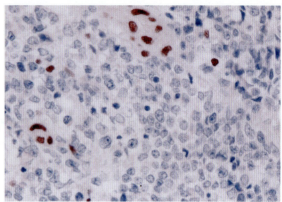

図 2-107　Atypical teratoid/rhabdoid tumor
INI1 免疫組織化学で腫瘍細胞の核は陰性，内皮細胞の核は陽性である。

している（図 2-104，105）。髄芽腫に類似した小型で N/C 比の高い未分化な細胞が出現することが多く，間葉系，上皮系への分化を示す細胞や，紡錘形の肉腫様成分がみられることもある。通常，多数の核分裂像がみられ，広範な壊死および出血もよく認める所見である。免疫組織化学的には，EMA（図 2-106），smooth muscle actin，vimentin が陽性になり，GFAP，neurofilament protein，synaptophysin，cytokeratin も陽性になることが多い。SMARCB1(INI1)，SMARCA4(BRG1) 遺伝子の不活性化を反映して，それぞれ SMARCB1(INI1) 蛋白（図 2-107），SMARCA4(BRG1) 蛋白が陰性となる。

2．Cribriform neuroepithelial tumor 篩状神経上皮腫瘍

定義：篩状ないし索状の細胞配列を特徴とする非ラブドイド性神経外胚葉性腫瘍で，INI1/SMARCB1 の発現喪失を示す。暫定腫瘍型。

特徴：Cribriform neuroepithelial tumor(CRINET) は小児の第四脳室，第三脳室，側脳室近傍に好発する。免疫組織化学的に SMARCB1(INI1) 蛋白の発現喪失を示す。EMA を

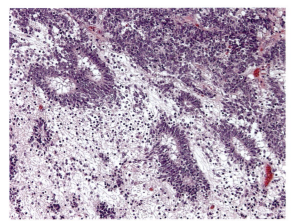
図 2-108　Embryonal tumor with multilayered rosettes
従来，ETANTR とされていた組織像。未熟な小型細胞が多層性ロゼットやシート状配列を形成して増殖する領域と，ニューロピル様領域からなる。

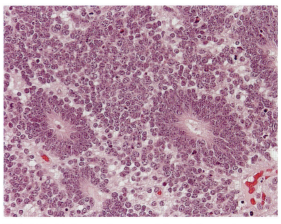
図 2-109　Embryonal tumor with multilayered rosettes
従来，ependymoblastoma とされていた組織像。未熟な小型細胞が多層性ロゼットやシート状配列を形成して増殖する。

よく発現し，tyrosinase，MAP2，synaptophysin，vimentin もしばしば陽性である。既報告例の Ki-67 標識率の中央値は 29％ である。CRINET は治療によく反応し，生存期間は AT/RT よりも有意に長い。

3．Embryonal tumor with multilayered rosettes 多層ロゼット性胎児性腫瘍（図 2-108〜111）

　定義：多層性ロゼットと C19MC 異状または稀に *DICER1* 変異を特徴とする悪性度の高い胎児性腫瘍。CNS WHO grade 4。

　特徴：2 歳以下の小児に好発し，性差はない。中枢神経系のあらゆる部位に発生し，多くは大脳半球にみられる。増殖能の高い腫瘍細胞が円形または裂隙状の管腔周囲に偽重層しながら配列する多層性ロゼットの形成が特徴的である。従来は組織像の相違から embryonal tumor with abundant neuropil and true rosettes（ETANTR）ニューロピルと真性ロゼットに富む胎児性腫瘍（図 2-108），ependymoblastoma 上衣芽腫（図 2-109），medulloepithelioma 髄上皮腫（図 2-110）として区別されていた。

　ETANTR は類円形核を有し，胞体に乏しい小型の腫瘍細胞が密に増殖して多層性ロゼットを形成する領域と，細胞成分に乏しいニューロピル様の基質が広く存在する領域からなる腫瘍である（図 2-108）。細胞密度の高い領域では腫瘍細胞の増殖能が高く，多数の核分裂像とアポトーシス像が出現する一方，細胞密度が低い領域では，腫瘍性の小型神経細胞や神経節細胞が出現することがある。Ependymoblastoma は未熟な小型腫瘍細胞が密にシート状増殖するが，ETANTR でみられるニューロピル様の基質や神経節細胞を含むまばらな領域がない腫瘍である。無数の多層性ロゼットが出現する（図 2-109）。Medulloepithelioma は多層性に配列する腫瘍細胞が，乳頭状，管状，索状構造を形成して増殖する。それぞれの構造は基底側に基底膜を有しており，胎生期の原始神経管に類似する（図 2-110）。管腔側に多数の核分裂像がみられる。腫瘍細胞は胎生期の細胞から成熟し

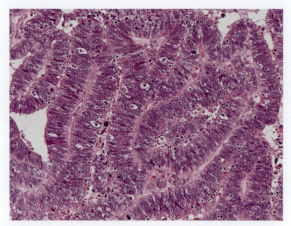

図 2-110 Embryonal tumor with multilayered rosettes
従来，medulloepithelioma とされていた組織像。原始神経管を模倣する多層性構造を形成し，基底側に基底膜を有する。

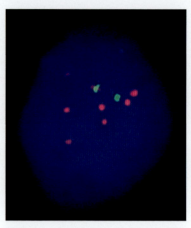

図 2-111 Embryonal tumor with multilayered rosettes
C19MC（赤）の増幅（FISH 法）。

た神経細胞，星細胞まで多様な段階の分化を呈する。

　免疫組織化学的に，LIN28A は多層性ロゼットと未熟な神経上皮成分の細胞質に陽性となる。未熟な神経上皮成分は nestin と vimentin に陽性であり，多層性ロゼットも同抗体に陽性となるが，管腔面に向かうにつれて徐々に染色性が低下する。染色体 19q13.42 には C19MC と命名されたマイクロ RNA クラスターが位置しており，C19MC 増幅や *TTYH1* との融合遺伝子形成がこの腫瘍に特徴的にみられる。C19MC 増幅は FISH で検出可能である（図 2-111）。*DICER1* 変異例のほとんどは *DICER1* の生殖細胞系列変異を有する。

4．CNS neuroblastoma, *FOXR2*-activated 中枢神経系神経芽腫，*FOXR2* 活性化

　定義：種々の程度に神経芽細胞ないし神経細胞への分化を示し，*FOXR2* の遺伝子再構成による活性化によって特徴づけられる胎児性腫瘍。CNS WHO grade 4。

　特徴：小児期に発生し，大脳半球に比較的境界明瞭な腫瘤を形成する。組織学的に N/C 比が高く，クロマチンに富む類円形から角張った核を有する低分化細胞がシート状に配列する。核分裂像は豊富で壊死巣を伴い，種々の程度に隣接する脳組織へ浸潤する。Homer Wright ロゼットやニューロピルの形成，および neurocyte や ganglion cell へ分化したクラスターが出現することもある。免疫組織化学的に OLIG2 や synaptophysin を発現し，Ki-67 標識率は高値を示す。

5．CNS tumor with *BCOR* internal tandem duplication *BCOR* 内部タンデム重複を伴う中枢神経系腫瘍（図 2-112）

　定義：類円形の核を有する楕円形または紡錘形の細胞が，豊富な毛細血管網や偽ロゼット形成を伴って充実性に増殖する中枢神経系原発の悪性腫瘍で，*BCOR* 遺伝子 exon 15 の内部タンデム重複（ITD）によって特徴づけられる。

　特徴：小児の大脳または小脳半球に境界明瞭な腫瘤を形成し，ときに隣接脳組織へも浸潤する。腫瘍は一般に均一な楕円形または紡錘形の細胞で構成され，円形または楕円形の

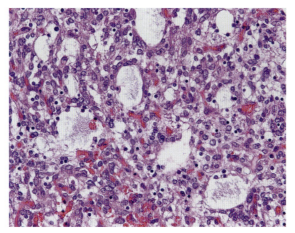

図 2-112 CNS tumor with *BCOR* internal tandem duplication
腫瘍細胞は類円形核と細線維性突起を有し，粘液をいれた微小囊胞状基質を背景に伴っている。

核は繊細なクロマチンパターンを示す(図 2-112)。膠腫のような細線維性突起を有し，上衣腫様の血管周囲性偽ロゼットを形成する。背景には粘液様または微小囊胞状基質，網状の毛細血管を伴う。しばしば柵状壊死や核分裂像に遭遇し，Ki-67 標識率は 15〜60% である。免疫組織化学的に BOCR，vimentin，CD56 が陽性で，OLIG2，GFAP，S-100 蛋白，NeuN は一部の腫瘍細胞に陽性となることがある。BCOR の核内発現は診断の手掛かりとなるが，特異的ではない。確定診断には *BCOR* 遺伝子 exon 15 のヘテロ接合性 ITD の証明が必要である。

6. CNS embryonal tumor, NEC/NOS 中枢神経系胎児性腫瘍，未分類/未確定

定義：中枢神経系に発生し，胎児性腫瘍としての形態と免疫表現型を有するが，既知の胎児性腫瘍に合致する分子遺伝学的異常を欠くか，解析が行われていないもの。

特徴：ほとんどは乳幼児期のテント上に発生する。N/C 比が高く，クロマチンに富む類円形から角張った核を有する未熟な腫瘍細胞がシート状に密集し，ときに神経細胞や神経節細胞様分化が出現する。一般に核分裂像は豊富で，壊死や出血がみられることもある。免疫組織化学的に synaptophysin や OLIG2 が種々の程度に発現し，高い Ki-67 標識率を示す。本腫瘍の診断は，形態学的に類似しているが分子遺伝学的に異なるその他の腫瘍を除外する必要がある。

4 Pineal tumors 松果体腫瘍

1. Pineocytoma 松果体細胞腫（図 2-113〜116）

定義：よく分化した松果体実質腫瘍で，大きな松果体細胞腫性ロゼットを形成する均一な細胞あるいは神経節細胞への分化を示す多形細胞から構成される。CNS WHO grade 1。

特徴：松果体実質腫瘍の約 25% を占める。若年から中高年者まで発生し，成人に多く，

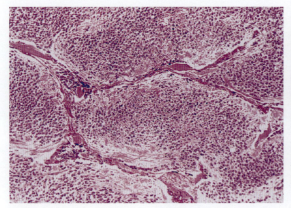

図 2-113　Pineocytoma
線維性結合織が腫瘍を区画して分葉構造を作っている。

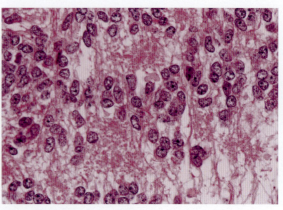

図 2-114　Pineocytoma
核が好酸性領域を囲む松果体細胞腫性ロゼット。

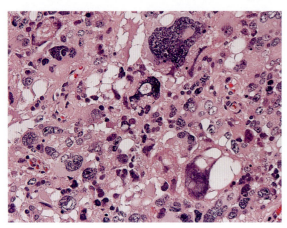

図 2-115　Pineocytoma
多形性を示す腫瘍細胞に富む症例。

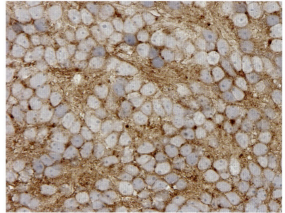

図 2-116　Pineocytoma
Synaptophysin 免疫組織化学が陽性。

中央値は44歳である。松果体部に限局する境界明瞭な充実性腫瘤を形成する。組織学的には均一な楕円形核と境界の不明瞭な淡好酸性細胞質をもつ腫瘍細胞が，さまざまな量の線維性基質を伴って増殖する（図 2-113）。核が好酸性の領域を囲んで配列する松果体細胞腫性ロゼットをしばしば形成する（図 2-114）。軸索鍍銀法では腫瘍細胞が好銀性突起をロゼットの中心に向かって伸ばしており，しかもその突起先端が棍棒状に腫大している。しばしば血管結合織性の間質が腫瘍組織を区画して分葉構造を形成する。多形性に富む細胞からなる亜型もあり，大型の神経節細胞と奇怪な形状の多核巨細胞の出現を特徴とする（図 2-115）。いずれの腫瘍においても核分裂像は通常みられない。免疫組織化学的には neurofilament protein, synaptophysin（図 2-116），chromogranin A が陽性である。Ki-67 標識率は多くの症例で1％未満である。

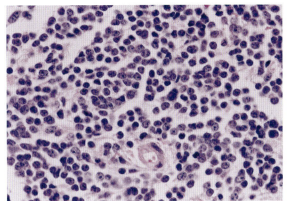

図 2-117　Pineal parenchymal tumor of intermediate differentiation

類円形核と狭い細胞質をもつ細胞がびまん性に増殖している。

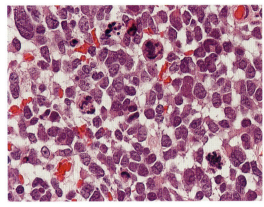

図 2-118　Pineoblastoma

多数の核分裂像を伴って未分化な小型細胞が髄様に増殖している。

2．Pineal parenchymal tumor of intermediate differentiation 中間型松果体実質腫瘍(図 2-117)

定義：松果体細胞腫と松果体芽腫の中間的な分化度を示す松果体実質腫瘍である。CNS WHO grade 2 または 3。

特徴：松果体実質腫瘍の約 45％を占める。小児から成人までさまざまな年齢層に発生し，中央値は 33 歳である。細胞密度がやや高い腫瘍で，類円形核と狭い細胞質をもつ均一な細胞がびまん性あるいは分葉状に増殖する(図 2-117)。大型の松果体細胞腫性ロゼットは通常みられない。腫瘍細胞の核はごま塩状と称される顆粒状のクロマチンを有する。核分裂像は少数認められる。多形性が顕著な腫瘍もあり，多核巨細胞，大型神経細胞が出現する。免疫組織化学的には，synaptophysin が陽性となり，neurofilament protein，chromogranin A の染色性は症例によって異なる。Ki-67 標識率は 3～16％である。Grade 2 と 3 を鑑別する明確な基準は確立されていない。*KBTBD4* の 6 塩基(CACGGC)挿入(p.R313delinsPRR)は診断的価値が高いが診断に必須ではない。

3．Pineoblastoma 松果体芽腫(図 2-118)

定義：松果体部に発生し，低分化で細胞密度の高い小型細胞が充実性に増殖する腫瘍である。CNS WHO grade 4。

特徴：松果体実質腫瘍の約 35％を占める。小児から若年者に多く，中央値は 6 歳で，成人にも発生する。松果体部に軟らかく境界不鮮明な腫瘤を形成し，周囲の脳実質に浸潤するとともに，しばしば脳室内やくも膜下腔に播種をきたす。組織学的には，クロマチンに富む濃染した核と極めて乏しい細胞質をもつ胎児性腫瘍に似た小型細胞が充実性に増殖し，核分裂像が多く，出血や壊死がしばしばみられる。一部に Homer Wright ロゼットを認めることがあり(図 2-118)，Flexner-Wintersteiner ロゼットや fleurette フルーレットなど，網膜芽腫と共通の構造が認められる例もある。免疫組織化学的には synaptophysin などの神経細胞性マーカーを発現する。増殖能は高く，Ki-67 標識率は 23～50％である。

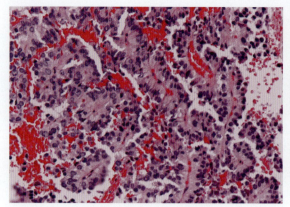

図 2-119　Papillary tumor of the pineal region
円柱上皮様の細胞が血管を囲んで乳頭状に増殖している。

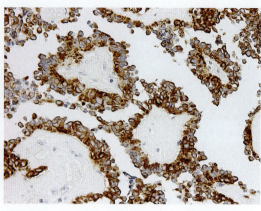

図 2-120　Papillary tumor of the pineal region
Cytokeratin が陽性である。

DICER1，*DROSHA*，*DGCR8* の遺伝子異常が報告されているが，遺伝子検索は診断上必須ではない。稀な亜型として mixed pineocytoma-pineoblastoma 混合松果体細胞腫-松果体芽腫と pineal anlage tumor 松果体原基腫瘍があり，後者は組織学的に神経上皮成分，メラニンを含有する上皮様細胞，種々の間葉系成分への分化を特徴とする。

4．Papillary tumor of the pineal region 松果体部乳頭状腫瘍（図 2-119，120）

　定義：松果体部に発生し，cytokeratin を発現する上皮様の腫瘍細胞が乳頭状構造あるいは充実性領域を形成する腫瘍。CNS WHO grade 2 または 3。

　特徴：小児から成人まで発生し，中央値は 35 歳で性差はない。境界鮮明な充実性腫瘤を作る。組織学的には，上皮様の腫瘍細胞が血管周囲に乳頭状配列する部分と，充実性に増殖する部分から構成される（図 2-119）。上衣ロゼットがみられることもある。腫瘍細胞の核は類円形均一で，ごま塩状のクロマチンをもち，多形性を示すこともある。中等度の増殖活性を示し，細胞質は好酸性または淡明で，突起は太く短い。壊死巣がしばしばみられる。間質の血管には硝子化がみられる。免疫組織化学的には cytokeratin（図 2-120）をほぼ一貫して発現し，vimentin，S-100 蛋白，GFAP，EMA は種々の程度に陽性である。Ki-67 標識率は 1〜30％と症例により幅がある。

5．Desmoplastic myxoid tumor of the pineal region, *SMARCB1*-mutant 松果体部線維形成性粘液性腫瘍，*SMARCB1* 変異（図 2-121）

　定義：松果体部に発生し，線維形成と粘液様変化を伴い，*SMARCB1* 領域の遺伝子異常を有するが組織学的に悪性像を欠いた腫瘍。

　特徴：既報告例の年齢中央値は 40 歳で，性差は知られていない。楕円形，紡錘形，上皮様の腫瘍細胞が膠原線維や粘液様基質を伴って増殖する（図 2-121）。ラブドイド細胞は稀である。免疫組織化学的に CD34 や EMA が発現し，INI1/SMARCB1 が欠失する。Ki-67 標識率は 3％程度である。

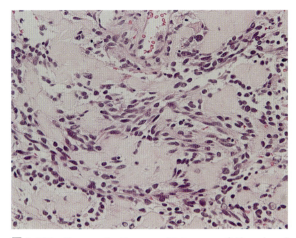

図 2-121 Desmoplastic myxoid tumor of the pineal region, *SMARCB1*-mutant
楕円形から紡錘形の腫瘍細胞が膠原線維や粘液様基質を伴って増殖している。

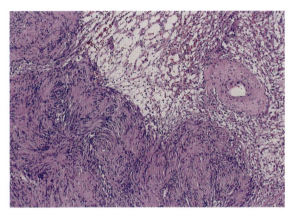

図 2-122 Schwannoma
細胞に富む Antoni A 領域とまばらな B 領域が混在している。

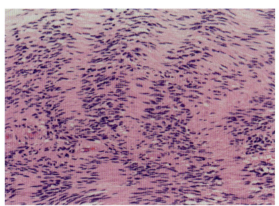

図 2-123 Schwannoma
核が平行に並び，柵状配列を示している。

5 Cranial and paraspinal nerve tumors 脳神経および脊髄神経腫瘍

1. Schwannoma シュワン細胞腫（図 2-122〜127）

　定義：分化したシュワン細胞から構成される良性腫瘍である。CNS WHO grade 1。

　特徴：シュワン細胞腫の 90％以上は孤発性で，40〜60 歳に発生のピークがある。頭蓋内シュワン細胞腫の多くは第八脳神経の前庭枝から発生するため acoustic neurinoma 聴神経鞘腫と呼ばれ，小脳橋角部に位置する。一方，脊髄発生例の大部分は知覚神経に由来する。肉眼的に被膜で覆われた境界明瞭な腫瘤を形成し，割面は淡褐色調で嚢胞形成や出血を伴うことがある。組織学的には，紡錘形のシュワン細胞の増殖からなり，細胞密度の高い領域（Antoni A 領域）と細胞がまばらな領域（Antoni B 領域）が混在していることが多い（図

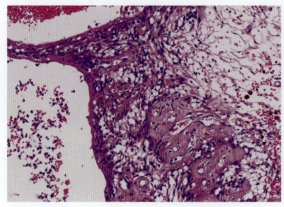

図 2-124　Schwannoma
囊胞，硝子化血管，ヘモジデリン沈着などを認める。

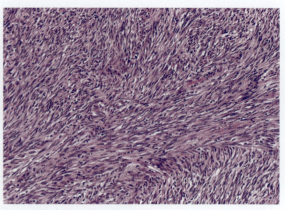

図 2-125　Cellular schwannoma
紡錘形細胞の密な束状増殖がみられる。

2-122)。Antoni A 領域では，腫瘍細胞が平行に走行し，核が並んだ領域と細胞質の領域が周期性に配列する，いわゆる nuclear palisading 核の柵状配列が特徴的である（図 2-123）。Antoni B 領域では，細胞密度が低く，浮腫状の基質を背景に不規則な突起を有する腫瘍細胞が散在性に認められる。大小の囊胞形成や壁の硝子化が目立つ異常血管がしばしば観察され，ヘモジデリン沈着や泡沫状組織球の出現を伴うことも多い（図 2-124）。シュワン細胞腫では核腫大やクロマチン増量を示す異型細胞を認めることがあるが，これらは退行性変化と考えられており，悪性所見ではない。腫瘍細胞は S-100 蛋白と SOX10 に陽性を示す。

Neurofibromatosis type 2 神経線維腫症 2 型は常染色体顕性（優性）の遺伝性疾患で，merlin（schwannomin）の変異により両側聴神経や脊髄神経などさまざまな部位にシュワン細胞腫が発生する。孤発例のシュワン細胞腫でも merlin の不活性化が 50～75％ に生じている。Schwannomatosis シュワン細胞腫症では両側聴神経鞘腫を欠くが脊髄神経根を中心に多発性にシュワン細胞腫が発生し，*SMARCB1*（*INI1*）や *LZTR1* の関与が指摘されている。

組織学的亜型として ancient schwannoma 陳旧性シュワン細胞腫，cellular schwannoma 富細胞性シュワン細胞腫（図 2-125, 126），plexiform schwannoma 蔓状シュワン細胞腫（図 2-127），epithelioid schwannoma 類上皮シュワン細胞腫，microcystic/reticular schwannoma 微小囊胞性/網状シュワン細胞腫がある。

2．Neurofibroma 神経線維腫（図 2-128～131）

定義：良性の末梢神経鞘腫瘍で，分化した腫瘍性のシュワン細胞が非腫瘍性の構成要素である神経周膜細胞，線維芽細胞，肥満細胞，粘液様ないし線維性基質を伴い増生する。CNS WHO grade 1。ただし，atypical neurofibroma 異型神経線維腫（atypical neurofibromatous neoplasm of uncertain biologic potential：ANNUBP）に grade の割り当てはない。

特徴：神経線維腫は末梢神経鞘腫瘍のうちで最も頻度が高く，多くは孤発性である。神経線維腫の多くは皮膚や四肢，体幹などの末梢神経に発生する。脊髄神経からの発生は知られているが，脳神経からの報告は稀である。皮膚に結節状腫瘤を形成する限局皮膚型（図

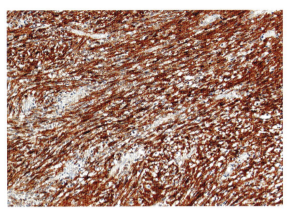

図 2-126　Cellular schwannoma
S-100 蛋白がびまん性に陽性である。

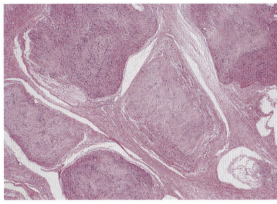

図 2-127　Plexiform schwannoma
シュワン細胞からなる結節が多数認められ，蔓状の増殖様式を示している。

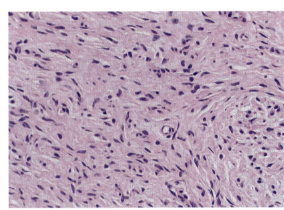

図 2-128　Neurofibroma
屈曲した核を有する紡錘形細胞が不規則に増殖している。

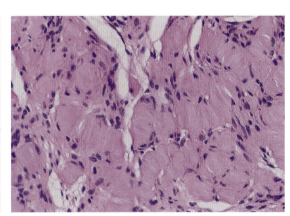

図 2-129　Neurofibroma
マイスナー小体様の構造物が多数認められる。

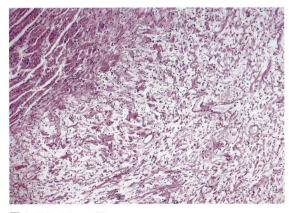

図 2-130　Neurofibroma
神経線維束内で紡錘形細胞が不規則に増殖している。

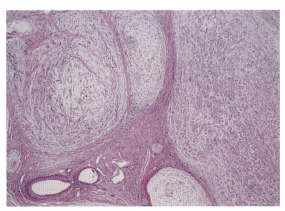

図 2-131　Plexiform neurofibroma
不規則な多結節状構造が認められる。

2-128), びまん性に皮膚および皮下で増殖するびまん性皮膚型(図2-129), 末梢神経束の腫大をきたす限局神経内型(図2-130), また多結節状構造を特徴とする蔓状型(図2-131)などが知られている. 組織学的には, 線維粘液状基質を背景に, 紡錘形の腫瘍細胞が散在性に増殖している. 腫瘍細胞の密度は低く, シュワン細胞腫でみられる疎密分布は示さない. 腫瘍細胞の核は紡錘形で, 屈曲し波打っていることが特徴である(図2-128). びまん性に増殖する腫瘍では, マイスナー小体様構造(図2-129)や色素細胞を認めることがある. 免疫組織化学的に腫瘍性シュワン細胞は S-100 蛋白および SOX10 が陽性である. 非腫瘍成分には collagen IV, EMA, CD34 が陽性を示すことがある.

変性による核異型が目立つ場合は ancient neurofibroma 陳旧性神経線維腫, 細胞密度が高い場合は cellular neurofibroma 富細胞性神経線維腫と呼ばれるが, いずれも悪性とは異なる. Plexiform neurofibroma 蔓状神経線維腫は複数の神経束または神経叢に発生し, それぞれが神経周膜に被包された腫瘤を形成するもので(図2-131), 神経線維腫症1型と密接に関連し, malignant peripheral nerve sheath tumor(MPNST)悪性末梢神経鞘腫瘍へ進展する危険性が高い. Atypical neurofibroma/ANNUBP は, 細胞異型, 高細胞密度, 神経線維腫の構築の喪失, >0.2個/mm^2, <1.5個/mm^2(>1/50 HPF, <3/10 HPF(HPF = 0.2 mm^2)の核分裂像のうち, 2項目以上が合致し, MPNST の診断基準を満たさないが MPNST への進展リスクが高く, 神経線維腫症1型と関連した前悪性ないし初期悪性病変と考えられている(悪性末梢神経鞘腫瘍の項を参照).

3. Perineurioma 神経周膜腫(図2-132, 133)

定義:腫瘍性の神経周膜細胞の増殖からなる腫瘍で, 神経内に発生し偽タマネギ状構造を特徴とする神経内型と, 軟部に発生する軟部型がある. CNS WHO grade 1.

特徴:神経周膜腫の多くは四肢・体幹の軟部や末梢神経内に発生し, 脳神経からの発生例は稀である. 神経内型では, 紡錘形の腫瘍細胞が軸索を同心円状に取り囲んで, 特徴的な偽タマネギ状構造を示す. 一方軟部型では, 細長い突起を有する紡錘形細胞が層板状に配列し, しばしば花むしろ状あるいは渦巻き状構造を示す(図2-132). 免疫組織化学的に神経周膜細胞は EMA(図2-133), claudin-1, GLUT-1 に陽性を示すが, S-100 蛋白と SOX10 は陰性である.

4. Hybrid nerve sheath tumor 混成神経鞘腫瘍(図2-134, 135)

定義:2種類以上の良性の末梢神経鞘腫瘍(シュワン細胞腫, 神経線維腫, 神経周膜腫)が共存するもの.

特徴:通常皮膚や皮下に生じ, 中枢神経系発生は稀である. 散発性のものはシュワン細胞腫/神経周膜腫の2つの成分からなるものが多く(図2-134), シュワン細胞腫症, 神経線維腫症1型, 2型など遺伝性疾患に関連するものは神経線維腫/シュワン細胞腫の組み合わせが多い. 神経線維腫/神経周膜腫の組み合わせは稀であるが神経線維腫症1型で発生する.

混成シュワン細胞腫/神経周膜腫では細胞形態はシュワン細胞に類似し, 構築は神経周膜腫に特徴的な花むしろ様, 渦巻き様, 層状構造を示す. 症例の半数は粘液腫様間質を有する. 免疫組織化学ではシュワン細胞は S-100 蛋白陽性, 神経周膜細胞は EMA 陽性を示

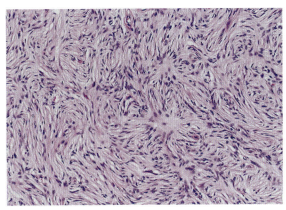

図 2-132　Perineurioma
細長い突起をもつ紡錘形細胞が花むしろ模様を形成している。

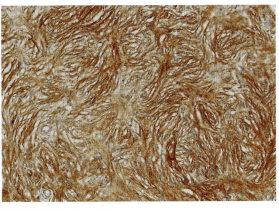

図 2-133　Perineurioma
腫瘍細胞は EMA 陽性を示す。

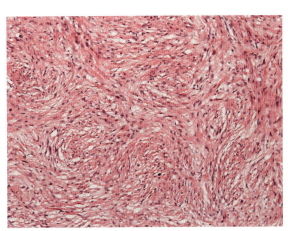

図 2-134　Hybrid nerve sheath tumor
細胞形態はシュワン細胞に類似し，構築は神経周膜腫に特徴的な花むしろ状を示す。

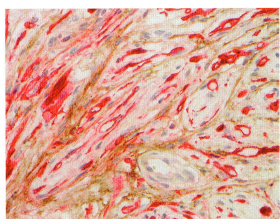

図 2-135　Hybrid schwannoma/perineurioma
赤が S-100 蛋白でシュワン細胞に，茶色が EMA で perineurial cell に相当する。

す（図 2-135）。

　混成神経線維腫/シュワン細胞腫では，形態的に核の柵状配列を示すシュワン細胞腫が結節状にみられ，神経線維腫は線維芽細胞，膠原線維，粘液腫様間質を伴いまばらに分布する。

5．Malignant melanotic nerve sheath tumor 悪性メラニン性神経鞘腫瘍（図 2-136）

　定義：シュワン細胞とメラノサイトの両方の特徴を備えた腫瘍細胞で構成される末梢神経鞘腫瘍であり，Carney 複合とさまざまに関連しており，しばしば侵襲的な挙動を示す。*PRKAR1A* 変異と PRKAR1A 蛋白質発現の喪失が大多数の症例でみられる。

　特徴：主に若年成人の脊髄神経または自律神経から発生する。多角形から紡錘形の腫瘍細胞が束状またはシート状に配列して増殖する。細胞質内に種々の程度にメラニン色素を入れており（図 2-136），Fontana-Masson 染色に陽性となる。砂粒体が約半数の症例に同

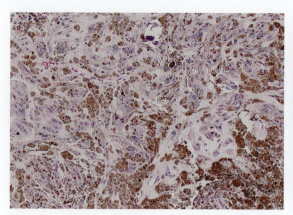

図 2-136 Malignant melanotic nerve sheath tumor
メラニン色素を含む腫瘍細胞の増殖と石灰化がみられる。

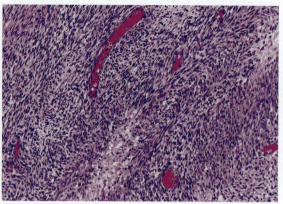

図 2-137 Malignant peripheral nerve sheath tumor
紡錘形細胞が交錯する細胞束を形成し，一部で壊死がみられる。

定される。免疫組織化学的に S-100 蛋白，SOX10，HMB45，Melan A を発現し，PRKAR1A の発現は通常失われている。局所再発および転移の頻度は 26～44％でしばしば侵襲的な経過をとる。

6．Malignant peripheral nerve sheath tumor 悪性末梢神経鞘腫瘍（図 2-137～143）

定義：末梢神経や既存の良性末梢神経鞘腫瘍，あるいは神経線維腫症 1 型の患者に発生して，シュワン細胞への分化はしばしば限定的な悪性紡錘細胞腫瘍を認める。

特徴：Malignant peripheral nerve sheath tumor（MPNST）悪性末梢神経鞘腫瘍は軟部肉腫の約 2～10％を占め，そのうちの約 50％が神経線維腫症 1 型に関連する。神経線維腫症 1 型患者における MPNST の生涯リスクは約 10％で，神経線維腫症 1 型以外のものより平均 10 歳ほど若く発症する。また過去の放射線照射歴に関連した例が約 10％ある。20～50 代の成人の臀部，大腿，腋窩，上肢，傍脊柱部が好発部位である。稀に頭蓋内で，前庭神経や迷走神経から発生することがある。

MPNST のほとんどは診断時に直径が 50 mm を超えており，組織学的には出血や壊死を伴って紡錘形細胞の密な増殖が主体をなすものが多い（**図 2-137, 138**）。波状の先細りする核と弱好酸性の細胞質を有する異型的な紡錘形細胞が，束状あるいは herring bone pattern 杉綾状配列を形成して増殖する（**図 2-137, 138**）。密度の異なる細胞束の交錯からなる疎密配列や血管周囲の細胞集簇（**図 2-139**）がしばしば観察される。神経線維腫症 1 型の MPNST において，同一の腫瘍塊に悪性度の異なる領域が存在することは稀ではない。MPNST は幅広い形態学的多様性を示し，骨，軟骨，骨格筋，平滑筋，粘液腺，重層扁平上皮などがみられることがあり，横紋筋肉腫への分化を示すものは malignant Triton tumor 悪性 Triton 腫瘍（**図 2-140**）と呼ばれる。また，滑膜肉腫，孤立性線維性腫瘍，未分化多形性肉腫など，さまざまな間葉系腫瘍に類似することがある。神経線維腫症 1 型に発生する末梢神経鞘腫瘍を系統的に分類する診断基準が提唱されており，**表 2-4** にまとめた。ANNUBP，低悪性度 MPNST，高悪性度 MPNST の鑑別において核分裂像の数と壊死の存在が重要である。

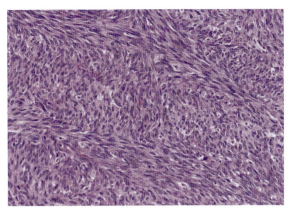
図 2-138　Malignant peripheral nerve sheath tumor
腫瘍細胞の密度は高く，杉綾模様を示している。

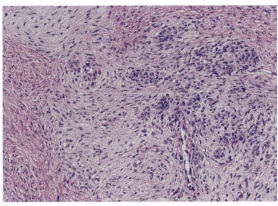
図 2-139　Malignant peripheral nerve sheath tumor
線維粘液性基質に富み，血管周囲に腫瘍細胞が集簇している。

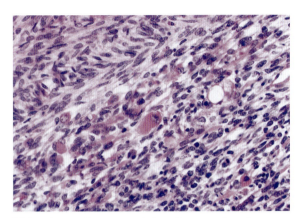
図 2-140　Malignant peripheral nerve sheath tumor with divergent differentiation(malignant triton tumor)
紡錘形細胞に混じって，好酸性を示す横紋筋芽細胞がみられる。

　MPNSTの診断に有用な免疫組織化学的マーカーは少なく，S-100蛋白とSOX10は陰性あるいは限定的な発現にとどまることが多い。また過半数の例でH3 p.K28me3(K27me3)が陰性となり，特に高悪性度MPNSTおよび放射線誘発MPNSTにおいて陰性の頻度が高い。

　Epithelioid MPNST 類上皮悪性末梢神経鞘腫瘍は上皮様の類円形細胞が主体をなす亜型で，MPNST全体の約5％と稀であり，神経線維腫症1型との関連はない。シュワン細胞腫の悪性化の多くはこの組織型である。明瞭な核小体を有する大型核と，好酸性で豊かな細胞質を有する(図2-141)。ほとんどの例でSMARCB1(INI1)が欠失し，S-100蛋白がびまん性に陽性となる(図2-142)。H3 p.K28me3(K27me3)の発現は保持される。

　Perineurial MPNST 神経周膜性悪性末梢神経鞘腫瘍は極めて稀な亜型で，神経線維腫症

表 2-4 神経線維腫症 1 型に関連した末梢神経鞘腫瘍の推奨される分類名

腫瘍型	推奨される定義
Neurofibroma	菲薄で波状の核，繊細な細胞突起，および粘液性〜膠原線維性（細断されたニンジン様）の基質を伴う良性のシュワン細胞腫瘍。免疫組織化学的に，広範な S-100 蛋白および SOX10 の陽性像と，CD34 陽性の線維芽細胞の格子状構造が認められる。
Plexiform neurofibroma	神経線維腫がしばしば複数の神経束を巻き込んでびまん性に神経束の拡大と置換をきたし，EMA 陽性の神経周膜細胞に区画されている。
Neurofibroma with atypia（Ancient neurofibroma）	異型のみを伴う神経線維腫で，最も一般的には奇妙な核が散在性に出現する。
Cellular neurofibroma	高細胞性の神経線維腫で，神経線維腫の構造を保持し，核分裂像を欠く。
ANNUBP	以下の 4 つのうち少なくとも 2 つを有する。シュワン細胞腫瘍：細胞異型，神経線維腫の構築の喪失，高細胞密度，>0.2 個/mm^2，<1.5 個/mm^2（$>1/50$ HPF，$<3/10$ HPF）の核分裂像。
MPNST, low-grade	ANNUBP の組織学的特徴を有し，核分裂像が 1.5〜4.5 個/mm^2（3〜9 個/10 HPF）で壊死を欠く。
MPNST, high-grade	核分裂像が 5 個/mm^2（10 個/10 HPF）以上，または核分裂像が 1.5〜4.5 個/mm^2（3〜9 個/10 HPF）で壊死を伴う。

ANNUBP：atypical neurofibromatous neoplasm of uncertain biologic potential，MPNST：malignant peripheral nerve sheath tumor，HPF=0.2 mm^2

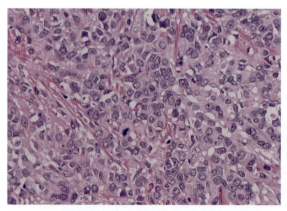

図 2-141 Epithelioid malignant peripheral nerve sheath tumor
異型的な上皮様細胞が密に増殖し，分裂像が散見される。

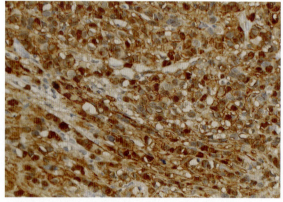

図 2-142 Epithelioid malignant peripheral nerve sheath tumor
上皮様腫瘍細胞の多くが S-100 蛋白陽性を示す。

1 型との関連はない。紡錘形の神経周膜細胞が渦巻き状構造や花むしろ模様を示しながら増殖するが，細胞密度の増加，核クロマチンの増量，豊富な核分裂像，壊死などの異型性を示している（図 2-143）。免疫組織化学では EMA 陽性，S-100 蛋白陰性で神経周膜細胞の特徴がみられる。

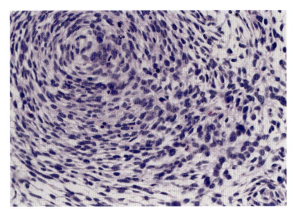

図 2-143 Perineurial malignant peripheral nerve sheath tumor(Perineurial MPNST)
異型的な紡錘形細胞が渦巻き状構造を示している。

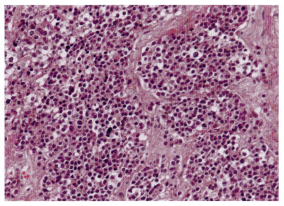

図 2-144 Cauda equina neuroendocrine tumor(previously paraganglioma)
円形核と狭い胞体をもつ細胞が胞巣を作っている。

7．Cauda equina neuroendocrine tumor(previously paraganglioma)馬尾神経内分泌腫瘍(従来の傍神経節腫)(図 2-144)

定義：馬尾・終糸領域に発生する神経内分泌腫瘍で，主細胞が支持細胞と毛細血管網で囲まれた独特の胞巣構造を形成する．CNS WHO grade 1．

特徴：成人に発生し，やや男性に多い．脊髄下端の馬尾・終糸領域の硬膜内髄外に境界明瞭な赤褐色の軟らかい腫瘤を形成する．組織学的には異型の乏しい類円形核と弱好酸性の細胞質をもつ均一な主細胞が，周囲を支持細胞で取り囲まれた胞巣構造 Zellballen 細胞球を作る(図 2-144)．間質には毛細血管網がよく発達している．免疫組織化学的に主細胞は chromogranin A, synaptophysin, cytokeratin を発現し，支持細胞は S-100 蛋白が陽性である．

6 Meningioma 髄膜腫

1．Meningioma 髄膜腫(図 2-145～161)

定義：meningothelial cell 髄膜皮細胞に由来すると考えられる腫瘍である．CNS WHO grade 1～3．

特徴：髄膜腫は中高年齢者に発生することが多く，女性での発生率が男性に比べて約2倍高い．硬膜に広く付着して，頭蓋内，脊柱管内，または眼窩に発生する．通常は硬く球状の限局性腫瘤を形成し，稀に平面的に(en plaque)増大することもある．好発部位は円蓋部，嗅溝，蝶形骨縁，トルコ鞍周辺，視神経鞘，錐体骨縁，小脳テント，後頭蓋窩などである．脊髄髄膜腫の多くは胸部に発生する．稀に頭蓋骨や皮膚に浸潤することがある．円蓋部および脊髄の髄膜腫の大部分は 22q 欠失および/または NF2 変異を伴っている．頭蓋底の髄膜腫は AKT1, KLF4, TRAF7, SMO, および/または PIK3CA に変異を有する．神経線維腫症2型患者では髄膜腫が多発性に発生することがある．電離放射線の曝露歴は髄膜腫のリスク要因である．

表 2-5　異型髄膜腫の診断基準

4〜19 個/10 HPF（HPF＝0.16 mm²）（2.5 個/mm²以上）の核分裂像
　　　または
明白な脳浸潤像
　　　または
特定の亜型（chordoid, clear cell）
　　　または
以下の 5 項目のうち 3 つ以上を満たす
　・細胞密度の上昇
　・N/C 比の高い小型細胞
　・明瞭な核小体
　・シート状増殖
　・壊死巣（医原性のものを除く）

表 2-6　退形成性（悪性）髄膜腫の診断基準

20 個/10 HPF（HPF＝0.16 mm²）以上（12.5 個/mm²以上）の核分裂像
　　　または
明白な退形成像（癌腫，肉腫，黒色腫様）
　　　または
TERT プロモーター変異
　　　または
CDKN2A および/または *CDKN2B* のホモ接合性欠失

　髄膜腫は従来と同じく 15 の組織学的亜型に分類されている．頻度の高い亜型が meningothelial, fibrous, および transitional meningioma である．多くの亜型は良性の経過をとり，CNS WHO grade 1 に相当するが，侵襲性増殖はどの組織学的パターンでも出現し得るので，WHO 2021 では atypical meningioma, anaplastic meningioma の診断基準（**表 2-5, 6**）をあらゆる組織学的パターンにおいて評価すべきという立場を表明している．これに従うと，grade 1 または 2 を付与する場合，*TERT* プロモーター変異と *CDKN2A/2B* のホモ接合性欠失を否定しなければならないことになる．従来は自動的に grade 3 が割り当てられていた papillary meningioma と rhabdoid meningioma についても同様な扱いが求められる．ただし，chordoid meningioma と clear cell meningioma は組織診断のみで grade 2 が与えられ，組織学的診断基準を満たす anaplastic meningioma についても組織診断のみで grade 3 が付与できるとしている．それら以外については遺伝子解析を行っていない場合に統合診断および grade の付与はできず，組織学的パターンでの記述的診断となる．

　免疫組織化学では EMA, vimentin, somatostatin receptor 2A（SSTR2A）が陽性になる．Ki-67 標識率が 4％を超えると grade 2，20％を超えると grade 3 と同様な予後を示すことが示唆されている．

a．Meningothelial meningioma 髄膜皮性髄膜腫（図 2-145）

　代表的な髄膜腫の亜型で，くも膜細胞様の腫瘍細胞が充実性に増殖し，分葉状構造を呈している（**図 2-145**）．好酸性を示す細胞質の境界は不明瞭で，合胞体細胞様にみえること

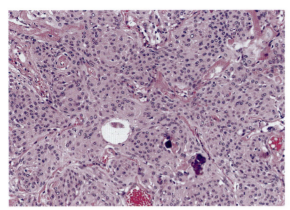

図 2-145　Meningothelial meningioma
上皮様腫瘍細胞が充実性に配列し，分葉状構造を示している。

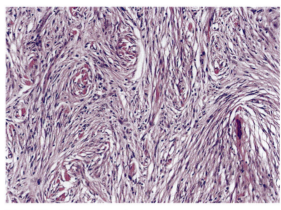

図 2-146　Fibrous meningioma
紡錘形細胞の増殖からなり，膠原線維の沈着や石灰化がみられる。

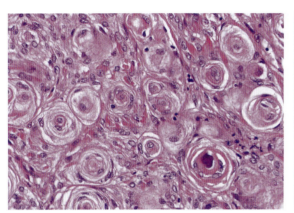

図 2-147　Transitional meningioma
小型の渦巻き状構造が多数認められる。

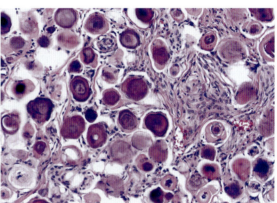

図 2-148　Psammomatous meningioma
無数の砂粒体が沈着し，その間に少量の腫瘍細胞が認められる。

がある。核は卵円形で，細胞質の彎入や空胞状の核内偽封入体がしばしば認められる。渦巻き状構造や砂粒体の形成は比較的少ない。前頭蓋底に多く発生し，NF2遺伝子異常は少ない。

b．Fibrous meningioma 線維性髄膜腫（図2-146）

紡錘形の腫瘍細胞が束状，花むしろ状に増殖し，細胞間には膠原線維の沈着を認める（図2-146）。円蓋部発生が多く，NF2遺伝子異常を有する場合が多い。しばしばS-100蛋白を強く発現する。

c．Transitional meningioma 移行性髄膜腫（図2-147）

髄膜皮性と線維性の両者の特徴を併せもつ，あるいは両者の中間的な所見を示す髄膜腫で，渦巻き状構造や砂粒体がしばしば認められる（図2-147）。円蓋部発生が多く，NF2遺伝子異常を有する場合が多い。

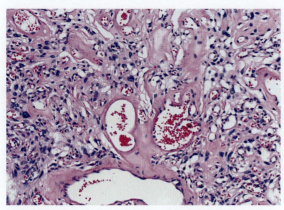

図2-149　Angiomatous meningioma
中小の血管網が発達しており，血管腫と間違われることがある。

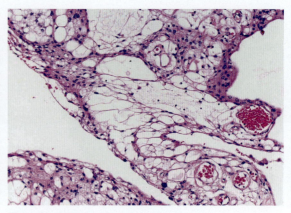

図2-150　Microcytic meningioma
腫瘍細胞の内外に大小の囊胞が無数に形成されている。

d．Psammomatous meningioma 砂粒腫性髄膜腫（図2-148）

無数の砂粒体形成を特徴とする髄膜腫である。骨形成を伴うこともある。砂粒体の間の腫瘍細胞は移行性髄膜腫の所見を示していることが多い（図2-148）。中高年女性の胸髄レベルに好発する。

e．Angiomatous meningioma 血管腫性髄膜腫（図2-149）

小型から中型の血管に富む髄膜腫で，血管の間の腫瘍細胞の同定が難しいことがあり，血管壁は硝子化を示すことが多い（図2-149）。腫瘍細胞は変性による核異型を示すことがあり，微小囊胞性髄膜腫や化生性髄膜腫の成分を伴うことがある。腫瘍周囲の脳実質に浮腫を伴うことがある。

f．Microcystic meningioma 微小囊胞性髄膜腫（図2-150）

細長い細胞突起により囲まれた多数の微小囊胞を特徴とする髄膜腫である（図2-150）。しばしば核の多形性がみられるが，悪性を示唆するものではない。本亜型でも脳実質に浮腫を伴うことが多い。

g．Secretory meningioma 分泌性髄膜腫（図2-151）

小型の細胞質内腺腔の形成を特徴とし，腔内にはPAS陽性の小球状分泌物（pseudopsammoma body 偽砂粒体）を入れている（図2-151）。腺腔を有する腫瘍細胞は上皮性分化を示しており，cytokeratinやCEAが陽性となる。球状分泌物もCEA陽性を示す。腫瘍周囲の脳実質に浮腫が強いことがある。*NF2*と*TRAF7*と*KLF4*で遺伝子変異が共存することが多い。

h．Lymphoplasmacyte-rich meningioma リンパ球形質細胞に富む髄膜腫（図2-152）

稀な亜型で，リンパ球および形質細胞の高度の浸潤が認められ，腫瘍細胞はあまり目立たない（図2-152）。マクロファージに富む例もある。

i．Metaplastic meningioma 化生性髄膜腫（図2-153，154）

本来の髄膜腫成分以外に，さまざまな間葉系成分を併せもつ腫瘍の総称である。骨，軟骨，脂肪，粘液腫様（図2-153），黄色腫様（図2-154）成分などを認めることがある。

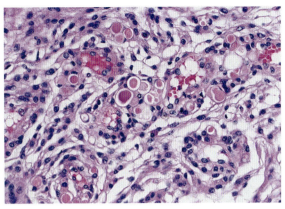

図 2-151　Secretory meningioma
細胞質内腺腔が認められ，球形の好酸性分泌物が貯留している。

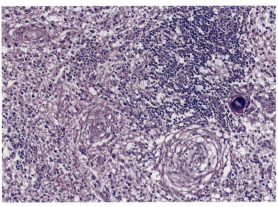

図 2-152　Lymphoplasmacyte-rich meningioma
渦巻き状構造の周囲に多数のリンパ球，形質細胞浸潤がみられる。

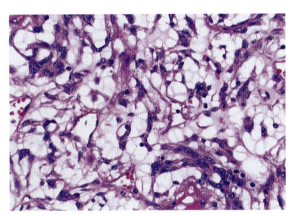

図 2-153　Metaplastic meningioma
索状配列を示す腫瘍細胞の周囲に大量の粘液が沈着している。

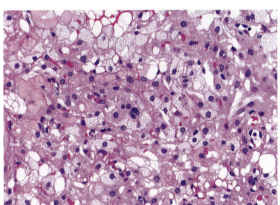

図 2-154　Metaplastic meningioma
腫瘍細胞の細胞質は泡沫状で，黄色腫様変化を示している。

j．Chordoid meningioma 脊索腫様髄膜腫（図 2-155）

脊索腫に似た組織所見を示す髄膜腫で，豊富な粘液状基質を背景に空胞をもつ腫瘍細胞が索状に増殖している（図 2-155）。リンパ球や形質細胞の浸潤もしばしば認められる。脊索腫様領域とともに，通常の髄膜腫の部分を併せもつことが多い。再発率の高い亜型である。CNS WHO grade 2。

k．Clear cell meningioma 明細胞髄膜腫（図 2-156）

淡明な細胞質を有する腫瘍細胞の充実性増殖からなる髄膜腫である。細胞質内にはPAS陽性のグリコーゲンを豊富に入れている。細胞間に硝子化結合織が沈着していることも特徴である（図 2-156）。渦巻き状構造や砂粒体は目立たないことが多い。小児や若年成人の小脳橋角部，馬尾に好発する侵襲性腫瘍である。免疫組織化学的に核の SMARCE1 発現の喪失を示す。CNS WHO grade 2。

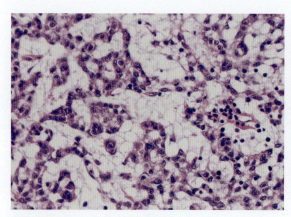

図 2-155　Chordoid meningioma
上皮様腫瘍細胞の索状配列，粘液状基質，リンパ球浸潤が特徴である。

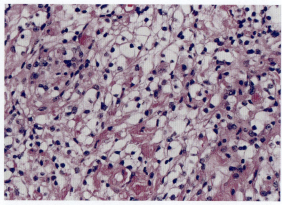

図 2-156　Clear cell meningioma
淡明な細胞質が特徴で，細胞間に膠原線維が沈着している。

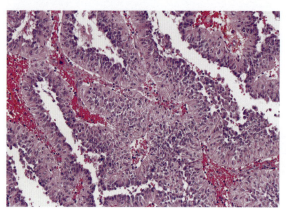

図 2-157　Papillary meningioma
腫瘍細胞が血管を取り囲み，偽乳頭状構造を示している。

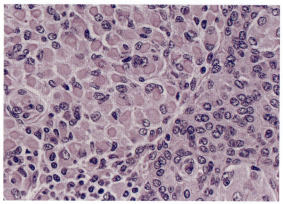

図 2-158　Rhabdoid meningioma
好酸性球状封入体を入れた腫瘍細胞（ラブドイド細胞）が目立つ。

l．Papillary meningioma　乳頭状髄膜腫（図 2-157）

　血管周囲性の偽乳頭状または偽ロゼット様構造が優勢な髄膜腫である（図 2-157）。ラブドイド細胞が出現することもある。若年者に好発し，しばしば脳への浸潤，播種，主に肺への遠隔転移をきたす。*PBRM1* 遺伝子の異常が報告されている。

m．Rhabdoid meningioma　ラブドイド髄膜腫（図 2-158）

　ラブドイド細胞を認める髄膜腫である。ラブドイド細胞は類円形で，好酸性の細胞質と核小体の明瞭な偏心性の核を有している。細胞質に小球状の線維状ないし硝子様の封入体様構造を認めることが特徴的である（図 2-158）。原著ではラブドイド細胞に加えて，豊富な核分裂像や悪性の組織学的特徴を有するコホートで構成され，WHO grade 3 の基準に合致する高い再発率と死亡率を示していたが，その後，ラブドイド細胞のみを指標に診断されるようになった結果，WHO grade 1 ないし 2 に相当する例が多数にのぼり，患者の予後はラブドイド細胞の存在には依存していないことが判明した。そのため，ラブドイド髄膜

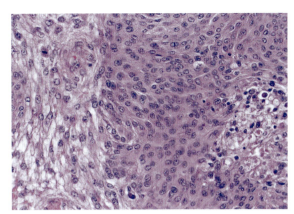

図 2-159　Atypical meningioma
腫瘍細胞がシート状に増殖し，分裂像と壊死が認められる。

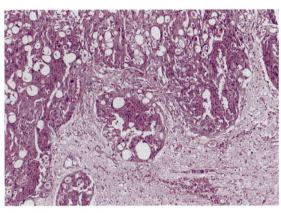

図 2-160　Atypical meningioma
髄膜腫が不規則に脳実質内へ浸潤している。

腫においてもほかの髄膜腫と同様に**表 2-4，5**の基準に沿って CNS WHO grade を決定する必要がある。

　ラブドイドおよび/または乳頭状髄膜腫の一部は，BAP1 腫瘍素因症候群の患者に発生し，免疫組織化学的に BAP1 が欠失する例は CNS WHO grade 3 相当の臨床的挙動を示すと報告されている。このことは同時に，ラブドイドおよび乳頭状髄膜腫に組織学的，遺伝学的な重複がある可能性を示唆している。

n．Atypical meningioma 異型髄膜腫（図 2-159，160）（表 2-5）

　中間悪性度の髄膜腫であり，以下の①，②，③のいずれかを満たすものが定義される。①核分裂像を核分裂像を 2.5 個/mm^2（強拡大 10 視野あたり 4 個（HPF＝0.16 mm^2））以上認めるもの（図 2-159），②脳浸潤を認めるもの（図 2-160），③次の 5 項目のうち 3 項目以上の所見を認めるもの：細胞密度の増加，核細胞質比（N/C 比）の高い小型腫瘍細胞，明瞭な核小体，シート状（patternless）の増殖様式，自発的（非医原性）壊死（図 2-159）。脳浸潤とは軟膜を介さずに脳実質に腫瘍細胞が進展することであり，血管周囲の Virchow-Robin 腔に沿った脳内進展は脳浸潤とはみなされない。組織学的に異型髄膜腫であっても，*TERT* プロモーター変異または *CDKN2A* および/または *CDKN2B* のホモ接合性欠失が検出されれば，退形成性髄膜腫と診断される。異型髄膜腫は再発率が高い。Ki-67 標識率は 4％を超える。CNS WHO grade 2。

o．Anaplastic（malignant）meningioma 退形成性（悪性）髄膜腫（図 2-161）（表 2-6）

　明らかに悪性の細胞形態を有する悪性度の高い髄膜腫であり，以下の①，②，③，④のいずれかを満たすものと定義される。①癌腫，悪性黒色腫，高悪性度肉腫に相当するような明らかに悪性の細胞（図 2-161）の組織所見を示すもの，②核分裂像の著しい増加（12.5 個/mm^2（強拡大 10 視野あたり 20 個（HPF＝0.16 mm^2））以上）を認めるもの，③*TERT* プロモーター変異を有するもの，④*CDKN2A* および/または *CDKN2B* のホモ接合性欠失を有するもの。Ki-67 標識率は 20％以上。退形成性髄膜腫は高悪性度の腫瘍であり，予後不良のことが多い。CNS WHO grade 3。

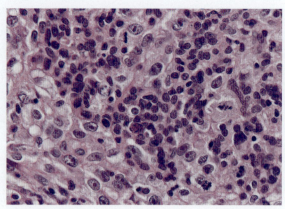

図 2-161　Anaplastic (malignant) meningioma
小型細胞とともに，大型で異型の腫瘍細胞が増殖し，核分裂像が多い。

7 Mesenchymal, non-meningothelial tumors involving the CNS 中枢神経系の間葉系，非髄膜性腫瘍

A．Soft tissue tumors 軟部腫瘍

1．Fibroblastic and myofibroblastic tumors 線維芽細胞性および筋線維芽細胞性腫瘍

a．Solitary fibrous tumor 孤立性線維性腫瘍（図 2-162～164）

定義：12q13 遺伝子座のゲノム逆位により *NAB2* と *STAT6* の遺伝子融合および STAT6 の核内発現を生ずる線維芽細胞性腫瘍。CNS WHO grade 1～3。

特徴：Hemangiopericytoma 血管周皮腫は推奨されない用語となった。孤立性線維性腫瘍（SFT）は，稀な間葉系腫瘍で，成人（40～60 代）の髄膜から発生し，性差はない。テント上発生が多く，10％ は脊髄例である。SFT は幅のある組織像を示し，細胞密度の低いものは紡錘形細胞と豊富な膠原線維の沈着からなり（図 2-162），細胞密度の高いものでは類円形細胞が密集して個々の腫瘍細胞が細かな細網線維に取り囲まれ，ときに壊死巣が介在する。両者とも内腔の拡張した分枝状血管（staghorn vessel）がしばしば認められる（図 2-162，163）。SFT は grade 1～3 に分類され，grade 1：＜2.5 個/mm^2（＜5/10 HPF）（HPF＝0.22 mm^2）の核分裂像，grade 2：≧2.5 個/mm^2（≧5/10 HPF）の核分裂像，grade 3：≧2.5 個/mm^2（≧5/10 HPF）の核分裂像および壊死を伴うものと定義される。本腫瘍には *NAB2::STAT6* 融合遺伝子の形成があり，その結果，STAT6 蛋白が核内発現し，免疫組織化学的に容易に同定可能であり，感度ならびに特異度の高い診断指標となっている（図 2-164）。CD34 は grade 1 でよく発現するが，grade 2 や 3 では弱陽性ないし陰性である。

2．Vascular tumors 血管性腫瘍

a．Hemangioma and vascular malformation 血管腫および血管奇形（図 2-165，166）

定義：良性の血管増殖性病変であり，密集した複数の毛細血管，海綿状，動脈様あるいは静脈様血管から構成される。血管腫のほか，従来は血管奇形と考えられていた cavern-

IV 組織型の解説とカラーアトラス　153

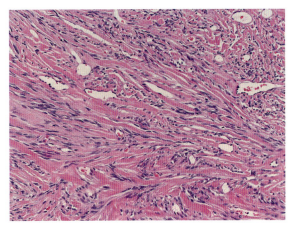

図 2-162　Solitary fibrous tumor
Solitary fibrous tumor type。紡錘形細胞の間に太い膠原線維が沈着し，拡張した血管が豊富である。

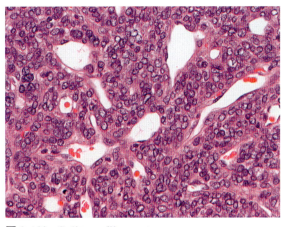

図 2-163　Solitary fibrous tumor
Hemangiopericytoma type。N/C の高い腫瘍細胞が密に増殖し，分枝状の血管網が発達している。

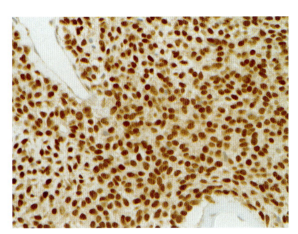

図 2-164　Solitary fibrous tumor
腫瘍細胞核がびまん性に STAT6 陽性を示している。

ous malformation（CM）海綿状血管奇形，cerebral arteriovenous malformation（AVM）脳動静脈奇形，capillary telangiectasia 毛細血管拡張症の一部にも遺伝子異常が判明した。

　特徴：血管腫は人口の 10〜12％ に発生すると推計されており，男性例が多い。脊椎に好発し，頭蓋骨や，稀に脳内，末梢神経根，馬尾に発生する。孤立性，多発性，または *PIK3CA* 関連過成長症候群の部分像として出現し得る。線維性隔壁に区画された小葉を形成して，小葉内に多数の毛細血管が集簇する（図 2-165）。核分裂像は稀である。血管周囲には出血，ヘモジデリン沈着，浮腫，線維芽細胞などを伴う。

　海綿状血管奇形はテント上，視神経，松果体，海綿静脈洞に好発する。けいれんや急激な出血で発症することもあるが，無症候性であることも多く，画像や剖検で見出されることもある。発生年齢に幅があるが，男性例の方がやや若い傾向にある。画像上，造影剤による増強効果を示さない。組織学的には，密集した多数の洞様毛細血管から構成され，血

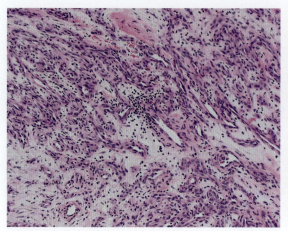

図 2-165　Hemangioma
毛細血管の密な増生が認められる。

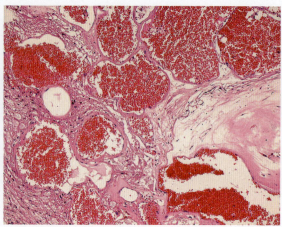

図 2-166　Vascular malformation
拡張した血管が多数認められ，壁の硝子化や組織球浸潤を伴っている。

管壁は薄く，動脈または静脈の特徴を欠く線維性の壁を有する（図 2-166）。血管の間には中枢神経系組織の介在をほとんど伴わない。家族性および一部の孤発性 CM は，*KRIT1*（*CCM1*），*CCM2*，または *PDCD10*（*CCM3*）の変異に関連している。

　脳動静脈奇形は幅広い年齢層に発生し，性差はない。出血症状で発症することが多く，けいれん，慢性頭痛，進行性の神経症状もみられる。髄膜，大脳皮質，深部組織，脳幹，小脳，脊髄に発生する。組織学的にさまざまなサイズの動脈様または静脈様の異常血管が直接吻合している。血管の間にグリオーシスを伴う脳組織が介在する。体細胞性の *KRAS* または *BRAF* 変異を有する。

　毛細血管拡張症は，橋から中小脳脚に好発する。壁の薄い拡張した血管の集簇から構成される。脳組織にグリオーシス，石灰化，ヘモジデリン沈着を伴わない。

b．Hemangioblastoma 血管芽腫（図 2-167，168）

定義：腫瘍性の間質細胞（stromal cell）と多数の小血管から構成される腫瘍である。CNS WHO grade 1。

特徴：成人の小脳，脳幹部，脊髄に発生する良性腫瘍で，多数を占める散発例とそれよりも頻度の低い von Hippel-Lindau 病に伴う例がある。いずれでも *VHL* がん抑制遺伝子の不活性化がみられる。組織学的に，腫瘍の本体である間質細胞は脂質空胞に富み，核はときに大小不同やクロマチン増多などの異型を呈するが核分裂像は稀である（図 2-167，168）。血管は非腫瘍性であるがしばしば腫瘍細胞よりも豊富である。周囲脳組織との境界は明瞭で，グリオーシスやローゼンタール線維がよく観察される。免疫組織化学的に間質細胞は vimentin，α-inhibin，D2-40 などに陽性である。

3．Skeletal muscle tumors 骨格筋腫瘍

a．Rhabdomyosarcoma 横紋筋肉腫（図 2-169）

定義：骨格筋への分化を示す悪性腫瘍で，稀に頭蓋内に原発する。

特徴：小児例が多く，テント下発生例がやや優位で，小脳橋核部，髄膜，松果体部，ト

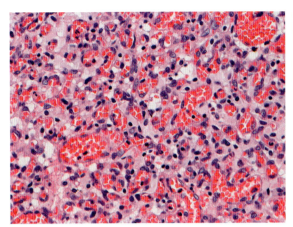

図 2-167　Hemangioblastoma
Reticular type。拡張した毛細血管が豊富で，その間に小型の間質細胞が介在している。

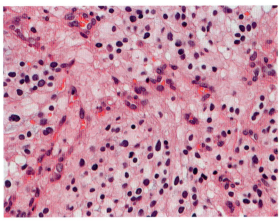

図 2-168　Hemangioblastoma
Cellular type。腫大した間質細胞が充実性に配列し，その間に少量の毛細血管を認める。

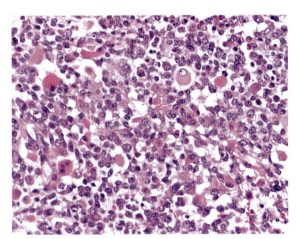

図 2-169　Rhabdomyosarcoma
未熟な類円形細胞の間に好酸性で豊かな細胞質を有する横紋筋芽細胞が混在している。

ルコ鞍部などに発生する。Embryonal rhabdomyosarcoma 胎児型横紋筋肉腫は低分化な細胞が主体で，好酸性細胞質を有する横紋筋に分化した細胞が少数出現する（図 2-169）。Alveolar rhabdomyosarcoma 胞巣状横紋筋肉腫は線維血管性の隔壁で区切られた胞巣を形成し，花輪状の多核巨細胞を散在性に伴う。Spindle cell/sclerosing rhabdomyosarcoma 紡錘形/硬化型横紋筋肉腫は紡錘形の腫瘍細胞が束状や渦巻き状に配列し，細胞間に硝子様膠原線維の沈着を伴う。Pleomorphic rhabdomyosarcoma 多形性横紋筋肉腫は大型で多形性のあるラブドイド様，紡錘形または多角形の細胞がシート状に出現し，腫瘍細胞はしばしば多核である。

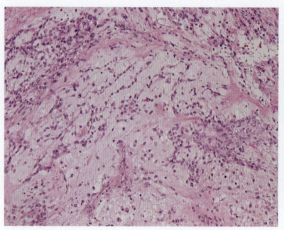

図 2-170　Intracranial mesenchymal tumor, *FET::CREB* fusion-positive
紡錘形または多極性の突起を有する腫瘍細胞が索状あるいは網状に配列し，間質には毛細血管，膠原線維，粘液様基質を伴っている。

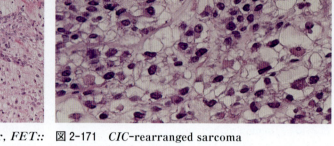

図 2-171　*CIC*-rearranged sarcoma
未分化な小型円形細胞のシート状に増殖し，間質に結合組織や粘液沈着を伴っている。

4．Tumors of uncertain differentiation 未定分化型腫瘍

a．Intracranial mesenchymal tumor, *FET::CREB* fusion-positive 頭蓋内間葉系腫瘍 *FET::CREB* 融合陽性（図 2-170）

　定義：頭蓋内に原発する間葉系腫瘍であり，さまざまな組織形態と，FET RNA 結合蛋白質ファミリー遺伝子（通常は *EWSR1*，稀に *FUS*）と CREB ファミリー転写因子（*CREB1*，*ATF1* または *CREM*）の融合遺伝子を特徴とする。暫定腫瘍型。

　特徴：小児から若年成人に好発する。髄膜に付着した境界明瞭な腫瘍で，テント上発生が多く，テント下にも発生する。組織学的には幅があり，類円形，紡錘形，多極性の腫瘍細胞がシート状，索状，網状に配列し，核分裂像は少ない。間質には膠原線維や拡張した小血管が分布する（図 2-170）。粘液様基質の量は症例ごとにさまざまである。免疫組織化学的に髄膜腫やグリオーマなどの除外診断を進めるとともに，*FET::CREB* ファミリー遺伝子の融合を FISH または DNA/RNA シーケンスで証明する必要がある。

b．*CIC*-rearranged sarcoma *CIC* 再構成肉腫（図 2-171）

　定義：*CIC* 遺伝子の融合を有する高悪性度で低分化な肉腫。CNS WHO grade 4。

　特徴：青年期から若年成人に好発する。*CIC* と融合する遺伝子は最も一般的な *DUX4* のほかにさまざまなものが判明している。組織学的に未分化な小型円形細胞がシート状に配列して分葉状構造を形成し，間質に結合組織や粘液沈着を伴う（図 2-171）。免疫組織化学的に CD99，ETV4，WT1 のほか，さまざまな抗原が種々の程度に発現する。診断には *CIC* 遺伝子再構成の証明を要する。

c．Primary intracranial sarcoma, *DICER1*-mutant 原発性頭蓋内肉腫，*DICER1* 変異（図 2-172）

　定義：紡錘形または多形細胞からなる原発性頭蓋内肉腫で，*DICER1* 変異を有する。

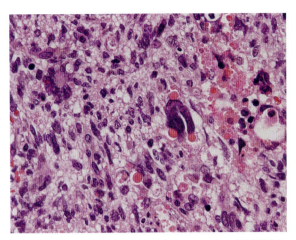

図 2-172 Primary intracranial sarcoma, *DICER1*-mutant
紡錘形または多形性のある腫瘍細胞から構成され，多数の硝子滴を有している。

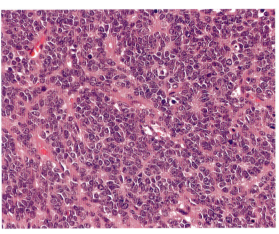

図 2-173 Ewing sarcoma
N/C の高い小円形細胞の密な増殖からなる腫瘍で，Homer Wright ロゼットを形成している。

　特徴：典型例はテント上の髄膜に関連して発生する。性差はなく，診断時年齢の中央値は 6 歳であるが高齢発症もある。組織学的に紡錘形または多形性のある腫瘍細胞から構成され，核分裂像が豊富で，しばしば細胞質に好酸性硝子滴を有する（図 2-172）。免疫組織化学的に筋原性分化がみられ，また軟骨様に分化する領域が出現することもある。*TP53* と *ATRX* の不活性化変異を高頻度にきたし，それぞれを免疫組織化学的に捉えることで診断の手掛かりとすることができる。*DICER1* 変異は一側の遺伝子の機能喪失型変異と対側のホットスポットのミスセンス変異の組み合わせであることが多く，体細胞変異と生殖細胞系列に変異のある *DICER1* 症候群の両方の場合がある。

　　d．Ewing sarcoma Ewing 肉腫（図 2-173）
　定義：小型円形細胞腫瘍であり，FET ファミリー遺伝子（通常は *EWSR1*）と ETS ファミリー遺伝子（多くは *FLI1*）の遺伝子融合を呈する。CNS WHO grade 4。
　特徴：小児から若年成人に多いが，中枢神経系を含む骨外性 Ewing 肉腫はより高い年齢層においても稀ではない。組織学的に細胞質の乏しい小型円形細胞が単調に増殖し，神経細胞への分化として Homer Wright ロゼットが出現することがある（図 2-173）。免疫組織化学的に CD99，PAX7，NKX2.2 が陽性で，神経細胞系マーカーも種々の程度に発現する。

B．Chondro-osseous tumors 軟骨-骨腫瘍
1．Chondrogenic tumors 軟骨形成性腫瘍
　　a．Mesenchymal chondrosarcoma 間葉性軟骨肉腫（図 2-174）
　定義：未分化で小型の類円形または紡錘形の細胞内に，高分化な硝子軟骨様成分が島状に分布して二相性構造を形成する悪性腫瘍で，*HEY1::NCOA2* 融合遺伝子によって特徴づけられる。

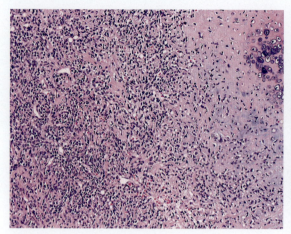

図 2-174　Mesenchymal chondrosarcoma
小型細胞からなる血管周皮腫様の領域(左)と分化した軟骨性領域(右)が混在している。

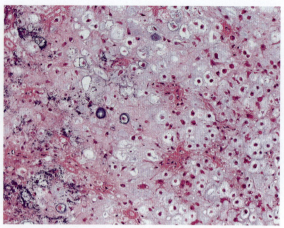

図 2-175　Chondrosarcoma
粘液状の軟骨様基質を背景に，異型性を示す類円形細胞が散在性に増殖している。顆粒状の石灰化を伴っている。

特徴：典型例は若年成人の頭蓋内および脊柱管内の硬膜に関連して発生する。未分化な小型円形細胞の領域内に分化した硝子軟骨様成分が島状に出現する(図 2-174)。小型円形細胞領域の血管はときにstaghorn様の形態をとる。軟骨島には石灰沈着や類骨形成を伴うことがある。免疫組織化学的にCD99, EMA, desmin, S-100蛋白, SOX10などが陽性である。軟骨島が含まれていない検体の場合，診断は困難となり，その場合はsolitary fibrous tumor, Ewing sarcomaなどとの鑑別を要する。

b．Chondrosarcoma 軟骨肉腫(図 2-175)

定義：軟骨細胞への分化を示す悪性間葉系腫瘍である。CNS WHO grade 1～3。

特徴：通常型軟骨肉腫は頭蓋内に発生することは稀で，好発部位は頭蓋底，脊椎および仙骨である。頭蓋底に発生した場合は脊索腫との鑑別を要する。軟骨様基質の中で異型性を示す腫瘍細胞が小窩の中に認められる(図 2-175)。Grade 1～3は細胞密度，細胞異型，核分裂像に基づき分類され，頭蓋底発生例の多くはgrade 1である。IDH1またはIDH2に変異が多くみられ，なかでも *IDH1* p.R132Cの頻度が高い。免疫組織化学的にS-100蛋白とpodoplanin(D2-40)が陽性で，keratinやbrachyuryは陰性である。

C．Notochordal tumors 脊索腫瘍

1．Chordoma 脊索腫(図 2-176)

定義：脊索への分化を示す原発性悪性骨腫瘍であり，通常型，軟骨様，低分化型，および脱分化型に分類される。

特徴：頭蓋底(斜台)，仙尾骨領域，脊椎に発生する。線維性隔壁に区画されて分葉状構造を呈し，豊富な粘液状基質の中で空胞状細胞質をもつ physaliphorous cell 担空胞細胞が索状，リボン状，胞巣状に配列している(図 2-176)。Chondroid chordoma 軟骨様脊索腫は硝子軟骨に類似した基質を形成する。Poorly differentiated chordoma 低分化型脊索腫は充実性上皮様で限局性のラブドイド形態を特徴とし，SMARCB1(INI1)欠失を示す。Dedif-

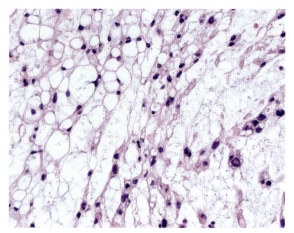

図2-176　Chordoma
豊富な粘液状基質の中で，空胞状腫瘍細胞が索状，網目状に配列している。

ferentiated chordoma 脱分化型脊索腫は未分化肉腫成分を併せもつ。腫瘍細胞は cytokeratin，EMA，S-100 蛋白に陽性で，brachyury が特徴的なマーカーである。低分化型と脱分化型は予後不良である。

8 Melanocytic tumors メラニン細胞系腫瘍

髄膜に存在すると推定されるメラニン細胞から発生する腫瘍性病変で，びまん性あるいは限局性に広がる。WHO 2021 では，病巣の広がりによって，びまん性と限局性に大別された。さらに悪性度によってびまん性ではメラニン細胞増殖症，黒色腫症に，限局性ではメラニン細胞腫，黒色腫とそれぞれ 2 型が挙げられる。

A．Diffuse meningeal melanocytic neoplasms びまん性髄膜メラニン細胞系腫瘍
1．Melanocytosis メラニン細胞増殖症
定義：髄膜にメラニン細胞のびまん性増生を認める疾患である。

特徴：多くは neurocutaneous melanosis 神経皮膚メラノーシス患者に認められる。髄膜はびまん性に肥厚し，黒色調を呈している。組織学的に，紡錘形ないし類円形のメラニン細胞がくも膜下腔から Virchow-Robin 腔にかけて増生しているが，中枢神経実質への浸潤はない。細胞質にはメラニン色素が認められ，細胞異型は乏しい。生命予後は必ずしも良くはない。

2．Melanomatosis 黒色腫症（図2-177）
定義：髄膜での黒色腫細胞のびまん性増殖を認めるもので，しばしば中枢神経実質に浸潤する。

特徴：びまん性メラニン細胞増殖症と同様に，神経皮膚メラノーシスとの関連性が強い。くも膜下で黒色腫細胞のびまん性増殖が認められる（図2-177）。細胞異型が強く，核分裂

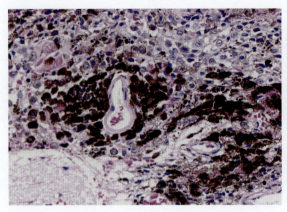 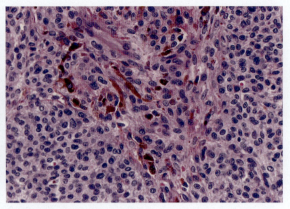

図 2-177　Melanomatosis
くも膜下で異型なメラニン細胞がびまん性に増殖している。

図 2-178　Melanocytoma
異型性に乏しいメラニン細胞のシート状配列がみられる。

像がみられ，壊死を認める．悪性黒色腫と同様に予後不良である．小児のメラニン細胞増殖症や黒色腫症では，*NRAS*変異が高頻度にみられ，*BRAF*変異は低頻度である．

B．Circumscribed meningeal melanocytic neoplasms 限局性髄膜メラニン細胞系腫瘍

1．Melanocytoma メラニン細胞腫（図 2-178）

　定義：異型性に乏しいメラニン細胞からなる髄膜の限局性腫瘍である（図 2-178）．

　特徴：中高齢者の頸胸髄レベル，後頭蓋窩で，硬膜内髄外性に限局性の黒色調腫瘍を形成する．メラニン色素を含有したメラニン細胞の充実性増殖からなる腫瘍であり，上皮様，紡錘形の腫瘍細胞がみられ原則周囲組織への浸潤は示さないが，中間悪性度のメラニン細胞腫では，核分裂像は 0.5～1.5 個/mm^2 みられ，中枢神経実質浸潤を伴う場合もある．分裂像や壊死はみられず，異型性も乏しい．Ki-67 標識率は通常 1～2％以下で，*GNAQ*変異がみられる場合が多い．再発をきたすことがある．

2．Melanoma 黒色腫（図 2-179，180）

　定義：髄膜に原発した黒色腫で，黒色の腫瘤を形成し，悪性の増殖様式を示すもの．

　特徴：脳脊髄幹のどこにでも発生しうるが，やや脊髄硬膜内や後頭蓋窩に多い．髄外性に腫瘤を形成し，実質内への浸潤を示す．皮膚の黒色腫と同様に，異型の強い腫瘍細胞が種々の程度のメラニン産生を示しながら，胞巣状，シート状に増殖している（図 2-179）．核は大小不同を示し，赤色の核小体が明瞭で，核分裂像は 1.5 個/mm^2 を超え，壊死を認める．メラニン色素が目立たない場合は，HMB-45（図 2-180），melan-A，microphthalmia transcription factor，S-100 蛋白などの免疫組織化学が診断上有用である．Ki-67 標識率は約 8％．転移の可能性を否定することも重要である．皮膚の黒色腫で高頻度にみられる *BRAF* 変異，*NRAS* 変異は成人の髄膜黒色腫では稀．*GNAQ*，*GNA11*，*PLCB4*，*CYSLTR2* 変異の有無の検索が望まれる．予後は極めて不良で，*SF3B1*，*EIF1AX*，*AP1* 変異；3 番染色体のモノソミー；複合的なコピー数異常は予後不良因子．

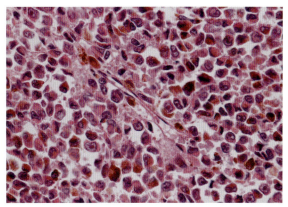

図 2-179　Melanoma
多形性を示す異型腫瘍細胞が充実性に増殖している。

図 2-180　Melanoma
腫瘍細胞は HMB-45 陽性を示す。

9 Hematolymphoid tumors involving CNS 中枢神経系の血液リンパ系腫瘍

A．Lymphomas リンパ腫

中枢神経系に原発するリンパ球由来の悪性腫瘍で，90％以上はびまん性大細胞型 B 細胞リンパ腫である。発生のピークは 60 代。AIDS や移植後の免疫不全状態は中枢神経系原発悪性リンパ腫のリスクファクターであるが，それらのおよそ 90％以上は EBV の感染がある。診断に際しては，神経系以外を原発とする悪性リンパ腫の中枢神経浸潤の可能性を除外する必要がある。確定診断前にステロイド投与が行われるとリンパ腫細胞が消失し，組織学的診断に至らないことがあるので注意が必要である。放射線，化学療法，分子標的治療法などが実施されるが，生命予後は不良である。

1．Primary diffuse large B-cell lymphoma of the CNS 中枢神経系原発性びまん性大細胞型 B 細胞リンパ腫（図 2-181〜183）

定義：大型の異型リンパ球のびまん性増殖からなる悪性リンパ腫で，中枢神経系が原発であるもの。硬膜原発も除外する。

特徴：組織学的には，大型の異型リンパ球のびまん性増殖が脳実質内で認められる（**図 2-181, 182**）。病巣中心部で腫瘍細胞は充実性に増殖しているが，辺縁部では小集塊状ないしは孤立性に浸潤している。リンパ腫細胞は angiocentric 血管中心性の分布を示すことが特徴であり（**図 2-181**），鍍銀反応で，血管中心性のリンパ腫細胞の浸潤で破壊された同心円状の細網線維が認められる。壊死もしばしば観察される。CD20（**図 2-183**），CD79a，PAX5 が陽性を示す。BCL6 は 60〜80％に IRF4（MUM1）は 90％に陽性。BCL2，MYC 陽性。CD10 陽性は 10％以下。分子遺伝学的には *MYD88*，*CD79B* の変異が高頻度にみられる。EB ウイルス（EBV）関連マーカーは 97％で陰性。

2．Immunodeficiency-associated CNS lymphomas 中枢神経系免疫不全関連リンパ腫

定義：AIDS や医原性の免疫不全状態で生じる中枢神経系原発の悪性リンパ腫。

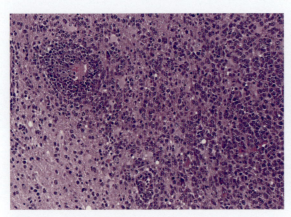

図 2-181　Primary diffuse large B-cell lymphoma of the CNS
異型リンパ球がびまん性あるいは血管周囲性に増殖している。

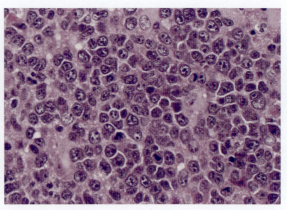

図 2-182　Primary diffuse large B-cell lymphoma of the CNS
リンパ腫細胞は核小体の明瞭な大型核を有しており，核分裂像が目立つ。

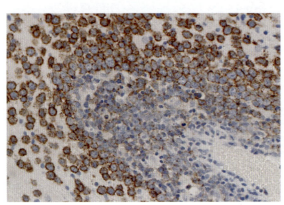

図 2-183　Primary diffuse large B-cell lymphoma of the CNS
腫瘍細胞は CD20 陽性の B リンパ球由来である。

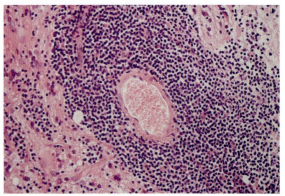

図 2-184　Lymphomatoid glanulomatosis
血管中心性に，異型が軽度なリンパ球，形質細胞，組織球が浸潤している。

　特徴：形態学的には通常の CNS 原発のびまん性大細胞型 B 細胞リンパ腫と同様の像を示す。HIV に関連する AIDS 関連びまん性大細胞型 B 細胞リンパ腫は HAART（highly active antiretroviral therapy）療法導入後は減少している。50歳を超える症例の多くは既知の免疫不全がない高齢者に生じ，EBV に関連する。

3．Lymphomatoid granulomatosis リンパ腫様肉芽腫症（図 2-184）

　定義：EBV 陽性の多形性を示す B 細細胞が T 細胞を主体とする炎症反応を伴って血管周囲性や血管破壊性に増殖するもの。

　特徴：リンパ腫様肉芽腫症とは肺，腎，肝，皮膚などを侵す節外性リンパ球増殖性疾患で，EB ウイルス陽性の異型 B リンパ球が増殖する。中枢神経系原発のものは組織学的に血管中心性あるいは血管破壊性に異型リンパ球の浸潤が認められる（図 2-184）。異型 B 細

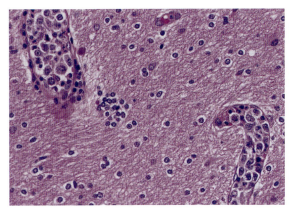 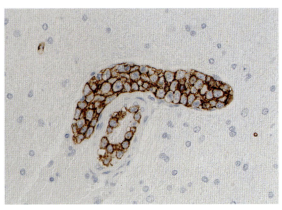

図 2-185　Intravascular large B-cell lymphoma
小血管内に異型リンパ球が充満している。

図 2-186　Intravascular large B-cell lymphoma
血管内異型リンパ球は CD20 陽性 B 細胞である。

胞は CD20(＋), CD30(＋/－), CD15(－)。EBV 陽性 B 細胞の程度で grade 1, 2, 3 に分類されるが, EBV 陽性 B 細胞が grade 1 では 40 個/mm² 未満, grade 2 では 40 個/mm² から 400 個, grade 3 は 400 個/mm² を超える。

4．Intravascular large B-cell lymphoma 血管内大細胞型 B 細胞リンパ腫(図 2-185, 186)

　定義：血管内に限局して増殖する侵襲性の強い B 細胞リンパ腫。

　特徴：症状は梗塞や亜急性脳炎様の変化を示す。西洋亜型とアジア亜型に分けられ, 西洋亜型では中枢神経や皮膚が侵されることが多く, アジア亜型では副腎, 肝臓, 脾臓など実質臓器が主病変部となる。中枢神経系では脳実質内やくも膜下の小型から中型の血管内に, 大型リンパ腫細胞が充満する(図 2-185)。腫瘍細胞は CD20(図 2-186), CD79a, PAX5 などの B 細胞マーカー陽性を示す。血管外への遊走に関与する接着分子 CD29, CD54 (ICAM1)の発現が失われている。中枢神経系では循環障害による梗塞, 壊死, 出血を伴うことも多い。

5．MALT lymphoma of the dura 硬膜 MALT リンパ腫(図 2-187)

　定義：硬膜に発生する濾胞辺縁帯 B 細胞からなる MALT 型の低悪性度 B 細胞リンパ腫。

　特徴：組織形態はほかの部位に発生するものと同様で細胞質の淡明な小型リンパ球の増殖が認められ(図 2-187), 形質細胞への分化やリンパ濾胞の形成を伴っている。分子遺伝学的な IGH::MALT1 融合遺伝子は稀。形質細胞は IgG4 陽性である場合が多いが, 全身性の IgG4 関連疾患とは関連しない。CD21 陽性の濾胞樹状細胞のメッシュワークがみられる。

6．Other low-grade B-cell lymphomas of the CNS 中枢神経系のその他の B 細胞性の低悪性度リンパ腫

　定義：中枢神経系に発生するリンパ腫で, 低悪性度 B 細胞リンパ腫が確認されるもの。

　特徴：中枢神経系に原発として MALT リンパ腫, 小リンパ球性リンパ腫, リンパ形質細胞性リンパ腫等の低悪性度 B 細胞リンパ腫が生じるもの。Ki-67 標識率は 10％未満。比

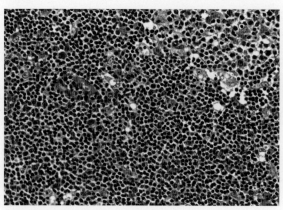

図 2-187　MALT lymphoma of the dura
小型リンパ球のびまん性増殖が認められ，リンパ濾胞（右上）を伴う。

較的稀で，診断には形態や免疫形質に加えてPCRでイムノグロブリンの遺伝子再構成を確認することが重要。

7．Anaplastic large cell lymphoma（ALK＋/ALK－）未分化大細胞リンパ腫（ALK陽性/ALK陰性）

定義：中枢神経原発のCD30陽性末梢性T細胞による未分化大細胞リンパ腫。ALKが陽性のものと陰性のものとがある。

特徴：形態学的に大型の異型リンパ球からなり，免疫組織化学でCD30，EMAが陽性，B細胞マーカーは陰性で，ALK陽性または陰性。ALK陽性例ではALK融合遺伝子が生じ80％以上が*NPM1::ALK*の融合遺伝子産物（p80）である。ALK陽性のものは若年者に多く（中央値17歳），ALK陰性ものは成人に多い（中央値65歳）。

8．T-cell and NK/T-cell lymphomas of the CNS 中枢神経系T細胞およびNK/T細胞リンパ腫

定義：非ホジキンリンパ腫の中で，末梢T細胞性のリンパ腫あるいはNK/T細胞性リンパ腫が中枢神経系に原発として生じたもの。

特徴：若年成人男性に生じることが多く，欧米では極めて稀だが，わが国ではやや頻度が高い。末梢T細胞性リンパ腫の免疫形質としての典型はCD3陽性かつCD8陽性で，細胞傷害関連分子（perforin, granzyme B）の発現がみられる。NK/T細胞性リンパ腫としての免疫形質はCD3陽性かつCD56陽性でCD30陽性の場合が多い。EBERは陽性。炎症反応が鑑別にあがる場合は，T細胞受容体（TCR）の遺伝子再構成によるクローナルな増殖の証明が望まれる。NK細胞に由来するリンパ腫の場合，TCRの再構成はみられない。

B．Histiocytic tumors 組織球性腫瘍

1．Erdheim-Chester disease Erdheim-Chester病

定義：泡沫状の組織球が増生したもので，Tuton型の多核巨細胞や慢性炎症，線維化が生じる。心血管系・骨を含め全身の実質臓器に病変が生じ得る。中枢神経系では病変は小

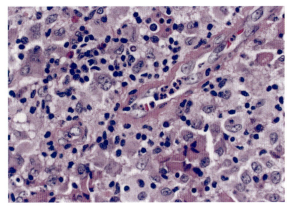

図 2-188　Rosai-Dorfman disease
大型組織球の広い細胞質にリンパ球が取り込まれている（emperipolesis）。

脳，脳幹などの実質，脈絡叢，髄膜などに生じる。

　特徴：小脳症状，錐体路症状，尿崩症がみられる。組織学的には脂肪滴を貪食した組織球の増生がみられる。リンパ球や好酸球浸潤は目立たない。免疫組織化学ではCD68陽性，CD163陽性。S-100蛋白は種々の陽性を示す。ランゲルハンス細胞のマーカー（CD1a，CD207（langerin））は陰性。*BRAF*，*MAP2K1*，*KRAS*，*NRAS* 変異がみられる。

2. Rosai-Dorfman disease Rosai-Dorfman 病（図 2-188）

　定義：髄膜に発生する S-100 蛋白陽性の大型組織球の増殖性疾患で，emperipolesis を示す。

　特徴：Rosai-Dorfman 病は若年者のリンパ節に発生する組織球増殖性疾患。sinus hisitocytosis with massive lymphadenopathy の名称は推奨されていない。通常，単発ないし多発性に髄膜腫様の腫瘤を形成するが，稀に成人の硬膜に認められることがある。組織学的には，広い細胞質を有する組織球の増殖が認められ，リンパ球および形質細胞の浸潤や線維化を伴っている（図 2-188）。特徴的なのは，組織球の細胞質内にリンパ球，形質細胞が取り込まれている像で，emperipolesis と呼ばれている。この組織球は S-100 蛋白，CD68，CD163 陽性を示すが，CD1a，CD207（langerin）が陰性である点でランゲルハンス細胞とは異なる。核内 cyclinD1 陽性。切除やステロイド投与により良好な経過をたどる。大型組織球で円形の核と顆粒状のクロマチン，明瞭な核小体がみられ豊富な細胞質を有する。反応性病変や脱髄疾患との鑑別が必要。

3. Juvenile xanthogranuloma 若年性黄色肉芽腫

　定義：小児や若年成人の脳実質，髄膜で非ランゲルハンス細胞系の泡沫状組織球がTouton 型巨細胞や炎症細胞を伴い増生するもの。

　特徴：中枢神経系病変が単独であるいは全身性の皮膚若年性黄色肉芽腫とともにみられる。中枢神経系病変は脳（53％），脊髄（13％），神経根（15％）にみられる。小児や若年成人に発生する。免疫組織化学にて CD1a 陰性，CD68 陽性，S-100 蛋白陰性。Lysozyme 陰性。*BRAF*，*ARAF*，*NRAS*，*KRAS* 変異が報告されている。

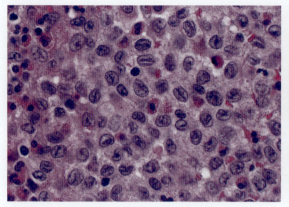 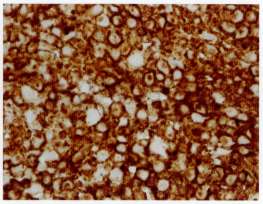

図 2-189　Langerhans cell histiocytosis　核のくびれが目立つランゲルハンス組織球が集簇し，好酸球が混在している。

図 2-190　Langerhans cell histiocytosis　腫瘍細胞は CD1a 染色に陽性を示す。

4．Langerhans cell histiocytosis ランゲルハンス細胞組織球症（図 2-189, 190）

定義：CD1a, CD207（langerin），S-100 蛋白陽性のランゲルハンス細胞の増殖性疾患。中枢神経では脳底部や視床下部に好発する。かつては，病態が異なる eosinophilic granuloma 好酸球性肉芽腫症，Hand-Schüller-Christian 病，Letterer-Siwe 病，ランゲルハンス肉芽腫症に細分類され histiocytosis X と総称されていたが，これらの名称は推奨されていない。

特徴：小児に好発し，顔面部や脳底部の骨内病巣から視床下部，下垂体へ浸潤することが多いが，中枢神経に白質病変としてまたは腫瘤として発生することもある。しばしば尿崩症や内分泌障害で発症する。組織学的には，ランゲルハンス細胞の増生とともに，好酸球，組織球，リンパ球，形質細胞の浸潤を認める。ランゲルハンス細胞は，くびれの目立つ核を有しており，核溝の存在が特徴である（図 2-189）。細胞質は豊かで，弱好酸性を示している。多核巨細胞も混在していることがある。ランゲルハンス細胞の確認には免疫組織化学が有用で，S-100 蛋白，CD1a（図 2-190），CD207（langerin）の発現が特徴的である。Ki-67 標識率は多様で 50％に達する場合もある。電子顕微鏡では rod 形の Birbeck granules がみられる。*BRAF* p.V600E 変異が約 50〜60％にみられる。単発性病変の予後は良好であるが，全身性病変では治療抵抗性を示す。

5．Histiocytic sarcoma 組織球肉腫（図 2-191）

定義：中枢神経系や髄膜に発生する組織球様の形態と免疫形質を示す侵襲性の悪性腫瘍。

特徴：成人に発生する稀な腫瘍。形態的に明瞭な核小体を有する異型の強い組織球が増殖しており，核分裂像もみられる（図 2-191）。CD68 陽性，CD163 陽性，S-100 蛋白陽性。RAS/MAPK 系の遺伝子変異が報告されている。ほかの分化系統の除外（グリア，髄膜，上皮，メラノーマ，リンパ球系，筋系，血管系など）が望まれる。

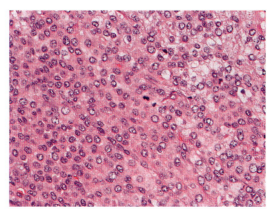

図 2-191　Histiocytic sarcoma
好酸性細胞質をもつ類円形細胞で，一部で泡沫状変化があり，核分裂像が散見される。

10 Germ cell tumors 胚細胞腫瘍

　性腺などに発生する胚細胞腫瘍と同じ組織所見，免疫形質，分子異常を示す腫瘍が，中枢神経にも生じる。中枢神経の胚細胞腫瘍はわが国を含む極東での発生率が高いことが知られており，15歳未満の発生頻度は0.45人/10万人/年と報告されている。ジャーミノーマ（胚腫），奇形腫，胎児性癌，卵黄嚢腫瘍，絨毛癌が主要な組織型で，複数の成分が共存する腫瘍は混合胚細胞腫瘍と呼ばれる。また奇形腫は成熟奇形腫，未熟奇形腫，体細胞型悪性腫瘍を伴う奇形腫に分けられている。

　胚細胞腫瘍は10〜25歳が好発年齢で，大部分は男性に発生するが，鞍上部では女性に多い。ジャーミノーマが約4割，混合胚細胞腫瘍が3割，奇形腫が2割と多くを占めている。胚細胞腫瘍は松果体，鞍上部などの正中線上に位置することが多く，脳室内，脳室周囲，視床線条体などからも発生する。予後は組織型によって大きく異なっている。成熟奇形腫は切除によって治癒可能であり，ジャーミノーマは放射線照射で長期生存が期待される。一方，胎児性癌，卵黄嚢腫瘍，絨毛癌，およびこれらを含む混合胚細胞腫瘍は悪性度が高い。

1．Mature teratoma 成熟奇形腫（図2-192）

　定義：外胚葉，中胚葉，内胚葉のうち少なくとも2つの方向への分化を示す胚細胞腫瘍。

　特徴：2つないし3つの胚葉（外，中，内胚葉）に由来する体細胞からなる胚細胞腫瘍で，mature teratoma 成熟奇形腫とimmature teratoma 未熟奇形腫に分類されている。成熟奇形腫はよく分化した組織だけからなり，皮膚，皮膚付属器，脂肪組織，神経組織，平滑筋，骨・軟骨，唾液腺，呼吸上皮，消化管上皮などを認めることが多い。胎児成分やほかの胚細胞腫瘍の成分はない。

2．Immature teratoma 未熟奇形腫（図2-193）

　定義：奇形腫の中に外胚葉，中胚葉，内胚葉のうち少なくとも2つの方向への不完全な分化を示す胚細胞腫瘍。あるいは成熟奇形腫の中にいずれかの胚葉の未熟な成分を含むも

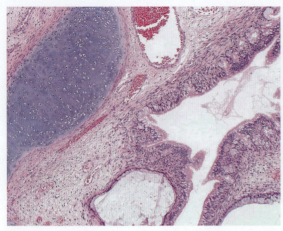 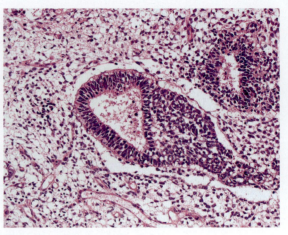

図 2-192　Mature teratoma
成熟した軟骨組織と円柱上皮からなる小囊胞が認められる。

図 2-193　Immature teratoma
神経管様組織と未熟な間葉系組織が認められる。

の。

　特徴：未成熟な成分は，胎児の間質，胎児の腸管，胎児の呼吸器粘膜，神経上皮の多層ロゼットや神経堤様の tubules 形成などが含まれる。

3．Teratoma with somatic-type malignancy 体細胞型悪性腫瘍を伴う奇形腫

　定義：成熟または未熟奇形腫の中に肉腫，癌腫，ほかの定義された腫瘍以外の成分を認めるもので，特徴的な細胞形態，構築，分裂像，増殖形式を示すもの。

　特徴：稀に奇形腫成分の一部が悪性化し，横紋筋肉腫，未分化肉腫，胎児型腺癌，扁平上皮癌など癌腫や肉腫が発生する。このタイプの診断の際は，悪性成分の組織型を記載する必要がある。

4．Germinoma ジャーミノーマ(胚腫)(図 2-194, 195)

　定義：核小体の明瞭な円形核と淡明な細胞質をもつ始原生殖細胞の増殖からなる悪性腫瘍である(図 2-194)。種々の程度に反応性リンパ球の浸潤を伴っている。

　特徴：類上皮細胞からなる肉芽腫やリンパ球が豊富で，腫瘍細胞が目立たないこともある(図 2-195)。免疫組織化学では OCT4, SALL4, KIT, PLAP が陽性，AFP, CD30 は陰性となる。DNA の低メチル化を反映して 5-methylcytosine の発現は欠く。hCG は合胞体栄養膜細胞様巨細胞に陽性(胚腫/ジャーミノーマに合胞体栄養膜細胞様巨細胞を伴う特殊形の場合)。分子遺伝学的には *KIT*, *KRAS* など RAS/MAPK 経路の遺伝子異常が報告されている。ジャーミノーマは最も頻度の高い胚細胞腫瘍で，混合胚細胞腫瘍の成分としても認められる。放射線治療によく反応し，根治率が高い。

5．Embryonal carcinoma 胎児性癌(図 2-196)

　定義：胎児胚盤に似た大型上皮様細胞からなる高悪性度腫瘍。

　特徴：腺管状あるいは乳頭状構造を示し，多数の核分裂像や壊死を認める(図 2-196)。混合胚細胞腫瘍の一成分として認められることもある。免疫組織化学では CD30, SALL4, OCT4 が陽性。KIT は陰性あるいは非細胞膜への部分的な陽性。hCG, AFP 陰性。ほかの

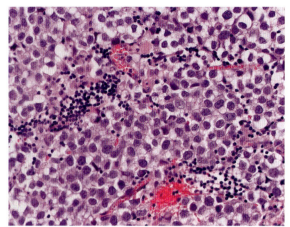

図 2-194　Germinoma
大型で円形の腫瘍細胞が充実性に増殖し，リンパ球浸潤を伴っている。

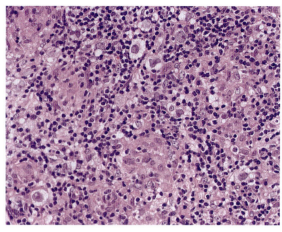

図 2-195　Germinoma
肉芽腫の形成とリンパ球浸潤が顕著で，腫瘍細胞は目立たない。

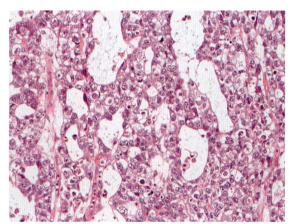

図 2-196　Embryonal carcinoma
異型的な上皮様腫瘍細胞が，腺管状構造を示しながら充実性に増殖している。

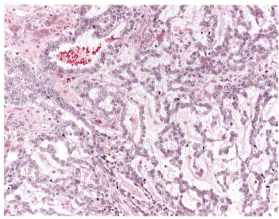

図 2-197　Yolk sac tumor
未熟な腫瘍細胞が索状あるいは網目状に配列している。

胚細胞腫瘍成分がない。Cytokeratin の発現確認が望ましい。

6．Yolk sac tumor 卵黄嚢腫瘍（図 2-197, 198）

　定義：卵黄嚢，尿膜，胚外間葉を模倣するような種々の組織構造を示す高悪性度の胚細胞腫瘍で，α-fetoprotein（AFP）を産生する。

　特徴：未熟な上皮様細胞が網状，充実性に配列し（図 2-197），Schiller-Duval 小体（図 2-198）や hyaline globule を特徴とする。免疫組織化学では AFP，Glypican3 が陽性。PLAP はときに陽性。卵黄嚢腫瘍も混合胚細胞腫瘍の成分として出現することがある。卵黄嚢腫瘍の診断には上記に加えて KIT 陰性，CD30 陰性，hCG 陰性を確認することが必要。

7．Choriocarcinoma 絨毛癌（図 2-199）

　定義：合胞体性栄養膜細胞，細胞性栄養膜細胞，および中間型栄養膜細胞からなる高悪

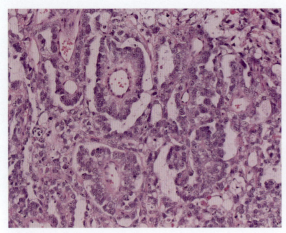

図 2-198　Yolk sac tumor
乳頭状構造からなる Schiller-Duval 小体が認められる。

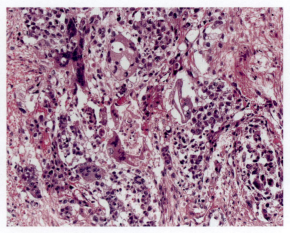

図 2-199　Choriocarcinoma
単核および多核の trophoblast 様腫瘍細胞が不規則に増殖している。

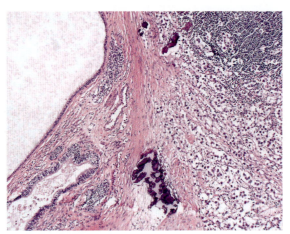

図 2-200　Mixed germ cell tumor
成熟奇形腫（左）と germinoma（右）が共存している。

性度の胚細胞腫瘍（図 2-199）。

特徴：壊死や出血に富み，血液や脳脊髄液で β-human chorionic gonadotropin（β-hCG）が高値となる。免疫組織化学では β-hCG，PLAP が陽性。診断には KIT，AFP，OCT4 陰性の確認が望まれる。

8．Mixed germ cell tumor 混合胚細胞腫瘍（図 2-200）

定義：上記の胚細胞腫瘍の種々の組み合わせからなる腫瘍群である（図 2-200）。

特徴：少なくとも 2 つ以上の胚細胞腫瘍の成分が混在する腫瘍。それぞれの成分の種類とその割合を記載する必要がある。

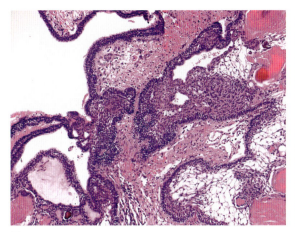

図 2-201　Adamantinomatous craniopharyngioma
歯原性の扁平上皮が増殖し，核の柵状配列と wet keratin（右側）がみられる。

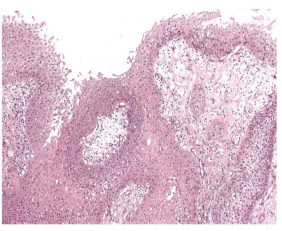

図 2-202　Papillary craniopharyngioma
成熟した重層扁平上皮が乳頭状に増殖している。

11 Tumors of the sellar region トルコ鞍部腫瘍

　頭蓋咽頭腫はトルコ鞍上部に発生し部分的に囊胞を伴う上皮性腫瘍で，ラトケ囊由来と考えられている。従来エナメル上皮腫型と乳頭型に大別されていたが，それぞれ特有の臨床病理像と分子異常がみられる。各々独立したメチル化プロファイルがみられ，WHO 2021 からは独立した腫瘍型となった。

1．Adamantionomatous craniopharyngioma エナメル上皮腫型頭蓋咽頭腫（図 2-201）

　定義：良性の非角化型扁平上皮からなり，星芒状の編み目形成や wet keratin がみられる鞍上部腫瘍。*CTNNB1* 遺伝子変異を有する。CNS WHO grade 1。

　特徴：エナメル上皮腫型の年齢分布は小児と成人の二峰性を示し，日本人における発生率が高い。囊胞形成を伴う分葉状の充実性腫瘍で，囊胞内に機械油様の濃褐色調内容液を入れている。組織学的には，歯原性上皮に似た扁平上皮が索状，分葉状構造を示しながら不規則に増殖している。胞巣の辺縁部で核の柵状配列が認められ，内部では細胞間が離解し網目状構造を呈している（図 2-201）。また好酸性角化物の集塊である wet keratin の形成を伴う。そのほか，コレステリン結晶の沈着，肉芽腫性炎，線維化，石灰化もしばしば観察される。腫瘍周囲の脳実質内にはローゼンタール線維の沈着を伴うグリオーシスがしばしば認められる。95％の例で *CTNNB1* 遺伝子に変異があり，β-catenin が渦巻状集塊部の細胞核内に陽性となる。*BRAF* p.V600E 変異はない。切除術で良好な経過を示すが，不完全切除に終わると再発をきたす可能性がある。

2．Papillary craniopharyngioma 乳頭型頭蓋咽頭腫（図 2-202）

　定義：線維血管コアを有する良性の非角化型扁平上皮が囊胞壁を構成する鞍上部腫瘍であり，第三脳室底の漏斗結節部に発生する。*BRAF* p.V600E 変異を有する。CNS WHO grade 1。

　特徴：乳頭型は中年成人に発生する腫瘍である。境界明瞭な充実性腫瘍として認められ，

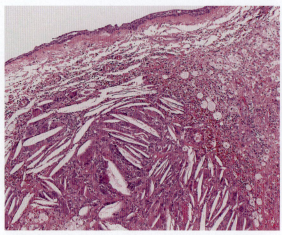

図 2-203 Xanthogranuloma of the sellar region
コレステリン結晶やヘモジデリンの沈着，泡沫細胞浸潤などがみられる。

囊胞を伴っていることもあるが，機械油様の液体や石灰化はみられない。よく分化した重層扁平上皮の乳頭状増殖からなる腫瘍で，エナメル上皮腫型の特徴である核の柵状配列やwet keratin はみられない（図 2-202）。稀に線毛上皮や杯細胞を認めることがある。9 割前後の症例で，CTNNB1 遺伝子変異はなく，β-catenin の核陽性像は認めない。

3．Xanthogranuloma of the sellar region トルコ鞍部黄色肉芽腫（図 2-203）

定義：コレステリン結晶の沈着，泡沫細胞の集簇，慢性炎症細胞浸潤，ヘモジデリン沈着などからなるトルコ鞍部の肉芽腫性病変である（図 2-203）。

特徴：ラトケ囊胞の遺残物に対する反応性病変と考えられており，重層扁平上皮や立方上皮，腺組織を含んでいることがある。一方，エナメル上皮様組織はほとんど認められない。切除を行えば，予後良好とされている。

12 Cystic lesions 囊胞性病変

中枢神経には多様な囊胞性病変が発生する。いずれも非腫瘍性病変であるが，腫瘤を形成し，腫瘍性病変との鑑別が問題になることがある。

1．Rathke cleft cyst ラトケ囊胞（図 2-204）

定義と特徴：トルコ鞍内や鞍上部に発生する上皮性囊胞で，ラトケ囊の遺残物が拡張してできると考えられている。成人女性に多い。囊胞壁は，線毛円柱上皮や杯細胞で覆われており，扁平上皮化生を伴うこともある（図 2-204）。上皮下には疎性結合織が認められる。

2．Epidermoid cyst 類表皮囊胞（図 2-205）

定義と特徴：重層扁平上皮で囲まれた囊胞で，中枢神経系のどの部位にも生じるが，小脳橋角部が好発部位である。囊胞壁は薄い重層扁平上皮で覆われており，内腔には角化物が貯留している（図 2-205）。

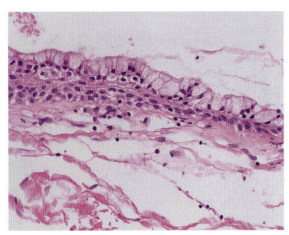

図 2-204　Rathke cleft cyst
囊胞壁は線毛円柱上皮で覆われており，扁平上皮化生を示すこともある。

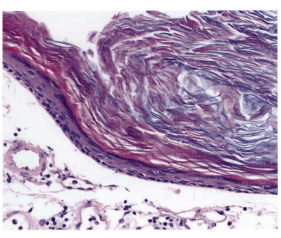

図 2-205　Epidermoid cyst
重層扁平上皮で覆われた囊胞で，内腔側に角化物が付着している。

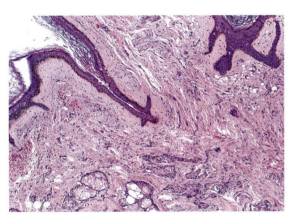

図 2-206　Dermoid cyst
囊胞は重層扁平上皮で覆われており，壁内に脂腺，毛囊などを認める。

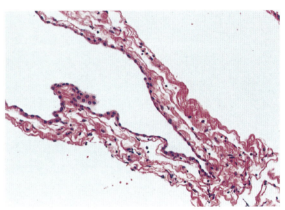

図 2-207　Arachnoid cyst
囊胞壁はくも膜細胞で覆われた薄い線維性組織からなる。

3．Dermoid cyst 類皮囊胞（図 2-206）

　定義と特徴：皮膚付属器を含む重層扁平上皮で囲まれた囊胞である。小児の正中線上に位置し，大泉門，第四脳室，脊髄中心管に関連して発生する。囊胞壁は厚く，角化を示す重層扁平上皮で覆われ，毛囊や皮脂腺などの皮膚付属器と線維脂肪組織を認める（図 2-206）。

4．Arachnoid cyst くも膜囊胞（図 2-207）

　定義と特徴：くも膜で囲まれた囊胞で，脳脊髄液を入れている。Sylvius 裂，小脳橋角部などに好発し，囊胞壁は薄い線維性組織からなり，くも膜細胞を認めることがある（図 2-207）。

5．Colloid cyst of the third ventricle 第三脳室コロイド囊胞（図 2-208）

　定義と特徴：第三脳室前方部に発生する粘液を入れた上皮性囊胞である。成人の第三脳

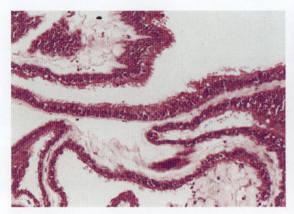

図 2-208　Colloid cyst of the third ventricle
線毛円柱上皮で覆われた囊胞である。

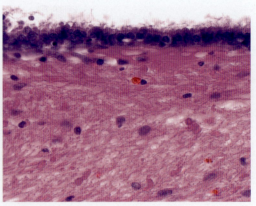

図 2-209　Endodermal cyst
囊胞壁は線毛円柱上皮で覆われている。

室でモンロー孔に近接して，球形の囊胞として認められ，閉塞性水頭症を伴うことがある。囊胞壁は薄く，内面は一層の円柱上皮で覆われている（図 2-208）。線毛上皮や杯細胞が混在しており，気道上皮との類似性が指摘されている。

6．Ependymal cyst 上衣囊胞

定義と特徴：上衣細胞で覆われた囊胞である。脳室に近い実質内に位置しており，線毛を有する上衣細胞で囲まれている。

7．Endodermal cyst 内胚葉性囊胞（図 2-209）

定義と特徴：内胚葉由来の円柱上皮で覆われた囊胞である。異所性の気道上皮や腸管上皮に由来する囊胞で，後頭蓋窩や脊髄の硬膜内髄外に位置していることが多い。一般的に，線毛や粘液を有する円柱上皮で覆われており，扁平上皮化生を認めることもある（図 2-209）。軟骨や粘膜筋板を併せもち，気管支や腸管との類似性を示す例もある。

8．Pineal cyst 松果体囊胞（図 2-210）

定義と特徴：グリア組織で囲まれた松果体の囊胞である。稀に中脳水道を圧迫して頭蓋内圧亢進をきたす。囊胞壁は密なグリア組織からなり，上皮や上衣細胞はみられない。壁にはしばしばローゼンタール線維や鉄貪食細胞の出現を認める（図 2-210）。

9．Choroid plexus cyst 脈絡叢囊胞

定義と特徴：脈絡叢に発生する小型囊胞で，立方上皮で裏打ちされている。

13 Metastases to the CNS 中枢神経系への転移

定義：中枢神経は悪性腫瘍の転移が起こりやすい臓器である。他臓器に発生した腫瘍が血行性に，あるいは頻度は低いが周囲臓器から直接浸潤により，脳に二次性病巣を形成したものである。

特徴：成人担癌患者の 25～30％に脳転移が認められ，10％前後で髄膜転移がみられる。

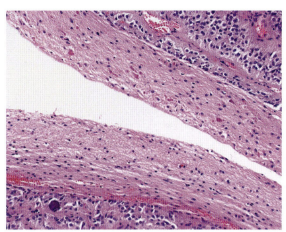

図 2-210　Pineal cyst
囊胞壁はグリア線維からなり，ローゼンタール線維の沈着を認める。

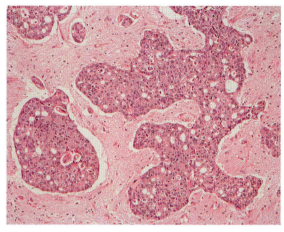

図 2-211　Metastatic lung cancer
脳実質内で腫瘍細胞が胞巣状に配列し，腺腔形成を示している。

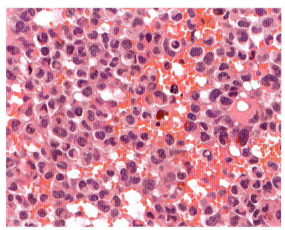

図 2-212　Metastatic melanoma
異型的な上皮様細胞が密に増殖し，メラニン含有細胞も散見される。

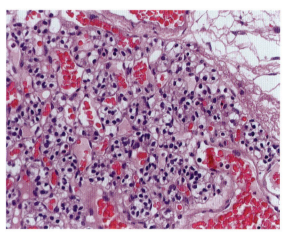

図 2-213　Metastatic renal cell carcinoma
腎明細胞癌の転移で，血管芽腫との鑑別を要する。

　原発腫瘍として，成人では肺癌（腺癌，小細胞癌）（**図 2-211**）が男性で 50％，女性で 32％を占め，乳癌は女性の 28％，消化管由来癌は男性の 11％，女性の 8％，黒色腫（**図 2-212**）は男性の 10％，女性で 7％，腎癌（**図 2-213, 214**）が男性の 7％，女性の 6％，などが挙がる。一方，肝細胞癌の転移は稀である。小児では白血病，悪性リンパ腫，胚細胞腫瘍，骨肉腫，神経芽腫，Ewing 肉腫，横紋筋肉腫などの頻度が高い。ただし原発不明癌が男性の 14％，女性の 8％と多いことも注意が必要である。
　転移性脳腫瘍の 80％は大脳半球に認められ，血管の分水界や皮髄境界部に位置することが多い。頻度は低いが，小脳，脳幹部，髄膜にもみられる。脊髄転移の多くは脊椎骨やその近傍からの波及である。稀に髄膜腫に肺癌や乳癌が転移することもある。硬膜，軟髄膜には前立腺癌，乳癌，肺癌，造血器腫瘍などが転移しやすい。肉眼的には，比較的境界明

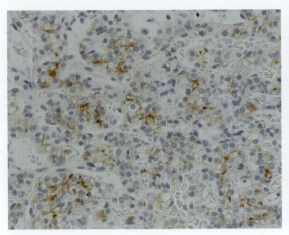

図 2-214　Metastatic renal cell carcinoma
腎癌細胞は CD10 に陽性である。

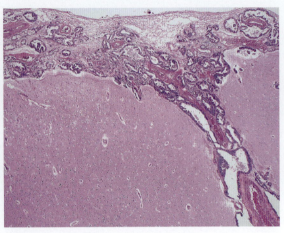

図 2-215　Meningeal carcinomatosis
肺腺癌細胞がくも膜下でびまん性に増殖している。

瞭な球形の多発性腫瘤として認められ，壊死や出血を伴うことが多い。単一の病巣として見出されることもある。くも膜にびまん性に転移をきたしたものは髄膜癌腫症（図 2-215）と呼ばれている。転移性腫瘍の組織所見や免疫形質は，基本的に原発腫瘍と同様である。壊死の領域が広く，腫瘍細胞が辺縁部や血管周囲にしか認められないことがある。腫瘍周囲の脳実質には浮腫やグリオーシスがみられる。転移性脳腫瘍の約 10% は発見時に原発腫瘍が未確認であるが，原発部位の推定には免疫組織化学が有用である。予後因子として，年齢，Karnofsky performance status，脳転移の数，原発病巣の状態などが知られている。

　転移性脳腫瘍は脳腫瘍全体の 16% とされるが，高齢化に伴い数が増加してきており，初発が転移性脳腫瘍の場合もあり病理診断の重要性が高まっている。また，分子標的治療薬や免疫チェックポイント阻害剤などの普及もあり，転移性脳腫瘍での HER2，PDL1，EGFR，*BRAF* p.V600E，BRACA1/2 などの predictive なマーカー分子の発現の有無の検索もしばしば求められる（表 2-7）。原発としては，肺癌が半数以上で，消化管由来癌，乳癌，腎癌が多い。欧米ではメラノーマの頻度が高い。特に肺小細胞癌は，ときに膠芽腫や悪性リンパ腫との鑑別が困難であるため免疫組織化学には重要である（表 2-7）。特に術中迅速診断では，凍結切片の HE 染色に加え，パパニコウロウ染色の細胞診を用いると良い。最近では 20 分程度で完了する迅速免疫染色の自動機の導入も選択肢となっている。

表 2-7 転移性脳腫瘍の診断およびセラノスティックマーカー

	Diagnostic markers	Predictive diagnostic markers
メラノーマ	Melan-A, HMB45, SOX10, BRAF p.V600E	BRAF, NRAS, KIT, PDL1
非小細胞肺癌	CK7, TTF1, napsin A	EGFR, ALK, KRAS, BRAF, HER2, MET, ROS1, PDL1
小細胞肺癌	CK7, CD56, TTF1	None
乳癌	CK7, GCDFP-15, GATA3, mammaglobin	ER, PR, HER2, PDL1, gene expression panels
卵巣癌	CK7, WT1, PAX8	BRCA1, BRCA2, CHEK2, PALB2, RAD51C and/or RAD51D
扁平上皮癌	CK5/6, p63, p40	None
腎癌	PAX8, CD10, RCCm	None
尿路上皮癌	CK5/6, CK7, CK20	PDL1
大腸癌	CK20, CDX2	KRAS, BRAF, NRAS, *MLH1, **MSH2, **MSH6, **MLH1, **PMS2
胃癌	CK7, CK20	HER2, PDL1
前立腺癌	Pancytokeratin, PSA, PSAP, NKX3-1	None
甲状腺癌	TTF1, thyroglobulin, PAX8	None
B 細胞性リンパ腫	CD45, CD20, CD79a	B-cell clonality (IG genes)
T 細胞性リンパ腫	CD45, CD3, CD4, CD8	T-cell clonality (TR genes)

*microsatellite instability, **mismatch repair immunohistochemistry

(WHO 2021 Table 13.01 より引用)

第 3 部
脳腫瘍の治療法

I 手術

脳腫瘍に対して直接行われる手術には，①治療目的の手術，②診断目的の手術がある。治療目的の手術では，治癒・生命予後や機能予後の改善・腫瘍制御を目的とした腫瘍の摘出，術中治療を行う。診断目的の手術では，病理組織診断や分子分類を目的とした生検術を行う。

1 治療目的の手術

A．切除術

治療目的の手術では，摘出度が予後に関わる腫瘍型に対して，機能温存のうえで最大限の切除術（maximal safe resection）が行われる。一般的に摘出検体を用いて病理組織診断等が行われる。ここで，脳腫瘍に対する切除術の考え方は，中枢神経系以外のその他の臓器のがん腫に対するものと大きく異なる。脳腫瘍は良性/悪性，髄外/髄内を問わず，患者のQuality of Life（QOL）に重大な影響を及ぼす脳機能領域，脳神経，脳動/静脈などと密接に関連しているため，腫瘍外の正常組織を切除境界として「治癒切除」を行うことがしばしば困難である。そのために，腫瘍の切除は一般的に腫瘍境界で腫瘍を直接剝離する形で行われる。さらに，切除操作そのものや腫瘍の牽引・圧迫操作が，重要な正常構造の傷害につながる危険性があるため，腫瘍を部分的に摘出・減量しながら切除を進めることもしばしば行われる。機能温存のため腫瘍の一部を切除しない手術方針をとったりすることもある。悪性脳腫瘍に対して，切除術中に腫瘍に対して直接手術操作が加わることが多いという点で，他臓器のがん腫に対する手術と大きく異なる。したがって，切除の質的な評価として，全摘出，亜全摘出，部分摘出，生検などの「摘出度」が用いられる。「摘出度」の定義は，研究ごとに決められ一律でない。近年，画像上で定義される腫瘍領域を超えて切除する「supratotal resection」が検討される場合がある。ただし，腫瘍の摘出度を高める，特に全摘出あるいはそれ以上の摘出を目指す場合には，術後の機能障害のリスクが増大する可能性がある。

腫瘍摘出を行うための光学デバイスとして，従来の手術顕微鏡のほかに，近年，内視鏡・外視鏡が登場し，さまざまな手術に応用されている。開頭術を行って手術顕微鏡を用いて腫瘍摘出を行う方法が主流であるが，下垂体腺腫を含むトルコ鞍近傍の病変や，前頭蓋底・斜台部の病変などに対して，鼻腔からアプローチする経鼻内視鏡手術の利用が進んでいる。

脳腫瘍における切除術の有効性は，腫瘍の病理組織型によって異なる。しかし，原発性脳腫瘍が希少疾病であり，病理組織型が多岐にわたるため，摘出度の予後に及ぼす影響について，エビデンスレベルの高い研究が乏しい。日常診療で頻度の高い髄外腫瘍として，

髄膜腫，神経鞘腫，下垂体腺腫，頭蓋咽頭腫などWHO grede 1の腫瘍が挙げられる。これらは，原則として症候性のもの，増大傾向が明らかであるもの，診断時点で大きな腫瘍について，生命予後・機能の改善，差し迫る機能悪化に対する予防を目的として手術による切除が検討される。これらの腫瘍は全摘出により治癒が期待されるが，実臨床では，先に述べた理由で完全な「治癒切除」が困難であるため，術後，定期的な画像検査による経過観察が推奨される。機能温存のため全摘出できない場合には，後療法が行われる場合がある。

WHO grade 2以上の腫瘍型も，切除が予後を改善すると考えられる腫瘍型が多い。原発性脳腫瘍として代表的な成人のびまん性神経膠腫は，悪性性格を有する腫瘍であるため，一般に，画像診断された時点で手術が検討される。初発膠芽腫に対する本邦のガイドライン[1]では，「膠芽腫では，手術後の一般状態が良い場合において，手術による摘出度が高いほど，無増悪生存期間と全生存期間の改善が認められる」と記載されており，切除による予後改善が期待される。ただし，その前提として，神経症状・全身状態を悪化させないこと，すなわち，maximal safe resectionが必要である。また，膠芽腫の切除度と予後の関連について，Sanaiらの検討では，78％以上の摘出で全生存期間が有意に延長し，摘出割合の増大とともに予後の延長が認められた[2]。びまん性低悪性度神経膠腫については，米国のガイドラインで，経過観察よりも手術摘出の早期介入が望ましいこと，安全に摘出できる場合には，全摘出を目指すべきと記載されている[3]。これは，2012年に北欧から発表された，同一地域の2つの治療方針の異なる病院の研究結果で示されている。このように，生検・経過観察と積極的摘出の，2つの異なる方針を比較した観察研究で，積極的摘出の方針において悪性転化の発生が有意に少ないことが示された[4]。本研究は，その後2017年の続報で，IDH変異，1p/19q co-deletionの状態を含めて再度解析が実施され，分子分類によらず積極的摘出の方針が優れていた[5]。

切除の役割や意義については，腫瘍型によって異なるため，各腫瘍の情報に基づいて検討する必要がある。2022年現在，本邦のガイドラインとして公開された腫瘍型として，成人転移性脳腫瘍，中枢神経系原発悪性リンパ腫，上衣下巨細胞性星細胞腫，びまん性橋膠腫，視神経視床下部神経膠腫，小児・AYA世代上位腫，髄芽腫が公表されている。手術による積極的摘出が一般的に推奨されない腫瘍型には，中枢神経系原発悪性リンパ腫，ジャーミノーマ，神経視床下部神経膠腫，びまん性橋神経膠腫などがある[6]。各腫瘍型で患者個々の病状に応じて，治療方針を検討することが求められる。

B．術中治療・手術支援

近年，治療目的の手術として，切除術だけにとどまらず，複数の術中治療が実用化されている（下記1．～3．）。これらは，主として悪性神経膠腫など原発性悪性脳腫瘍を対象とした治療法であり，切除術と併用で行われるものと，定位的脳手術として行われるものがある。さらに，切除術をより正確で安全に行い，摘出度を向上するために，さまざまな手術支援技術が用いられるようになっている（下記4．～7．）。

1. 術中化学療法

　悪性神経膠腫を対象として，切除術と併用して行う治療法で，カルムスチン・ウエハー（BCNU wafer）を腫瘍摘出腔の切除面に貼付し，化学療法剤が組織内に浸透することで，残存腫瘍細胞に対して治療効果を期待する。なお，カルムスチンは，ニトロソウレア系のアルキル化剤である。化学療法剤の浸透範囲に限界があるため，切除度の高い症例に用いられる。本治療を実施するにあたっては，術中迅速診断などで，悪性神経膠腫であることを確認する必要がある。本治療に関する臨床試験として，240例の悪性神経膠腫（207例の膠芽腫を含む）を対象に海外で行われた国際・多施設共同・二重盲検ランダム化比較試験があり，試験治療群の生存期間の中央値が13.9カ月と，プラセボ群の11.6カ月を上回ることが報告された[7]。

2. 術中光線力学療法

　光線力学療法は，腫瘍親和性光感受性物質の腫瘍組織への特異的な集積性を利用して，そこに特定波長の光線を照射することで一重項酸素などの活性酸素を励起し，細胞傷害作用を発揮する治療法である。悪性神経膠腫など原発性悪性脳腫瘍を対象として，ポルフィリン誘導体であるタラポルフィリンを術前に静注投与したうえで，腫瘍の切除後，摘出腔の切除面で腫瘍残存が疑われる部位に対して赤色レーザー光（波長664 nm）を照射して治療する。本療法も，レーザー光の組織内進達範囲に限界があるため，BCNU wafer同様切除度の高い症例に用いられる。本治療に関する臨床試験として，本邦で実施された27例の悪性神経膠腫を対象とした単アームの第Ⅱ相試験があり，初発膠芽腫症例13例の生存期間の中央値が24.8カ月と報告された[8]。本治療は，BCNU wafer留置と併用して行われない。

3. がん治療用ウイルス療法

　本治療は，放射線治療とテモゾロミドの治療を既に行った悪性神経膠腫症例を対象として，がん治療用ウイルス"oncolytic herpes virus G47Δ"を直接腫瘍内に投与する治療法である。本邦において，残存・再発膠芽腫を対象として本剤を定位的脳手術の手法で投与して行った単アームの第Ⅱ相試験があり，全19例（うちIDH変異6例を含む）に対して生存期間の中央値20.2カ月であったと報告された[9]。

4. 術中光線力学診断

　光線力学診断は，腫瘍親和性光感受性物質の腫瘍組織への特異的な集積性を利用して術中に腫瘍領域を同定する術中診断法である。悪性神経膠腫に対して，5-アミノレブリン酸（5-ALA）を術前に服用することで，これが腫瘍内でプロトポルフィリンⅨに代謝され，手術中，青色光（375～445 nm）の照射により，赤色蛍光（600～740 nm）を示す。術中光線力学診断に関する臨床試験を複数検討したシステマティック・レビューでは，悪性神経膠腫の摘出度の向上，全生存期間・無増悪生存期間の延長につながると報告されている[10]。

5. 術中電気生理学的モニタリング

　手術症例の機能温存を目的に，術中電気生理学的モニタリングが用いられる。モニタリングは，手術中の機能の状態の評価，すなわち機能の障害の有無や程度について評価する狭義の「モニタリング」と，手術野において，神経・白質線維束・神経核・脳機能野の同定を行う「マッピング」の両者を目的として行われる。術中電気生理学的モニタリングの対象

機能として，運動機能に対する運動誘発電位（motor-evoked potential：MEP），体性感覚に対する体性感覚誘発電位（somatosensory-evoked potential：SEP），視覚機能に対する視覚誘発電位（visual-evoked potential：VEP），聴覚機能に対する聴性脳幹反応（auditory brainstem response：ABR），蝸牛活動電位（cochlea-nerve action potential），さらに各種の神経を直接刺激する direct electrical stimulation（DES）などさまざまな誘発電位による手法や脳波（electroencephalography：EEG，electrocorticography：EcoG）などが用いられる。

6．覚醒下手術

覚醒下手術は覚醒下開頭術とも呼ばれ，文字通り術中に覚醒し，言語や運動課題などさまざまな課題を用いて脳機能を直接評価しながら行う手術であり，機能温存と腫瘍摘出の両立を意図して行われる。浸潤性脳腫瘍，特に神経膠腫に対して用いられ，摘出度・術後の合併症の両面で優れていることが示され[11,12]，米国のガイドラインでは，特に機能野の病変に対して本手術が推奨されている[3]。

7．手術ナビゲーション，術中MRIなど術中画像診断支援

手術ナビゲーションは，術中に，術野内の位置情報を確認する画像支援技術である。手術のさまざまな場面で活用され，正確な位置情報の把握に利用されている。しかし，脳内病変の位置情報の信頼性は，"brain shift" と呼ばれる術中の脳の形態変形に伴って低下する問題がある。これに対して術中MRIを代表とする術中画像診断を併用することで，ナビゲーションの信頼性を改善できる。さらに術中画像診断を用いることで，術中の腫瘍摘出の状態・合併症の有無を直接評価できる。術中MRIは，神経膠腫，下垂体腫瘍，小児腫瘍などに用いられ，有効性が報告されている。成人神経膠腫を対象としたランダム化比較試験では，術中MRI使用により，術後の神経脱落症状の出現率を増加させず，摘出度の向上が得られることが示され，米国のガイドラインでは，悪性・低悪性度神経膠腫に対する手術で，その利用が推奨されている[3,13]。

2 診断目的の手術

病理組織診断とこれに基づく治療方針決定を目的として生検術が行われる。特に画像診断など術前の臨床診断において，腫瘍性病変と炎症あるいは脱髄疾患など非腫瘍性病変との鑑別が困難で，治療方針の決定に病理組織診断が必要であると判断される場合や，腫瘍性病変でも，特に中枢神経系原発悪性リンパ腫，ジャーミノーマ，視神経視床下部神経膠腫など，切除術が求められない腫瘍型を鑑別する必要がある場合に生検術が行われる。このほか，近年，がんゲノム医療の文脈で，網羅的分子診断に基づく個別化医療の役割を果たす。生検術の方法は，病変部位や大きさなどの状況に応じて，開頭術で行うもの，経鼻内視鏡手術によるもの，また，穿頭術で行うものなどが選択される。病変部の位置決めには，手術ナビゲーションや術中MRIなど手術画像支援下に行う手法，頭部に専用のフレームを装着して行う定位的脳手術の手法がある。脳室内からアクセス可能な病変や，脳実質内の病変に対して，内視鏡を用いた生検術も行われる。生検術では，病理組織診断が適切に行

われるためには，採取検体量を十分確保するよう努めること，また，腫瘍組織を代表する部位でかつ，安全な部位を適切に選定することが重要である。

参考文献

1) 日本脳腫瘍学会．脳腫瘍診療ガイドライン 成人脳腫瘍編 改訂2版．https://www.jsn-o.com/guideline3/index1.html
2) Sanai N, Polley MY, McDermott MW, et al. An extent of resection threshold for newly diagnosed glioblastomas. J Neurosurg. 2011；115(1)：3-8.
3) Aghi MK, Nahed BV, Sloan AE, et al. The role of surgery in the management of patients with diffuse low grade glioma：A systematic review and evidence-based clinical practice guideline. J Neurooncol. 2015；125(3)：503-30.
4) Jakola AS, Myrmel KS, Kloster R, et al. Comparison of a strategy favoring early surgical resection vs a strategy favoring watchful waiting in low-grade gliomas. JAMA. 2012；308(18)：1881-8.
5) Jakola AS, Skjulsvik AJ, Myrmel KS, et al. Surgical resection versus watchful waiting in low-grade gliomas. Ann Oncol. 2017；28(8)：1942-1948.
6) 日本脳腫瘍学会．脳腫瘍診療ガイドライン．https://www.jsn-o.com/guideline/index.html
7) Westphal M, Hilt DC, Bortey E, et al. A phase 3 trial of local chemotherapy with biodegradable carmustine(BCNU)wafers(Gliadel wafers)in patients with primary malignant glioma. Neuro Oncol. 2003；5(2)：79-88.
8) Muragaki Y, Akimoto J, Maruyama T, et al. Phase II clinical study on intraoperative photodynamic therapy with talaporfin sodium and semiconductor laser in patients with malignant brain tumors. J Neurosurg. 2013；119(4)：845-52.
9) Todo T, Ito H, Ino Y, et al. Intratumoral oncolytic herpes virus G47Δ for residual or recurrent glioblastoma：a phase 2 trial. Nat Med. 2022；28(8)：1630-9.
10) Eatz TA, Eichberg DG, Lu VM, et al. Intraoperative 5-ALA fluorescence-guided resection of high-grade glioma leads to greater extent of resection with better outcomes：a systematic review. J Neurooncol. 2022；156(2)：233-56.
11) De Witt Hamer PC, Robles SG, Zwinderman AH, et al. Impact of intraoperative stimulation brain mapping on glioma surgery outcome：a meta-analysis. J Clin Oncol. 2012；30(20)：2559-65.
12) Bu LH, Zhang J, Lu JF, et al. Glioma surgery with awake language mapping versus generalized anesthesia：a systematic review. Neurosurg Rev. 2021；44(4)：1997-2011.
13) Domino JS, Ormond DR, Germano IM, et al. Cytoreductive surgery in the management of newly diagnosed glioblastoma in adults：a systematic review and evidence-based clinical practice guideline update. J Neurooncol. 2020；150(2)：121-42.

脳腫瘍局所療法と病理変化

1 カルムスチン徐放性ポリマー

　悪性神経膠腫に対する局所的化学療法であるカルムスチン(BCNU)徐放性ポリマーの脳内留置剤(BCNU wafer, Carmustine wafer)は，疎水性の1,3-ビス(4-カルボキシ)プロパンと親水性のセバシン酸の共重合体であるポリフェプロサン20を徐放性基剤としたコイン状の製剤内に脂溶性で高い腫瘍殺傷能を有するBCNU(1枚当たり7.7 mg)を含有させたものである。2013年に，本邦において本剤の臨床使用が可能となった[1]。なお本邦では，本剤の留置前に迅速病理診断による悪性神経膠腫(疑い)の診断が義務づけられている。迅速病理診断においては，最終病理診断と比較して腫瘍の悪性度(WHO グレード)が過小評価される傾向にあるため注意を要する[2]。

　本剤の治療成績の根拠となる米国でのプラセボ対照試験は，現在の化学放射線標準プロトコルで使用されるテモゾロミド(TMZ)時代以前のものであり[3]，TMZ 時代の大規模ランダム化比較試験は今日まで存在しない。TMZ 時代以前の試験を含む60臨床試験のメタ解析では，初発悪性神経膠腫において1年生存率は留置群が67%で非留置群が48%，生存期間(OS)中央値はそれぞれ16.4カ月と13.1カ月であり，TMZを併用した留置群では1年生存率が76%と高かったことが報告されている[4]。初発膠芽腫(GBM)術後の化学放射線標準プロトコルで本剤留置群と非留置群を含む各262症例の傾向照合対照コホート研究では，本剤留置は亜全摘術/全摘術を受けた患者の無増悪生存(PFS)期間の延長と関連していたが($p=0.005$)，OSについては有意差が認められなかった[5]。一方，OSの改善を認めたとする小規模研究もあり，TMZ 時代の4試験をメタ解析した研究においては本剤留置がOSの改善効果を有することが示唆されている[6]。TMZを用いた化学放射線標準プロトコルと本剤の併用効果を実証する大規模ランダム化比較試験が現在，本邦においてJCOG 臨床研究として実施中でありその結果に期待したい[7]。

　Carmustine waferは理論上，全身的副作用毒性を少なくしながら腫瘍への高濃度薬剤曝露を行うことが可能である。薬剤が直接的に腫瘍細胞浸潤域全域を覆う深度に到達するとは考えられていないが，周辺に炎症性変化を惹起することが示唆されている。サルの実験においては，BCNUを含有しない徐放性基剤留置群では周辺0.5～1.0 mmに壊死が生じるのみであったのに対し，12.5 mgのBCNU含有群では16日目には2.0～3.0 mm程度，72日目には6 mm程度に壊死が生じたとされている[8]。また，BCNU含有の有無を問わず，16日目に亜急性期の細胞性炎症反応がみられ，72日目には両群とも5 mm程度の限られた範囲ではあるが慢性的な炎症性変化が生じていたと報告されている[8]。実臨床においても，本剤の留置後に，薬剤浸透範囲を超えた留置周囲脳実質への浮腫増強などの画像的変化が起こることが知られている。例えば，本邦における留置後の切除腔および隣接脳実質の

MRI画像変化において，切除腔壁の明らかな造影効果が術後1カ月の時点で91％にみられ，徐々に消失するとされている[9]。加えて，症候性となるものは少ないが切除腔周囲の浮腫増強が28〜48％の症例で発生するとされている[9-11]。本剤留置後の画像変化は感染症や腫瘍再発と間違われやすいため注意を要する。このように炎症性変化を示唆する画像変化に関する論文は多数あるが，実臨床における病理学的変化の詳細について述べた論文は極めて少ない。GBMへの本剤留置群および非留置群における中央値で8〜10カ月後の再摘出時の病理変化に関する研究報告では，腫瘍組織内のCD8陽性細胞数とCD68陽性マクロファージ数が本剤留置群で再摘出時に有意に多く[12,13]，TMEM119陽性ミクログリア数は有意に少なかった[13]。本剤留置1週間後に発生した脳実質内囊胞に対し再手術を行った症例においても，初回手術時の本剤留置部位近傍の脳実質内の小血管に炎症細胞の多数の浸潤を認めていた[14]。これらの報告より，本剤は切除腔周囲の腫瘍や脳実質への壊死性変化のみならず，周辺脳実質の炎症性変化を惹起することが示唆されるため，病理診断の際に考慮すべきである。

参考文献

1) Nishikawa R, Iwata H, Sakata Y, et al. Safety of Gliadel Implant for Malignant Glioma：Report of Postmarketing Surveillance in Japan. Neurol Med Chir(Tokyo). 2021；61(9)：536-48.
2) Ishikawa E, Yamamoto T, Satomi K, et al. Intraoperative pathological diagnosis in 205 glioma patients in the pre-BCNU wafer era：retrospective analysis with intraoperative implantation of BCNU wafers in mind. Brain Tumor Pathol. 2014；31(3)：156-61.
3) Westphal M, Hilt DC, Bortey E, et al. A phase 3 trial of local chemotherapy with biodegradable carmustine(BCNU)wafers(Gliadel wafers)in patients with primary malignant glioma. Neuro Oncol. 2003；5(2)：79-88.
4) Chowdhary SA, Ryken T, Newton HB. Survival outcomes and safety of carmustine wafers in the treatment of high-grade gliomas：a meta-analysis. J Neurooncol. 2015；122(2)：367-82.
5) Pallud J, Audureau E, Noel G, et al.；Club de Neuro-Oncologie of the Société Française de Neurochirurgie. Long-term results of carmustine wafer implantation for newly diagnosed glioblastomas：a controlled propensity-matched analysis of a French multicenter cohort. Neuro Oncol. 2015；17(12)：1609-19.
6) Ricciardi L, Manini I, Cesselli D, et al. Carmustine Wafers Implantation in Patients With Newly Diagnosed High Grade Glioma：Is It Still an Option? Front Neurol. 2022；13：884158.
7) Kadota T, Saito R, Kumabe T, et al. A multicenter randomized phase III study for newly diagnosed maximally resected glioblastoma comparing carmustine wafer implantation followed by chemoradiotherapy with temozolomide with chemoradiotherapy alone；Japan Clinical Oncology Group Study JCOG1703(MACS study). Jpn J Clin Oncol. 2019；49(12)：1172-5.
8) Brem H, Tamargo RJ, Olivi A, et al. Biodegradable polymers for controlled delivery of chemotherapy with and without radiation therapy in the monkey brain. J Neurosurg. 1994；80(2)：283-90.
9) Ohue S, Kohno S, Inoue A, et al. Evaluation of serial changes on computed tomography and magnetic resonance imaging after implantation of carmustine wafers in patients with malignant gliomas for differential diagnosis of tumor recurrence. J Neurooncol. 2016；126(1)：119-26.
10) Aoki T, Nishikawa R, Sugiyama K, et al.；NPC-08 study group. A multicenter phase I/II study of the BCNU implant(Gliadel® Wafer)for Japanese patients with malignant gliomas. Neurol Med Chir(Tokyo). 2014；54(4)：290-301.
11) Masuda Y, Ishikawa E, Yamamoto T, et al. Early Postoperative Expansion of Parenchymal High-intensity Areas on T2-weighted Imaging Predicts Delayed Cerebral Edema Caused by Carmustine Wafer Implantation in Patients with High-grade Glioma. Magn Reson Med Sci. 2016；15(3)：299-

307.
12) Shibahara I, Hanihara M, Watanabe T, et al. Tumor microenvironment after biodegradable BCNU wafer implantation: special consideration of immune system. J Neurooncol. 2018;137(2):417-27.
13) Shibahara I, Shibahara Y, Hagiwara H, et al. Ventricular opening and cerebrospinal fluid circulation accelerate the biodegradation process of carmustine wafers suggesting their immunomodulation potential in the human brain. J Neurooncol. 2022;159(2):425-35.
14) Matsumura H, Ishikawa E, Matsuda M, et al. Symptomatic Remote Cyst after BCNU Wafer Implantation for Malignant Glioma. Neurol Med Chir(Tokyo). 2018;58(6):270-6.

2 Photodynamic therapy(PDT)

A. PDTとは

　光線力学的療法 photodynamic therapy(PDT)は，腫瘍親和性のある光感受性物質を投与した後，腫瘍組織にレーザ光を照射することにより光化学反応を引き起こし，腫瘍組織を変性壊死させる癌の選択的治療法である。この抗腫瘍効果は光化学反応によって生成される毒性の強い一重項酸素(活性酸素の一種)による強い酸化作用によるものであり，熱反応は関与しないと考えられている[1]。

　PDTはレーザ光照射部位だけに高い抗腫瘍効果を示す局所療法であるため，悪性脳腫瘍細胞と正常脳が混在する腫瘍浸潤部位において，選択的に腫瘍細胞を傷害し，正常脳機能を温存し得る可能性がある論理的で安全性の高い治療法と考えられている[1](図3-1)。

B. 悪性脳腫瘍に対するPDTの実践

　2013年9月に原発性頭蓋内悪性脳腫瘍を対象として保険適用となった方法論は，クロリン誘導体であるレザフィリン®と，その励起光を発するPDレーザBT®を用いたものである。手術にて腫瘍を摘出する時間を予測し，その22～26時間前に体表面積あたり40 mgのレザフィリン®を静脈注射する。翌日，腫瘍を可及的に摘出した後の摘出腔の壁面に対し，術者がPDT照射ターゲットを選定し，PDレーザBT®が発する664 nmの赤色半導体レーザ光を，顕微鏡視野下に直径15 mmの円型表面照射(照射パワー密度は150 mW/cm^2，照射時間は3分間，照射エネルギー密度は27 J/cm^2)を行う[1]。照射箇所の数に制限はない

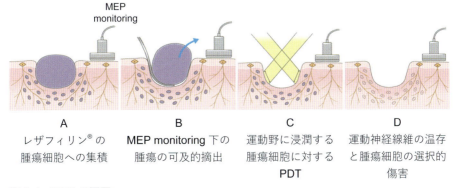

A	B	C	D
レザフィリン®の腫瘍細胞への集積	MEP monitoring下の腫瘍の可及的摘出	運動野に浸潤する腫瘍細胞に対するPDT	運動神経線維の温存と腫瘍細胞の選択的傷害

図3-1　PDTの概要

| PDT施行中の風景 手術室の遮光と術者がレーザ光保護メガネを装着する | 手術顕微鏡から一定距離(30 cm)でのレーザ光(1.5 cm径)の円形表面照射 | PDTシート®(円形・矩形)を用いた重複照射・血管照射の回避 |

図3-2 PDTの実践

が，各照射ターゲットが重複することによる過剰照射は避けなければならない．また，主要血管内にはアルブミンと結合したレザフィリン®が残存しており，レーザ光照射による血栓形成を避ける必要もある．これらを予防するために，レーザ光の貫通を100%遮断し得るPDTシート®を用いることが推奨されている[1]（図3-2）．

なお，レザフィリン®静脈注射後は皮膚や網膜に薬剤が残存するため，500ルクス以下という遮光環境下での患者管理を最短1週間行う．投与1週間の時点で光線過敏反応の有無を検査し，遮光管理の解除を検討するが，投与後2週間までには光線過敏反応は消失すると考えられている[1]．

C．PDT施行条件

PDレーザBT®はJIS規格によりクラス3Bのハイリスク医療機器と定義されており，PDT施行者はPDT講習会に参加し，研修プログラムを終了している必要がある．そして，PDTの安全施行ガイドラインが日本脳神経外科光線力学学会から交付されている．

PDTは手術前日に薬剤を投与する必要があるため，臨床像や画像診断にて原発性悪性脳腫瘍であることを推定しなければならない．さらに，レーザ光の脳実質内深達性は5〜7 mm，実効深度は11 mm程度と推定されているため，術前から亜全摘出以上の摘出度が見込める症例を選択すべきである[2,3]．なお，PDT施行医および助手らには，レーザ光照射中に専用保護メガネを着用することが義務づけられている．

D．国内での実施状況と最新の治療成績

2014年1月の保険償還から8年が経過し，国内では漸次PDT施行医療機関が増加，現在30施設を超える医療機関で症例を選択して行われている．当初は成人初発グリオーマを対象とした報告が多かったが，最近では再発例や高齢者および小児のグリオーマ例や，悪性髄膜腫瘍に対するPDTの安全性，有用性に関する報告が増えてきている．

初発膠芽腫に対するPDTの成績を報告したNittaら[4]によれば，median-PFSは19.6カ月（対照は9カ月），median-OSは27.4カ月（対象は22.1カ月）とPDTの優位性を示し，

PDT後再発パターンにおいて，局所制御効果も示した．また，再発膠芽腫を対象としたKobayashiらの報告[5]でも，median-PFSは5.7カ月（対象は2.2カ月），median-OSは16カ月（対照は12.8カ月）と再発例においてもPDTが有効で，予後因子としては再手術前KPSとPDTの施行であると述べた．さらに，小児（10〜18歳）悪性グリオーマ8例を対象としたChibaらの報告[6]では，症例数の問題で有効性を示しきれないものの，小児例に対する本PDTプロトコールの安全性を示した．いずれの報告をみても，PDTに直接関連する有害事象の報告は認めず，PDTが悪性脳腫瘍に対して安全で有効な治療であることが示されている．

参考文献
1) Akimoto J. Photodynamic Therapy for Malignant Brain Tumors. Neurol Med Chir(Tokyo). 2016；56(4)：151-7.
2) Ogawa E, Akimoto J, Fukami S, et al. Diffused light attenuation at 664 nm for PDT in salted cadaver brain. Photodiagnosis Photodyn Ther. 2020；29：101593.
3) Akimoto J, Fukami S, Suda T, et al. First autopsy analysis of the efficacy of intra-operative additional photodynamic therapy for patients with glioblastoma. Brain Tumor Pathol. 2019；36(4)：144-51.
4) Nitta M, Muragaki Y, Maruyama T, et al. Role of photodynamic therapy using talaporfin sodium and a semiconductor laser in patients with newly diagnosed glioblastoma. J Neurosurg. 2018；131(5)：1361-8.
5) Kobayashi T, Nitta M, Shimizu K, et al. Therapeutic Options for Recurrent Glioblastoma-Efficacy of Talaporfin Sodium Mediated Photodynamic Therapy. Pharmaceutics. 2022；14(2)：353.
6) Chiba K, Aihara Y, Oda Y, et al. Photodynamic therapy for malignant brain tumors in children and young adolescents. Front Oncol. 2022；12：957267.

3 ウイルス療法

A．腫瘍選択的殺細胞効果と抗腫瘍免疫の惹起

ウイルス療法は，腫瘍細胞のみで複製できるように改変したウイルスを薬として用いて，正常組織を傷害することなくその直接的な殺細胞効果によりがんの治癒を図る治療法である[1]．また，ウイルス療法はがん細胞に感染したウイルスが免疫に排除される過程で特異的抗がん免疫を惹起し，長期的な疾患制御に寄与する．ウイルス療法は古くから試されてきたが，開発が飛躍的に進んだのは，ウイルスゲノムを設計した遺伝子組換えウイルスを使うようになった1990年代以降で，これまで単純ヘルペスウイルスⅠ型（HSV-1）やアデノウイルス，ワクシニアウイルス，コクサッキーウイルス，ニューカッスル病ウイルス，レオウイルス，麻疹ウイルス，ポリオウイルスなどを用いたがん治療用ウイルス（oncolytic virus）が次々に開発された．2015年には第二世代HSV-1であるT-VEC（一般名talimogene laherparepvec，製品名Imlygic®）が，先進国初のウイルス療法薬として進行悪性黒色腫を対象に欧米で承認され，2021年には第三世代HSV-1であるG47Δが悪性神経膠腫に対するウイルス療法薬として厚生労働省から承認された（条件及び期限付承認）．脳腫瘍に対して臨床開発が行われているアデノウイルス，ポリオウイルス，HSV-1について解説する．

B. 脳腫瘍に用いられるがん治療用ウイルス

1. アデノウイルス

　アデノウイルスはエンベロープのない二重鎖DNAウイルスで，幼児期に気道感染により「かぜ」症状を起こす原因ウイルスの一つである。がん治療によく用いられるものはサブグループCに属するヒト5型アデノウイルスで，感染には，細胞表面のCAR（coxsackievirus and adenovirus receptor）と結合する必要がある。DNX-2401［一般名 tasadenoturev, 当初の開発品名 Delta-24-RGD（arginine-glycine-aspartic acid）］はCAR陰性の樹状細胞やがん細胞にも容易に感染できるように，ファイバーノブのHIループにRGD（リジン-グリシン-アスパラギン酸）からなるペプチドを挿入してインテグリンとの結合能をもたせたがん治療用アデノウイルスである[2]。

　KEYNOTE-192試験として，再発膠芽腫の49例を対象に腫瘍内にDNX-2401を投与し，その7日後から3週間ごとに抗PD-1抗体であるpembrolizumabを静脈内投与するという第Ⅱ相臨床試験（ClinicalTrials.gov登録番号：NCT02798406）が行われ，その全生存期間中央値は12.5カ月（1年生存割合54.5％）と報告されている[3]。また，小児を対象に初発びまん性橋膠腫（diffuse intrinsic pontine glioma：DIPG）12例を対象に腫瘍内にDNX-2401を1回投与し，その後54（39.0〜59.4）Gyの照射を追加する第Ⅰ相試験（ClinicalTrials.gov登録番号：NCT03178032）が行われた[4]。照射併用ではあるが9例で腫瘍サイズの縮小を認め，全生存期間中央値は17.8カ月であった。

2. ポリオウイルス

　ポリオウイルスは神経親和性のあるRNAウイルスで，急性灰白髄炎の原因ウイルスである。ウイルスの侵入にはCD155が必要で，ウイルス粒子は悪性神経膠腫細胞や抗原提示細胞の表面上にあるCD155を介して侵入する。ポリオウイルスは複製に関与するinternal ribosome entry site（IRES）によって腫瘍選択的殺細胞効果を発揮し，抗原提示細胞にも感染して炎症反応を促進し抗がん免疫の賦活化に寄与すると考えられている[5]。

　PVSRIPOはポリオウイルスのIRESをヒトライノウイルスのIRESで置換したキメラウイルスで神経膠腫を選択的に破壊する。テント上の再発膠芽腫の61例を対象にPVSRIPOを対流強化輸送（convection-enhanced delivery）により腫瘍内投与する第Ⅰ相試験（ClinicalTrials.gov登録番号：NCT01491893）が行われた[6]。61例の全生存期間中央値は12.5（95％信頼区間，9.9-12.5）カ月で，historical control群102例の11.3（95％信頼区間，9.8-12.5）カ月と比べて改善はわずかであったが，24カ月時点の生存割合は21（95％信頼区間，11-33）％で，その後36カ月時点でもtail plateauが持続していた[6]。PVSRIPO関連のGrade 3以上の有害事象は10例（19％）であったが，すべての患者で脳浮腫に対しコルチコステロイドの投与を必要とし，最終的に決定した第Ⅱ相試験の用量は開始用量の10^8 50％ tissue-culture infectious doses（$TCID_{50}$：50％組織培養感染量）よりも低い$5.0×10^7$ $TCID_{50}$となった。

3. 単純ヘルペスウイルスⅠ型

　HSV-1は，エンベロープをもつ二重鎖DNAウイルスで，口唇ヘルペスの原因ウイルスである。HSV-1は接触によってのみ感染し，骨髄細胞を除くあらゆる細胞に感染可能であ

る。そのため腫瘍内投与により容易に感染が細胞から細胞に伝搬し，その効果は血中の抗HSV-1抗体の有無には影響されないため，繰り返し投与しても効果が落ちることはない。

a．第一世代：HSV1716

HSV1716は神経毒性遺伝子（neurovirulence gene）であるγ34.5遺伝子を欠失させた第一世代HSV-1である。HSV1716はこの欠失により，宿主細胞の二本鎖RNA依存性プロテインキナーゼ（double-stranded RNA-activated protein kinase：PKR）を阻害できなくなるため，PKR活性が元来低いがん細胞では複製できるが正常細胞では複製できない。HSV1716は悪性神経膠腫を対象に英国で複数の第Ⅰ相臨床試験が行われ，$1×10^5$pfu（プラーク形成単位＝感染するウイルスの個数）という比較的低い用量では安全であることが示された。初発または再発悪性神経膠腫患者12例を対象に開頭腫瘍摘出時に$1×10^5$pfuのHSV-1716を残存腫瘍の8～10カ所に投与するという第Ⅰ相臨床試験（ClinicalTrials.gov登録番号：NCT02031965）が行われ，脳腫瘍内投与の安全性が確認されている[7]。

b．第二世代：G207

G207はγ34.5遺伝子の欠失に加え，DNA合成に必須であるリボヌクレオチド還元酵素の大サブユニットをコードするICP6遺伝子に大腸菌のLacZ遺伝子を挿入して不活化した第二世代がん治療用HSV-1である[8]。G207はこの二重変異により高い安全性が確保されており，再発悪性神経膠腫患者を対象に米国で最初に行った第Ⅰ相試験では，$3×10^9$pfuまでの脳腫瘍内投与の安全性が示された。再発または進行性の小児高悪性度神経膠腫を対象に，G207の腫瘍内投与後24時間以内に5Gyの局所照射を行うという第Ⅰ相臨床試験（ClinicalTrial.gov登録番号：NCT02457845）が行われ[9]，再発または進行性の小児高悪性度神経膠腫の全生存期間中央値は5.6カ月とされるが，本試験の全生存期間中央値は12.2（95％信頼区間，8.0-16.4）カ月であった。12例中4例で治療後2～9カ月に生検または切除が行われており，$CD4^+$および$CD8^+$T細胞の腫瘍内浸潤像を認めた。

c．第三世代：G47Δ

G47Δはγ34.5遺伝子，ICP6遺伝子，α47遺伝子の3つのウイルス遺伝子を改変した第三世代がん治療用HSV-1である。α47遺伝子は抗原提示関連トランスポーター（transporter associated with antigen presentation：TAP）に関連する遺伝子で，α47遺伝子を欠失させると特異的抗がん免疫の惹起が増強されるとともに，α47遺伝子と重なるUS11遺伝子のプロモーターも欠失するのでγ34.5変異のsecond site suppressorとして機能し，γ34.5欠失により減弱したHSV-1の複製能をがん細胞内に限って復活させる。G47Δは，G207の安全性をさらに向上させ，同時にがん細胞においてはG207の約10倍のウイルス複製能と約10倍の殺細胞効果をもたらすことに成功した[10]。G47Δは世界に先駆けて日本で臨床開発が進められ，2009年から進行性膠芽腫患者を対象にした第Ⅰ～Ⅱa相試験にて1回あたり$1×10^9$pfuの脳腫瘍内投与の安全性が確認され[11]，2015年からは，残存または再発膠芽腫を対象に$1×10^9$pfuのG47Δを定位脳手術により最大6回まで腫瘍内に反復投与する第Ⅱ相試験（UMIN-CTR臨床試験登録システム，登録番号：UMIN000015995）が医師主導治験として行われた[12]。製造販売承認申請の主試験（pivotal study）となった本治験は中間解析で有効中止となり，被検者は19例であった。被験者19例中12例は最大の6回の

投与を受けた。最終解析では，主要評価項目であるG47Δ開始後の1年生存割合は84.2（95％信頼区間，60.4-96.6）％であった。副次評価項目の全生存期間中央値は，G47Δ開始後20.2（95％信頼区間，16.8-23.6）カ月，初回手術後28.8（95％信頼区間，20.1-37.5）カ月で，うち3例がG47Δ開始後4年以上再発なしに生存中である。2年間の最良総合効果は部分奏効1例，安定18例で，6回投与した12例のうち7例はG47Δの最終投与から9〜12カ月で標的病変の縮小を認めた。G47Δに関連する有害事象で最も頻度が高かったのは発熱（19例中17例）であり，続いて，嘔吐，悪心，リンパ球減少，白血球減少であった。G47Δを反復して投与するに従ってCD4$^+$およびCD8$^+$T細胞が腫瘍内に集積する一方で，制御性T細胞（regulatory T cell）のマスター転写因子として働くFoxp3を発現した細胞は少ないまま維持されることが観察された。

C．ウイルス療法の今後

日本では悪性神経膠腫を対象にG47Δ（デリタクト注）が世界に先駆けて実臨床で使用できるようになった。第Ⅱ相試験の結果では，長期生存は一部の症例にとどまったものの，再発膠芽腫が治癒する可能性を示すものであり，治癒し得なかった場合でも，ウイルス療法を加えたことによって生存期間が延長することが示唆された。ウイルス療法の副作用は主として免疫反応に起因し，ほかのがん治療法に比べ比較的軽い。特にG47Δは安全性が高く，手術，放射線，薬物療法との併用が可能である。ウイルス療法は同一の作用機序で多くの固形がんに対して治療効果を発揮することから，近い将来，がん治療の一ジャンルとなり，多くのがんで標準治療として用いられるようになると期待される。

参考文献

1) Saha D, Ahmed SS, Rabkin SD. Exploring the antitumor effect of virus in malignant glioma. Drugs Future. 2015；40(11)：739-49.
2) Dai B, Roife D, Kang Y, et al. Preclinical Evaluation of Sequential Combination of Oncolytic Adenovirus Delta-24-RGD and Phosphatidylserine-Targeting Antibody in Pancreatic Ductal Adenocarcinoma. Mol Cancer Ther. 2017；16(4)：662-70.
3) Zadeh G, Daras M, Cloughesy TF, et al. LTBK-04. Phase 2 multicenter study of the oncolytic adenovirus DNZ-2401(tasadenoturev)in combination with pembrolizumab for recurrent glioblastoma；captive study(KEYNOTE-192). Neuro-Oncology. 2020；22(Suppl_2)：ii237.
4) Gállego Pérez-Larraya J, Garcia-Moure M, Labiano S, et al. Oncolytic DNX-2401 Virus for Pediatric Diffuse Intrinsic Pontine Glioma. N Engl J Med. 2022；386(26)：2471-81.
5) Brown MC, Gromeier M. Cytotoxic and immunogenic mechanisms of recombinant oncolytic poliovirus. Curr Opin Virol. 2015；13：81-5.
6) Desjardins A, Gromeier M, Herndon JE 2nd, et al. Recurrent Glioblastoma Treated with Recombinant Poliovirus. N Engl J Med. 2018；379(2)：150-61.
7) Harrow S, Papanastassiou V, Harland J, et al. HSV1716 injection into the brain adjacent to tumour following surgical resection of high-grade glioma：safety data and long-term survival. Gene Ther. 2004；11(22)：1648-58.
8) Markert JM, Medlock MD, Rabkin SD, et al. Conditionally replicating herpes simplex virus mutant, G207 for the treatment of malignant glioma：results of a phase I trial. Gene Ther. 2000；7(10)：867-74.
9) Friedman GK, Johnston JM, Bag AK, et al. Oncolytic HSV-1 G207 Immunovirotherapy for Pediatric

High-Grade Gliomas. N Engl J Med. 2021；384(17)：1613-22.
10) Fukuhara H, Ino Y, Todo T. Oncolytic virus therapy：A new era of cancer treatment at dawn. Cancer Sci. 2016；107(10)：1373-9.
11) Todo T, Ino Y, Ohtsu H, et al. A phase I/II study of triple-mutated oncolytic herpes virus G47Δ in patients with progressive glioblastoma. Nat Commun. 2022；13(1)：4119.
12) Todo T, Ito H, Ino Y, et al. Intratumoral oncolytic herpes virus G47Δ for residual or recurrent glioblastoma：a phase 2 trial. Nat Med. 2022；28(8)：1630-9.

4 Convection-enhanced delivery(CED)

　悪性神経膠腫に対する化学療法の効果は低く，血液脳関門(blood-brain barrier：BBB)の存在により全身に投与された薬剤が腫瘍局所で腫瘍治療濃度を達成することが難しいことが一因と考えられている。局所投薬はBBBをバイパスする投与法であるが，脳内広範囲への投薬が難しいため，これまで実施されなかった。対流強化薬剤送達(convection-enhanced delivery：CED)は，従来の局所投与と違い，局所に広範な薬剤拡散を達成する方法として注目されている。CEDは，1994年に米国で開発・報告された技術である[1]。原理的には脳内に留置したカテーテルの先端に陽圧を維持しながら薬剤を注入することで，脳組織間質に存在する対流を強化して薬剤を広く拡散させる技術である。通常の注入では，脳内への分布は単純拡散に依存するのに対して，CEDでは陽圧注入による拡散に加えて注入終了後の単純拡散も期待できるので，脳内広範囲への薬剤送達が可能となる。脳内任意の部位へ，定位的手術により針もしくはカテーテルを留置して微量注入ポンプを用いて持続的に薬液を注入する(図3-3)。BBBを介さずに直接高濃度の薬剤を投与できることから，脳腫瘍，パーキンソン病，てんかんなど局所病変に対する臨床研究が進められている。本邦ではニムスチン塩酸塩を小児脳幹グリオーマにCEDで注入する治験が実施された[2]。実際の薬剤投与においては，以下に示すようにいくつかの点を理解したうえで実施する。

　①薬液の逆流：維持する圧が高すぎるとカテーテルに沿った逆流が生じ，脳脊髄液内に薬液が失われてしまう。Step-designなどカテーテルには何らかの逆流防止機構が必要である。

　②カテーテル留置部位：カテーテル先端は，脳表から2cm以上の深さで，脳室壁，脳溝からも距離を置くことが求められる。

　③薬剤拡散の程度は薬剤ごとに異なる[3]：CEDを用いればどのような薬剤でも広く拡散するわけではない。脳組織との親和性が低いことが重要であり，陽性荷電薬剤，脂溶性薬剤の拡散は極端に制限される。中性から陰性荷電，水溶性薬剤であればある程度の拡散が期待されるが，その程度はそれぞれの薬剤により異なる。

　④拡散する薬剤の局所毒性は薬液濃度に依存する：しっかり拡散させることができる薬剤において局所毒性は薬剤用量よりも薬液濃度に依存する。

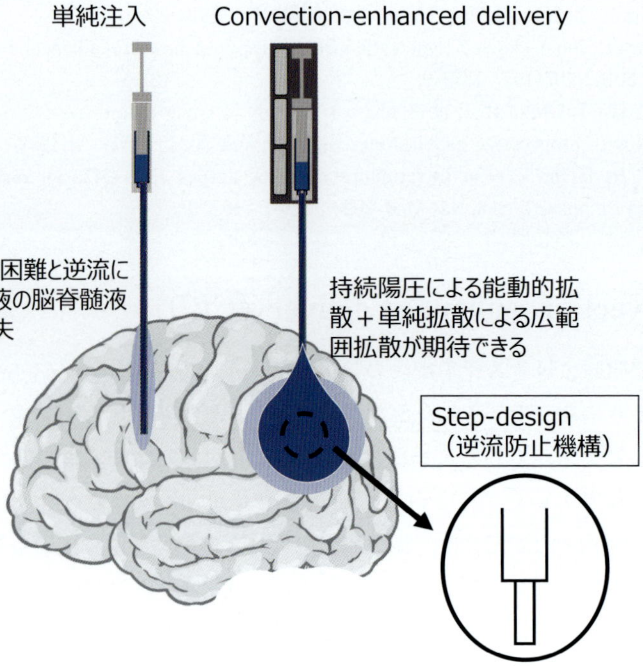

図 3-3 Convection-enhanced delivery
単純注射と Convection-enhanced delivery：Convection-enhanced delivery は注入薬剤の逆流を防止しつつ持続的に陽圧注入することで脳内広範囲薬剤拡散を達成する。

参考文献

1) Bobo RH, Laske DW, Akbasak A, et al. Convection-enhanced delivery of macromolecules in the brain. Proc Natl Acad Sci USA. 1994；91(6)：2076-80.
2) Saito R, Kanamori M, Sonoda Y, et al. Phase I trial of convection-enhanced delivery of nimustine hydrochloride(ACNU)for brainstem recurrent glioma. Neurooncol Adv. 2020；2(1)：vdaa033.
3) Saito R, Krauze MT, Noble CO, et al. Tissue affinity of the infusate affects the distribution volume during convection-enhanced delivery into rodent brains：implications for local drug delivery. J Neurosci Methods. 2006；154(1-2)：225-32.

放射線治療

　脳に発生する悪性腫瘍は正常脳組織に浸潤性に進展するものが多く，手術療法単独での根治は困難なことが多い．また良性脳腫瘍についても，発生部位によっては機能温存と手術摘出の両立が困難なことが少なくない．そのため脳腫瘍領域では，悪性・良性腫瘍いずれの場合も放射線治療が果たす役割は大きい．放射線治療は，体外から照射する「外照射」と体内から照射する「内照射」に大別される．内照射は，密封された放射性同位元素（ラジオアイソトープ）を腫瘍の内部または表面に留置する「密封小線源治療」と，密封されていないラジオアイソトープを体内に投与する「非密封小線源治療」に分けられるが，中枢神経領域において内照射の適応は限定的であるため，ここでは主に外照射について記載する．外照射には，X線やガンマ線などの光子線を用いた方法と，陽子線・重粒子線・中性子線などの粒子線を用いた方法がある．

1 中枢神経系への照射における放射線治療に関する分類と用語

　放射線治療の領域は技術の進歩に伴い次々に新たな用語が出現し，あたかも別の技術かのように紹介されることもあるので注意が必要である．ここでは照射標的に基づいた分類と照射技術に関連した分類に分けて記載する．

A．照射標的に基づいた分類
1．全脳全脊髄照射
　髄芽腫のような髄膜播種の危険性が高い病態に用いられる．
2．全脳照射
　転移性脳腫瘍や中枢神経原発悪性リンパ腫など，脳全体に腫瘍が散布された病態に用いる．
3．全脳室照射
　限局性の germinoma で用いられる．
4．拡大局所照射
　正常組織に微小病変が浸潤している可能性が高い場合に用いられる．膠芽腫では画像で見えている病変から 1.5～2.0 cm 拡大した範囲を照射標的にする．
5．局所照射
　良性腫瘍のように腫瘍と正常組織の境界が明瞭な場合に用いられる．その中で，主に 3 cm 以下の小病変に対して高線量を集中させて照射する場合には定位放射線照射という名称がついている．

B．照射技術に関連した分類
1．位置照合精度に関連する技術
a．定位放射線照射(stereotactic irradiation：STI)

定位型手術枠またはプラスチックシェルなどの着脱式固定具を用い，照射中心を固定精度内(日本の保険制度上は2mm以内)・照射装置の照射中心精度が1mm以内という高い位置精度のもとで，小病巣に対して高線量を集中的に照射する放射線治療の総称が定位放射線照射である。1回で照射する方法を定位手術的照射(stereotactic radiosurgery：SRS)，数回以上に分割して照射する方法を定位放射線治療(stereotactic radiotherapy：SRT)と呼ぶ。ただし，国際的には1回で照射する場合をsingle-fraction(SF)-SRS，3～5回程度の寡分割をmulti-fraction(MF)-SRS，それ以上の分割をSRTと呼ぶ方向でまとまりつつある。

b．画像誘導放射線治療(image-guided radiation therapy：IGRT)

これは位置照合精度を高めるための手法に関する方法であり，定位放射線照射などの下位にある用語といえる。例えば，着脱式固定具を用いた定位放射線照射では，固定具装着下で2軸のX線写真を撮像し，CT再構成シミュレーション画像との合わせ込みを行い1mm以下の位置再現精度が可能となる。この合わせ込みのことをIGRTと呼ぶ。

2．照射標的形状への線量分布の合わせ込みの方法
a．三次元原体照射法(three-dimensional conformal radiation therapy：3D-CRT)
b．強度変調放射線治療法(intensity modulated radiation therapy：IMRT)
c．強度変調回転放射線治療(volumetric modulated arc therapy：VMAT)

これらは，いずれも線量分布を照射標的の形状に合わせ込む方法の名称である。いずれもマルチリーフコリメータ(multi leaf collimator：MLC)と呼ばれる数ミリメートル幅の金属の板により線量分布の合わせ込みを行うが，3D-CRTではプラン作成者が試行錯誤しながら最適化していくフォワードプランニングで行うのに対し，IMRTでは，あらかじめ照射標的への投与線量と，周囲正常組織の線量制約を設定しコンピュータに最適化計算させるインバースプランニングが用いられる。これにより三次元的に複雑な形状をもった照射標的でも合わせ込みが可能となり，周囲危険臓器の線量を下げることが可能となる。VMATは回転型のIMRTであり，照射時間の短縮というメリットがある。なお，IMRTの施行にあたっては放射線腫瘍医や医学物理士・放射線技師の人数などの施設要件を満たしている必要がある。

3．特別な名称がついた放射線照射法
a．単一アイソセンターVMAT(single isocenter VMAT：SI-VMAT)

多発脳転移に対する定位放射線照射として開発された照射技術である。従来の定位放射線照射では，病変1つずつ照射野中心を移動して治療する必要があったため多発脳病変ではさまざまな制約から転移個数を限定する必要があったが，単一アイソセンターで多発病変に対して同時に治療することが可能となったため，技術的には転移個数を限定せずに定位放射線照射を行うことが可能となった。また，着脱式固定具を用いるため分割照射(MF-SRS，SRT)も可能となり，特に病変サイズが大きな転移がある場合には有利である。

b．海馬回避全脳照射（hippocampal avoidance whole brain radiation therapy：HA-WBRT）

前述の強度変調放射線治療の技術を用いて，海馬に線量制約をかけて線量低減することで全脳照射に伴う認知機能低下のリスク低減を目的として開発された照射法である。

C．特殊な放射線治療法
1．陽子線治療，重粒子線治療，ホウ素中性子捕捉療法

水素の原子核・炭素の原子核を光速の70％程度まで加速して照射する外照射を，それぞれ陽子線治療・重粒子線治療と呼ぶ。いずれも荷電粒子が物質内を進む際，その停止直前で吸収エネルギーが最大となり（ブラッグピーク），その直後に吸収エネルギーがほぼゼロに低下し，その先には到達しない物理特性をもつ。そのため照射標的への線量集中性に優れ，X線と比べ低線量が照射される範囲を限定することが可能となる。中枢神経領域では頭蓋底の骨軟部腫瘍のほか，陽子線治療が二次発がんのリスクを低減する可能性がある小児がんに対し保険収載されている。ほかの成人脳腫瘍は先進医療の枠内で行われている。

腫瘍にホウ素を取り込ませ，対外から熱外中性子を照射してα線とリチウム原子核を発生させて治療するホウ素中性子捕捉療法（boron neutron capture therapy：BNCT）も開発が進んでいる。α線・リチウム原子核の飛程が非常に短いため，腫瘍細胞に限局した治療が可能であるという特徴をもつ。保険収載されているのは「切除不能な局所進行又は局所再発の頭頸部癌」のみであるが，脳腫瘍領域では再発グリオーマや悪性上衣腫に対して臨床研究が進んでいる。

2 線量分割に関連する用語

A．通常分割照射と過分割照射・寡分割照射

通常分割照射（conventional fractionation）とは1回線量1.8〜2.0 Gyを用いて連日照射する方法である。根治照射の場合は60〜70 Gy程度，姑息緩和照射では40〜50 Gy程度が用いられる。分割して照射することにより正常組織の障害を最低限にとどめ腫瘍の殺傷効率を高めることができる。その機序は正常組織の亜致死性損傷からの修復や腫瘍の再酸素化などによって説明される。1回線量を1.0〜1.2 Gy程度にして，1日に6時間以上開けて2回照射する方法を過分割照射（hyperfractionation）といい，主に晩期有害事象の危険性を減らすことを目的に行われる。逆に1回線量を上げて照射期間を短縮する方法を寡分割（hypofractionation）と呼び，数週間の通院を要する通常分割照射の欠点を補う目的で用いられる。寡分割照射は通常分割照射に比べ周囲正常臓器の合併症発生は高くなる傾向にあることから，定位放射線照射のように物理的に線量分布を照射標的に絞りこんだ照射の場合に用いられる。転移性脳腫瘍の定位放射線照射では，27〜35 Gy（3〜5分割）のMF-SRSは，2 cmを超えるような病変の場合にはSF-SRSに比べて局所制御率の向上と放射線脳壊死の発生率を低減する効果があることが示されている。

3 放射線療法の有害事象

A．亜急性期・早期有害事象

早期有害反応として，嘔気・嘔吐，頭痛などがあるが，その頻度は低く，また起こっても多くの場合軽症かつ可逆性である。ステロイド投与がある程度有効であるが，予防的な投与は不要と考えられている。1回大線量を用いたSF-SRSでは，治療終了後24時間以内に痙攣発作が誘発されることがあるが，詳細な機序は明らかになっていない。小児では放射線照射終了後1～2カ月程度経過したのちに傾眠傾向がみられることがある。これは，髄鞘生成の一過性障害と考えられており，通常数週間で回復する。

B．晩期有害事象

放射線脳壊死や白質脳症・脳萎縮に関連した認知機能低下などの変化は晩期毒性であり，不可逆性である。以下，放射線脳壊死と認知機能への影響に関して記載する。

1．放射線脳壊死

放射線脳壊死は，オリゴデンドロサイトに対する直接障害と血管内皮の障害によって引き起こされる虚血を原因とする慢性炎症であり，血管透過性亢進による脳浮腫を伴う。特に1回大線量を用いた定位放射線治療で問題となり，照射後1～2年後に発症することが多い。1回大線量を用いたSRSの場合の有症状脳壊死の発症リスクについては，12 Gy以上照射された体積(V12)と相関するとされている。なおSRS後の脳壊死リスクについては，放射線脳壊死の項に別途詳しく記載する。三次元原体照射を用いた通常分割照射(1回1.8～2.0 Gy)における放射線脳壊死の発生リスクはQUANTECレポートに詳しく記載されている[1]。同レポートによると最大線量(D_{max})と相関し，D_{max}＜60 Gy，72 Gy，90 Gyそれぞれにおける有症状脳壊死の発症頻度は＜5％，5％，10％とされている(表3-1)。ただし，この報告では脳の体積効果が考慮されていないことに留意が必要である。二次元放射線治療計画の時代のデータをもとに作られたEmamiらの報告では，そこでは脳の1/3，2/3，3/3(全体)に照射された場合の$TD_{5/5}$(5年で5％に障害が発生する確率)はそれぞれ60 Gy，50 Gy，45 Gyと記載されている[2](表3-1)。脳は全体でみると並列臓器の要素があること，また部位によっても壊死の危険性は異なることを勘案して，個々の事例で慎重に検討することが必要である。1回大線量を用いた際の放射線障害については，米国医学物理学会から出されたHyTECレポート[3]が参考になる(表3-2)。

2．小児の認知機能への影響

認知機能に影響を及ぼす因子として，照射線量のほかに放射線照射を行う年齢が重要である。さまざまな予測モデルが提唱されているが，2歳児では18 Gy程度(1回線量1.8～2.0 Gy)でも最終到達IQは正常範囲下限を下回る危険性があること，36 Gyはどの年齢層でも影響があること，一方で10歳児では，24 Gy程度照射しても正常範囲内の予測IQが期待できることなどを知っておく必要がある。

3．成人の認知機能低下・白質脳症・脳萎縮

成人脳腫瘍に対する放射線治療後の認知機能低下は，病態としては白質に対する放射線

表 3-1 脳・脳幹部・視神経/視交叉・脊髄・蝸牛の耐容線量

臓器	照射体積	因子	発生率(%)
脳	全体	$D_{max}<60$ Gy	<3
		$D_{max}=72$ Gy	5
		$D_{max}=90$ Gy	10
		$V_{12}<5\sim10$ cc (SF-SRS)	<20
脳幹	全体	$D_{max}<54$ Gy	<5
		D1-10 cc≦59 Gy	<5
		$D_{max}<64$ Gy (point dose<<1 cc)	<5
		$D_{max}<12.5$ Gy (SF-SRS)	<5
視神経・視交叉	全体	$D_{max}<55$ Gy	<3
		$D_{max}=55\sim60$ Gy	3～7
		$D_{max}>60$ Gy	>7～20
		$D_{max}<12$ Gy (SF-SRS)	<10
脊髄	部分	$D_{max}=50$ Gy	0.2
		$D_{max}=60$ Gy	6
		$D_{max}=69$ Gy	50
		$D_{max}=13$ Gy (SF-SRS)	1
		$D_{max}=20$ Gy (3 Fr-SRS)	1
蝸牛	全体	Mean dose≦45 Gy	<30
		Prescription dose≦14 Gy (SF-SRS)	<25

(文献1)より引用)

臓器	照射体積	$TD_{5/5}$	$TD_{50/5}$
脳	1/3	60 Gy	75 Gy
	2/3	50 Gy	65 Gy
	3/3	45 Gy	60 Gy
脳幹	1/3	60 Gy	—
	2/3	53 Gy	
	3/3	50 Gy	65 Gy
視神経・視交叉	体積効果なし	50 Gy	65 Gy
脊髄	5 cm	50 Gy	70 Gy
	10 cm	50 Gy	70 Gy
	20 cm	47 Gy	—
馬尾	体積効果なし	60 Gy	75 Gy

(文献2)より引用)

のダメージであり，最終的な形態変化像は白質脳症・脳萎縮である．主に全脳照射後に問題となる．転移性脳腫瘍では，治療後3～6カ月目での認知機能低下を評価することが多いが，治療前の段階で既に認知機能が低下している患者が多く，3～6カ月の時期は抗腫瘍効果による認知機能の改善・全身状態の低下に伴う認知機能の悪化・全脳照射の有害反応としての一過性脱髄と永続的な障害などのさまざまな影響が混在していることが大切であ

表 3-2 定位放射線照射後の正常組織有害反応発生確率と関連因子

部位（疾患）	分割回数	指標	因子	発生率
脳（転移性脳腫瘍）	1	症候性脳壊死	$V_{12Gy} \leq 5$ cc	10%
	1	症候性脳壊死	$V_{12Gy} \leq 10$ cc	15%
	1	症候性脳壊死	$V_{12Gy} \leq 15$ cc	20%
	3	浮腫・壊死	$V_{20Gy} \leq 20$ cc	≤ 10%
	3	浮腫・壊死	$V_{20Gy} \leq 30$ cc	≤ 20%
	5	浮腫・壊死	$V_{24Gy} \leq 20$ cc	≤ 10%
	5	浮腫・壊死	$V_{24Gy} \leq 30$ cc	≤ 20%
脳（脳動静脈奇形）	1	症候性脳壊死	$V_{12Gy} \leq 10$ cc	≤ 10%
視神経・視交叉	1	神経炎	$D_{max} < 10 \sim 12$ Gy	<1%
	3	神経炎	$D_{max} < 20$ Gy	<1%
	5	神経炎	$D_{max} < 25$ Gy	<1%
脊髄	1	脊髄炎	$D_{max} < 12.4 \sim 14$ Gy	1〜5%
	2	脊髄炎	$D_{max} < 17 \sim 19.3$ Gy	1〜5%
	3	脊髄炎	$D_{max} < 20.3 \sim 23.1$ Gy	1〜5%
	4	脊髄炎	$D_{max} < 23 \sim 26.2$ Gy	1〜5%
	5	脊髄炎	$D_{max} < 25.3 \sim 28.8$ Gy	1〜5%

（文献3）を参考に作成）

る。また評価に用いる指標やその有意変化のカットオフ値によって感度・特異度は大幅に異なり，低下割合の数字も大きく影響を受けることに留意する必要がある。総線量以外の認知機能低下に影響する因子としては，全身状態，照射時の年齢，分割線量（2.5 Gy 以上）などがある。

C．放射線脊髄症

通常分割照射における放射線脊髄症の発生頻度は，脊髄横断面全体が照射された場合の最大線量が 50 Gy，60 Gy，69 Gy の場合においてそれぞれ 0.2%，6%，50% である。脊髄横断面の一部のみ照射される場合は，13 Gy（1 回照射），20 Gy（3 分割）での発生頻度はいずれも 1% と報告されている。また，頸髄の方が胸髄よりも放射線感受性が高い可能性があることも併せて記載されている[2]（表3-1）。

4 有害事象の対策

晩期障害は基本的に不可逆性であるため，発症した際には対応に難渋する。したがって，晩期障害が生じないように初期治療における慎重な姿勢が望まれる。放射線脳壊死については症状緩和を目的にステロイドや高圧酸素などが用いられることが多いが，その効果は一時的である。最近になり血管新生阻害薬であるベバシズマブが注目されている。これは放射線脳壊死の状態では虚血による血管内皮増殖因子（vascular endothelial growth factor：VEGF）の活性化が原因の一端であるという仮説に基づくものであり，一定の効果が

あることが知られているが，日本では保険収載はされていない。壊死病巣の摘出が根本的な治療法であるが，そもそも手術が困難な病変が放射線治療の適応とされていることが多いため，その適応は限定的である。

　白質脳症とそれに伴う認知機能低下については，抗認知症薬であるメマンチンの有効性が示されているが，これも根本的な治療ではなく，その有効性は一時的な認知機能低下の進行防止にとどまる。また，海馬線量の低減がリスクを低減することが知られているが，その効果はわずかであり，日本ではHA-WBRTは強度変調放射線治療（IMRT）に関する施設基準を満たしている施設のみで行えることにも留意する必要がある。

参考文献
1) Marks LB, Yorke ED, Jackson A, et al. Use of normal tissue complication probability models in the clinic. Int J Radiat Oncol Biol Phys. 2010；76(3 Suppl)：S10-9.
2) Emami B, Lyman J, Brown A, et al. Tolerance of normal tissue to therapeutic irradiation. Int J Radiat Oncol Biol Phys. 1991；21(1)：109-22.
3) Milano MT, Grimm J, Niemierko A, et al. Single- and Multifraction Stereotactic Radiosurgery Dose/Volume Tolerances of the Brain. Int J Radiat Oncol Biol Phys. 2021；110(1)：68-86.

5 放射線脳壊死

　放射線照射後の正常組織反応は，分割照射治療中にみられる急性期反応（acute reaction），治療終了後2〜6カ月の期間に生じる亜急性期反応（early delayed reaction），6〜12カ月以降に生じる晩期反応（delayed reaction）に大別され，放射線脳壊死は通常晩期反応として認められる[1]。晩期反応は放射線脳壊死をはじめ白質変性，石灰化，血管障害，二次性腫瘍などが含まれる。臨床的には放射線治療後の晩期合併症として，神経学的異常，認知機能低下，行動異常，内分泌障害，成長障害，てんかん発作を呈する。これらの合併症は単に放射線による正常組織の反応だけでなく，腫瘍による圧迫や浸潤，ほかの治療の影響が重なって発生する。小児，特に3歳以下の低年齢では，神経学的異常や認知・行動異常は知的機能や行動発達の獲得時期にあるため，合併症が発育・発達，QOLへ与える影響は大きく，生命予後をも左右する。

　放射線脳壊死の組織では白質を中心とした凝固および液化壊死に加え，血管内皮の肥厚，血管の硝子化，フィブリン変性，石灰沈着を認めるほか，血管透過性亢進，脳組織の浮腫，虚血が発生する。放射線脳壊死の原因として，照射による白質壊死が二次的血管変化をきたすとする脳実質直接障害説，血管変化による脳障害をきたすとする血管障害説が提唱されている[2]。放射線脳壊死の発生メカニズムとしてNF-κBをはじめとした転写因子や炎症性サイトカインが関与しているとされ，TNF-αは血液脳関門の透過性亢進，血球の集積，アストログリアの活性化，血管内皮のアポトーシスを引き起こす[3-5]。また，細胞接着因子ICAM-1が白血球と血管内皮細胞の接着に関与し，白血球の血管外への漏出に関与するとされる[6,7]。血管内皮増殖因子（VEGF）が脳浮腫や虚血を助長するとする報告[8]もみられる。

放射線治療後の局所脳壊死は非可逆性，進行性で，その発生は線量に依存して発生し，また照射体積にも依存（体積効果）するため広範囲の照射ではより低い線量で脳壊死が発生する。線量については，$TD_{5/5}$（1日2Gyの単純分割照射をしたとき5年以内に5％の患者に障害がみられるような総線量）が60Gy，$TD_{50/5}$が75Gyである。脳幹の$TD_{5/5}$はほぼ大脳と同等（45～60Gy）であるのに対し，脊髄の（$TD_{5/5}$）は47～50Gyであり，体積効果もより顕著である。放射線治療後の照射野内に造影病変や脳浮腫を認めた場合の放射線脳壊死の臨床診断については，MRIのT2強調画像での信号低下，Gd増強，拡散強調画像でのADC値低下，MRS（Cho↓），Perfusion CT/MRI（CBV↓），SPECT検査（Tl-201ほか）やPET検査（FDG，MET，FETほか）でのSUV・L/N比低下といった所見を総合的に判断して行う[9]。

放射線脳壊死の治療は，歴史的にステロイド，高圧酸素療法，抗凝固薬，ビタミンEを用いた内科的治療が行われてきたが，ガイドライン上ではエダラボンとステロイドの併用が推奨されている（grade C1）。無効である場合には浮腫やステロイドの減量を目的とした外科的治療や抗VEGF抗体による治療が考慮される（grade B）。抗VEGF抗体は，国内において放射線脳壊死に対して保険適用外である[9,10]。

参考文献

1) Sheline GE, Wara WM, Smith V. Therapeutic irradiation and brain injury. Int J Radiat Oncol Biol Phys. 1980；6(9)：1215-28.
2) Yoshii Y. Pathological review of late cerebral radionecrosis. Brain Tumor Pathol. 2008；25(2)：51-8.
3) Chiang CS, Hong JH, Stalder A, et al. Delayed molecular responses to brain irradiation. Int J Radiat Biol. 1997；72(1)：45-53.
4) Raju U, Gumin GJ, Tofilon PJ. Radiation-induced transcription factor activation in the rat cerebral cortex. Int J Radiat Biol. 2000；76(8)：1045-53.
5) Yuan H, Gaber MW, Boyd K, et al. Effects of fractionated radiation on the brain vasculature in a murine model：blood-brain barrier permeability, astrocyte proliferation, and ultrastructural changes. Int J Radiat Oncol Biol Phys. 2006；66(3)：860-6.
6) Gaber MW, Sabek OM, Fukatsu K, et al. Differences in ICAM-1 and TNF-alpha expression between large single fraction and fractionated irradiation in mouse brain. Int J Radiat Biol. 2003；79(5)：359-66.
7) Dobbie MS, Hurst RD, Klein NJ, et al. Upregulation of intercellular adhesion molecule-1 expression on human endothelial cells by tumour necrosis factor-alpha in an in vitro model of the blood-brain barrier. Brain Res. 1999；830(2)：330-6.
8) Furuse M, Nonoguchi N, Kuroiwa T, et al. A prospective, multicentre, single-arm clinical trial of bevacizumab for patients with surgically untreatable, symptomatic brain radiation necrosis. Neurooncol Pract. 2016；3(4)：272-80.
9) 症候性放射線脳壊死ガイドライン作成委員会．症候性放射線脳壊死診療ガイドライン．脳外誌．2017；26(4)：287-306.
10) Levin VA, Bidaut L, Hou P, et al. Randomized double-blind placebo-controlled trial of bevacizumab therapy for radiation necrosis of the central nervous system. Int J Radiat Oncol Biol Phys. 2011；79(5)：1487-95.

化学療法

　悪性腫瘍治療の目標は腫瘍細胞数を十分に減少させることであり，外科療法に引き続いて化学療法，放射線療法を中心とした補助療法が必要であることが多く，さまざまな薬剤が使用されてきた。ただし，血液脳関門のために薬剤の効果的な腫瘍への移行が期待できない，治療に使える薬剤の種類が少ない，という問題もあり，長期にわたって大きな進歩がみられない時期もあった。しかし，胚細胞性腫瘍や髄芽腫に対する治療成績の向上や，1p19q共欠失を示す退形成性乏突起神経膠腫に対するPCV（procarbazine＋CCNU＋vincristine）療法の著明な治療効果が報告されるなど，脳腫瘍に対する化学療法にも興味が集まるようになり，2000年代初頭にテモゾロミドの膠芽腫に対する有効性が証明されると，これ以降は神経膠腫においても薬剤治療の意義が重視されるようになった[1]。悪性神経膠腫，特に膠芽腫の薬剤治療成績は未だ十分に向上してはいないものの，近年は新規薬剤の開発や腫瘍の薬剤感受性予測因子の発見などが続き，今後に大きな発展を示す可能性がある。

1 化学療法剤

　脳腫瘍治療に使用される化学療法剤の簡単な分類と特徴を**表3-3**に示す。微小管障害剤や代謝障害剤が有効な腫瘍もあるが，基本的にはDNA障害剤が用いられることが多い。

表3-3　脳腫瘍化学療法に使われる薬剤

薬剤名	種類	主な作用機序
ニムスチン（ACNU）	DNAアルキル化剤	O^6-グアニン エチル化（DNA架橋）
カルムスチン（BCNU）	DNAアルキル化剤	O^6-グアニン エチル化（DNA架橋）
テモゾロミド（TMZ）	DNAアルキル化剤	O^6-グアニン メチル化
イホスファミド（IFM）	DNAアルキル化剤	N^7-グアニン エチル化（DNA架橋）
プロカルバジン（PCZ）	DNAアルキル化剤	核酸合成阻害（詳細不明）
シスプラチン（CDDP）	白金製剤	DNA架橋
カルボプラチン（CBDCA）	白金製剤	DNA架橋
ビンクリスチン（VCR）	ビンカアルカロイド	微小管阻害
メトトレキサート（MTX）	代謝拮抗剤	核酸合成阻害
エトポシド（VP-16）	DNAアルキル化剤トポイソメラーゼⅡ阻害剤	DNA破壊

A．DNA 障害剤

1．ニトロソウレア製剤（ACNU，BCNU など）

　従来神経膠腫に対する化学療法の中心的薬剤であったニトロソウレア製剤は DNA 中のグアニンの O^6 位にクロロエチル基を付加し，このクロロエチル基を介して反対側のシトシン残基との間に DNA 二本鎖間架橋が形成されて細胞分裂時の DNA 障害を惹起すると考えられている。尿素（ウレア）の水素1つがニトロソ基に置換されたものを基本骨格とし，さらに加わった修飾が異なるニムスチン（ACNU），ラニムスチン（MCNU），カルムスチン（BCNU），ロムスチン（CCNU），セムスチン（methyl-CCNU）がある。いずれも化学療法剤の中では比較的，血液脳関門の通過性が高いが，日本では特に血液脳関門通過性が強いACNU が長く使われてきた[2]。投与対象は全癌腫の中でも悪性神経膠腫にほぼ限定されるものの，単独で膠芽腫の生命予後を明らかに延長するような効果は示されていない。

　一方，脳腫瘍に対する局所的化学療法の目的で 2014 年に BCNU 徐放性脳内留置剤が臨床導入された[3]。理論的には全身的副作用毒性を少なくしながら腫瘍への高濃度薬剤暴露を行うことが可能である。ただし，膠芽腫に対する BCNU 徐放性ポリマー留置を含む化学放射線治療の成績は従来の放射線化学療法より優れた傾向は示すものの，BCNU が腫瘍細胞浸潤域を覆うような深度に到達するとは考えられていない。徐放性ポリマー製剤は留置後に気体発生や留置周囲脳実質での浮腫増強を起こすことが知られている。

2．テモゾロミド

　テモゾロミドは経口投与可能な DNA メチル化剤で，分子量が小さく，血液脳関門を通過しやすい。2005 年に発表されたランダム化比較試験の結果により成人初発膠芽腫に対する有効性が証明され，以後，世界的に膠芽腫に対する標準治療薬と位置づけられている[4,5]。

　本剤は水溶液中では生理的 pH 下で自然に加水分解・脱炭酸を受け DNA メチル化作用をもつ 5-(3-methyltriazen-1-yl)imidazole-4-carboxamide に変換され，これが DNA 中のグアニン O^6 位のメチル化を起こす。グアニン O^6 位のほかにグアニン N^7 位およびアデニン N^5 位もメチル化されるが，テモゾロミドの細胞毒性はグアニン O^6 位のメチル化によるところが最も大きいとされている。O^6 メチル化グアニン自体は細胞に対する毒性を発揮しないが，DNA 複製の段階で立体構造上の特徴によりチミンと塩基対を形成し，いわゆるグアニン：チミン（GT）ミスマッチを形成する。細胞内に備わる DNA ミスマッチ修復機構がこのミスマッチを感知し，チミンを除去するが，O^6 メチル化グアニンが存在する限り，その反対側には再びチミンが取り込まれ，結局 GT ミスマッチを解消できずに GT ミスマッチ形成からチミン除去に至る過程を不毛に繰り返し，やがて DNA 二重鎖断裂に至る。すなわち，テモゾロミドによる致死的な DNA 損傷はミスマッチ修復が正常に機能している細胞において二次的に形成されるものであり，ミスマッチ修復機能の異常は腫瘍のテモゾロミド耐性につながる。

　悪性リンパ腫や下垂体悪性腫瘍に効果があることを示唆するデータもあるが，基本的には神経膠腫の治療薬である。

3．プロカルバジン

　プロカルバジンは内服剤で，腸管から速やかに吸収された後，肝臓チトクローム P450 に

代謝されて活性型になる。グアニンO^6位をアルキル化するが，RNA や蛋白との反応もあるとされている。単剤で使用されることはなく，PAV 療法(procarbazine + ACNU + vincristine)の一部として使用されることが多い。

4．イホスファミド

いわゆる nitrogen mustard に分類される DNA アルキル化剤で，肝臓での代謝を経て活性型に変換される。活性型カルボニウムイオンを生成して DNA と反応して細胞毒性を発揮する。胚細胞性腫瘍など小児悪性脳腫瘍に対する多剤療法の一部として使用されることが多い[6]。

5．白金製剤

シスプラチン(CDDP)やカルボプラチン(CBDCA)は DNA の同一鎖内あるいは二重鎖間に架橋形成する。水溶性が高く，血液脳関門の通過性は低い。胚細胞性腫瘍，髄芽腫など小児悪性脳腫瘍に対して使用されることが多い[7]。副作用としてシスプラチンによる腎毒性はよく知られており，投与の際には十分な水分供給とマンニトールの併用投与が行われる。また，聴力障害も重要な副作用である。カルボプラチンではこれらの副作用は比較的弱く，骨髄抑制が強い。

6．エトポシド(VP-16)

DNA トポイソメラーゼⅡ阻害剤であり，脂溶性は高いものの，分子量が大きく，血液脳関門の通過性は不良である。白金製剤と同様，主に小児腫瘍での多剤併用療法の一部として使用される。

7．微小管障害剤

ビンカアルカロイドであるビンクリスチンは微小管に結合して紡錘体の作用を抑制する。多剤療法の一部として悪性神経膠腫に対する PAV 療法や中枢神経系原発悪性リンパ腫に対する MPV 療法のなかで使われるほか，小児の視神経/視床下部神経膠腫に対しては治療の第一選択のレジメンに含まれる(Packer レジメン)[8]。壊死性薬剤であり難治性皮膚潰瘍の原因になり得るので，血管外漏出を起こさないよう注意が必要である。

8．代謝障害剤

葉酸代謝阻害剤であるメトトレキサートは悪性リンパ腫の治療の際に大量投与を行うことが多い[9]。その際には同剤の血中濃度の測定も必要であり，合併症回避のために解毒剤(leucovorin)投与を行うこともある。副作用としては骨髄抑制のほか，腎障害，間質性肺炎がある。髄腔内投与も可能であるため癌性髄膜炎の治療に用いられることもある。

シタラビン(cytarabine：Ara-C)はシチジンの糖が修飾された化合物で，細胞内でのリン酸を経て DNA 合成の基質として利用されると DNA ポリメラーゼの活性を阻害する。血球系腫瘍に適応があり，中枢神経系浸潤の際に髄腔内投与されることがある。

2 化学療法耐性に関与する因子

化学療法に対する耐性機序については不明な点が多いが，いくつかの因子の関与が知られており，免疫組織化学や遺伝子解析により腫瘍内での発現解析も可能である。

1. O^6-methylguanine DNA methyltransferse(MGMT)

　現在の神経膠腫に対する中心的治療薬であるテモゾロミドはDNAメチル化剤として分類され，DNA中のグアニンのO^6位にメチル基を付加することが最も大きな細胞障害に関与する作用である．また，ニトロソウレア製剤（ACNU，MCNU，BCNUなど）はDNA中のグアニンのO^6位にクロロエチル基を付加することがDNA二本鎖間架橋の形成につながり細胞毒性を発揮する．すなわちテモゾロミドもニトロソウレア製剤もDNA中のグアニンO^6位をメチル化あるいはエチル化（双方をまとめてアルキル化と呼ぶ）しなければDNA障害を惹起しないので，細胞がアルキル化グアニンからアルキル基を除去する酵素をもっていればDNAアルキル化剤は効果を発揮しない．この作用をもつ酵素がO^6-methylguanine-DNA methyltransferase（MGMT）である[10]．MGMTはDNA中のO^6アルキル化グアニンからメチル基やエチル基を自己の活性中心部のシステイン残基へと取り込み，その後ユビキチンと呼ばれる蛋白分解系により分解されるため，大量の化学療法剤を投与すれば一時的にはMGMTが枯渇しDNA損傷が形成される．ただしMGMT蛋白は短時間で合成されるので，MGMT発現細胞ではその効果を十分な期間（DNA二重鎖断裂の形成まで）にわたって抑制しなければテモゾロミドやニトロソウレア製剤による恒久的なDNA損傷は形成されない[11]．

　MGMT遺伝子は，そのプロモーター領域中にCpG islandと呼ばれるシトシン（C）とグアニン（G）の繰り返し配列が長く続く領域をもちCpG islandのCがメチル化されるとMGMT遺伝子の転写（蛋白発現）が抑制される．テモゾロミドを用いて治療した初発膠芽腫においてMGMTプロモーターメチル化のある症例では治療反応性が良好であることが報告されて以来，MGMT（あるいはそのプロモーターメチル化）は有力な化学療法耐性因子として注目されてきた[12]．ただし，MGMTの作用を抑制する薬剤（テモゾロミドの増量を含む）を用いた臨床試験の結果では膠芽腫に対する治療効果の改善は示されず，MGMTのみがテモゾロミド耐性を規定する因子ではないと考えられる．

2. DNAミスマッチ修復系

　DNAミスマッチ修復系（DNA mismatch repair：MMR）も化学療法耐性に大きく関与すると考えられる因子である．前述の通り，テモゾロミドによってO^6メチルグアニンが形成された細胞では，DNAミスマッチ修復機構を不毛に繰り返す（"futile" repair cycle）結果としてDNA二重鎖断裂が惹起されると考えられており，DNAミスマッチ修復機構が機能していない細胞においてはテモゾロミドの毒性は発揮されない．

　一般的に初発神経膠腫ではMMRが正常に機能していることが多いが，DNAアルキル化剤を用いた治療後の再発腫瘍ではMMR関連因子の変異や発現低下が稀ではないことも報告されている．実際にはさまざまな癌腫においてMMRはテモゾロミド以外の化学療法剤への抵抗性に関与することも知られており，MMRがDNA修復機構全般の中で重要な部分に関与していることを示唆している．

　一方，MMRの機能異常をもつ細胞には多くの遺伝子変異が生じる可能性が高く，このような変異をもつ頻度が高くなった細胞をhypermutatorと呼ぶ．Hypermutatorはびまん性星細胞腫（IDH変異型）に対してTMZを反復使用した後で発生（再発進行）することが多

いとされており，膠芽腫や乏突起膠腫では稀である[13]。

3．ABC 輸送体

ATP 結合カセット輸送体(ATP-binding cassette transporters)は多くの癌腫で機能が確認されている多剤耐性機構の一つで，ATP 依存性に薬剤を細胞外に汲み出すポンプの働きをもつ。ニトロソウレアやテモゾロミドなどの DNA アルキル化剤はこの作用を受けないが，ビンクリスチンやエトポシドがこの作用を受ける。ABCB1(または MDR1, p-glycoprotein)，ABCC1(または multidrug-resistant-associated protein, MRP1)，ABCG2 といった種類がある。

参考文献

1) Cairncross JG, Ueki K, Zlatescu MC, et al. Specific genetic predictors of chemotherapeutic response and survival in patients with anaplastic oligodendrogliomas. J Natl Cancer Inst. 1998；90(19)：1473-9.
2) Takakura K, Abe H, Tanaka R, et al. Effects of ACNU and radiotherapy on malignant glioma. J Neurosurg. 1986；64(1)：53-7.
3) Westphal M, Ram Z, Riddle V, et al.；Executive Committee of the Gliadel Study Group. Gliadel wafer in initial surgery for malignant glioma：long-term follow-up of a multicenter controlled trial. Acta Neurochir(Wien). 2006；148(3)：269-75；discussion 275.
4) Stupp R, Mason WP, van den Bent MJ, et al.；European Organisation for Research and Treatment of Cancer Brain Tumor and Radiotherapy Groups；National Cancer Institute of Canada Clinical Trials Group. Radiotherapy plus concomitant and adjuvant temozolomide for glioblastoma. N Engl J Med. 2005；352(10)：987-96.
5) Stupp R, Hegi ME, Mason WP, et al.；European Organisation for Research and Treatment of Cancer Brain Tumour and Radiation Oncology Groups；National Cancer Institute of Canada Clinical Trials Group. Effects of radiotherapy with concomitant and adjuvant temozolomide versus radiotherapy alone on survival in glioblastoma in a randomised phase Ⅲ study：5-year analysis of the EORTC-NCIC trial. Lancet Oncol. 2009；10(5)：459-66.
6) Matsutani M, Ushio Y, Abe H, et al.；Japanese Pediatric Brain Tumor Study Group. Combined chemotherapy and radiation therapy for central nervous system germ cell tumors：preliminary results of a Phase Ⅱ study of the Japanese Pediatric Brain Tumor Study Group. Neurosurg Focus. 1998；5(1)：e7.
7) Packer RJ, Gajjar A, Vezina G, et al. Phase Ⅲ study of craniospinal radiation therapy followed by adjuvant chemotherapy for newly diagnosed average-risk medulloblastoma. J Clin Oncol. 2006；24(25)：4202-8.
8) Packer RJ, Ater J, Allen J, et al. Carboplatin and vincristine chemotherapy for children with newly diagnosed progressive low-grade gliomas. J Neurosurg. 1997；86(5)：747-54.
9) Hiraga S, Arita N, Ohnishi T, et al. Rapid infusion of high-dose methotrexate resulting in enhanced penetration into cerebrospinal fluid and intensified tumor response in primary central nervous system lymphomas. J Neurosurg. 1999；91(2)：221-30.
10) Esteller M, Garcia-Foncillas J, Andion E, et al. Inactivation of the DNA-repair gene MGMT and the clinical response of gliomas to alkylating agents. N Engl J Med. 2000；343(19)：1350-4.
11) Hirose Y, Kreklau EL, Erickson LC, et al. Delayed repletion of O6-methylguanine-DNA methyltransferase resulting in failure to protect the human glioblastoma cell line SF767 from temozolomide-induced cytotoxicity. J Neurosurg. 2003；98(3)：591-8.
12) Hegi ME, Diserens AC, Gorlia T, et al. MGMT gene silencing and benefit from temozolomide in glioblastoma. N Engl J Med. 2005；352(10)：997-1003.
13) Johnson BE, Mazor T, Hong C, et al. Mutational analysis reveals the origin and therapy-driven evolution of recurrent glioma. Science. 2014；343(6167)：189-93.

分子標的薬

　がんゲノム医療が行われるようになり，脳腫瘍に対しても手術検体のがん遺伝子パネル検査により分子標的薬剤の投与を考慮し，実際に使用する機会が増えている。ただし，この恩恵を受ける症例は現時点では限定的である。また，がんに対して分子標的薬剤の適応が広がったことにより，転移性脳腫瘍に対しても同剤が有効であったとする症例が多数報告されている。

1 抗血管内皮増殖因子（vascular endothelial growth factor：VEGF）抗体

　腫瘍の血管新生に関わるVEGFに対するモノクローン抗体製剤ベバシズマブが頻用されている。本邦では初発および再発の悪性グリオーマに対して保険適用がある。投与後速やかに，画像検査上の造影剤増強域や脳浮腫の縮小と臨床症状の改善をもたらすことから，膠芽腫の臨床経過において使用する場合が多い。しかし，初発膠芽腫に対する大規模臨床試験の結果から，無増悪生存期間は延長するものの，全生存期間の延長効果はないとされている。また，NF2関連腫瘍に対する有用性が報告され，現在本邦で臨床試験中である。

2 ブルトン型チロシンキナーゼ（Bruton's tyrosine kinase：BTK）阻害剤

　B細胞受容体シグナル伝達はB細胞系リンパ球細胞の生存や活性化，増殖，成熟，分化の中心的役割を担っている。この下流に位置する重要な調節因子であるBTKの阻害剤であるチラブルチニブが再発・難治性の中枢神経系原発悪性リンパ腫に対して保険適用がある。世界に先駆けて2020年5月から本邦で使用可能となった経口薬剤である。

3 トロポミオシン受容体キナーゼ（tropomyosin receptor kinase：TRK）阻害剤

　神経細胞の分化および生存維持に関わるTRKをコードする遺伝子がNTRKであり，腫瘍において染色体転座の結果，ほかの遺伝子融合したNTRK融合遺伝子は腫瘍細胞の増殖を促進することが知られている。NTRK融合遺伝子は稀ながら全身のさまざまな腫瘍で確認されている。

　「NTRK融合遺伝子陽性の進行・再発の固形癌」に対して，TRK阻害剤であるエヌトレ

クチニブが臓器横断的に保険適用となっている。本遺伝子異常を認めるグリオーマに対しても有効例が報告されている。

4 mTOR(mammalian target of rapamycin)阻害剤

　結節性硬化症(tuberous sclerosis complex：TSC)に合併する脳室上衣下巨細胞性星細胞腫(subependymal giant cell astrocytoma：SEGA)に対する治療薬としてmTOR阻害剤がある。mTORはPI3K-Akt経路の下流に存在し，細胞増殖を促進する。TSCの原因遺伝子である *TSC1* と *TSC2* は，mTOR信号系を抑制する蛋白を生成する。TSCでは *TSC1* と *TSC2* に異常があるため，mTORが抑制されず，細胞増殖シグナルが恒常的に活性化している。mTOR阻害剤であるエベロリムスはSEGAの縮小効果が示されており，外科的切除の対象とならないSEGAに対して使用される。

5 ほかの分子標的薬剤

　特定の遺伝子異常を有するがんに対して，他臓器癌では保険適用となっているが，脳腫瘍に対してはまだ保険適用となっていない薬剤を掲げる。*BRAF* p.V600E遺伝子異常を有するがんに対して変異BRAF阻害薬(ダブラフェニブ)とMEK阻害薬(トラメチニブ)の併用が有効であるとされる。同遺伝子異常を認める脳腫瘍としては，乳頭型頭蓋咽頭腫，毛様細胞性星細胞腫，多形黄色星細胞腫，類上皮膠芽腫などがあり，有効例が報告されている。脳腫瘍の遺伝子異常の解明と分子標的薬剤の開発により，脳腫瘍に対する分子標的薬剤の保険適用例が今後広がると予測される。

免疫療法

　脳腫瘍のうちグリオーマに対して，さまざまな免疫療法の前臨床・臨床試験が行われてきているが，明らかな臨床的有効性が示されていないことから国内で保険適用を得たものはなく，確立された治療法には至っていない（広義の免疫療法である抗体療法は，中枢神経系原発悪性リンパ腫で使用されることがある）。

　ここでは，がん関連抗原を用いた免疫療法，エフェクター細胞療法（養子免疫細胞療法・T細胞輸注療法）と免疫抑制阻害療法に分けて概説する。なお，免疫療法の効果を判定する場合，Response Assessment in Neuro-Oncology（RANO）では不適切な場合があり，効果判定基準としてImmunotherapy Response Assessment in Neuro-Oncology（iRANO）が提唱されている[1]。

1 がん関連抗原を用いた免疫療法

　がん関連抗原を標的とした免疫療法は，がんワクチン療法として知られ，樹状細胞，ペプチド，ウイルスベクターや腫瘍細胞そのものが用いられる。

A．樹状細胞ワクチン療法

　患者さんの末梢血から誘導した樹状細胞 dendritic cell（DC）を腫瘍抗原に曝露して患者さんの体内に戻す。DCはリンパ節に移動してそこで細胞傷害性T細胞 cytotoxic T cell（CTL）を活性化し，これが腫瘍特異的な免疫を誘導する[2]。抗原として，腫瘍の溶解物lysateや，腫瘍から抽出したペプチド，合成したペプチドなどが用いられる。

B．自家腫瘍ワクチン療法

　腫瘍そのものを抗原として用いる方法で，ホルマリン固定された組織標本を利用することが多い。アジュバントと同時に投与することで抗原性を高める工夫がなされ，第Ⅰ相，第Ⅱ相試験で安全性が示されている[3]。

C．ペプチドワクチン療法

　腫瘍抗原の一部となっているペプチドを用いて免疫誘導をするもので，治療対象の腫瘍でこのペプチドが発現していることが必要である。代表的なペプチドにはEGFRvⅢ，WT1，HSPなどがある[4-6]。いくつかのペプチドを混合したテーラーメイド型ペプチドワクチンの試みもなされている[7]。いずれも第Ⅰ相，第Ⅱ相試験で安全性は示されている。

2 エフェクター細胞療法(養子免疫細胞療法・T 細胞輸注療法)

　エフェクター細胞療法は，体内のリンパ球を回収し腫瘍特異性を獲得するように体外で増殖させ，再び患者の体内に戻すという方法である[8]。これまで，リンフォカイン活性化リンパ球，腫瘍浸潤リンパ球，抗原特異的キラー T 細胞，ナチュラルキラー細胞などのエフェクター細胞療法が試みられたが有効性は示されていない。T 細胞受容体(TCR)遺伝子導入 T 細胞療法，キメラ抗原受容体(CAR)遺伝子導入 T 細胞療法(CAR-T 療法)が考案され，このうち CAR-T 療法については，IL-13Rα や EGFRvⅢ を標的にした臨床試験の報告がある[9,10]。

3 免疫抑制阻害療法

　がん細胞が免疫チェックポイント分子を利用して免疫抑制環境を誘導し，免疫監視機構から逃避している特性が明らかになっている。これら免疫の抑制機構を阻害するのが免疫チェックポイント阻害療法であり，CTLA-4 や PD-1/PD-L1 に対する抗体が既に薬剤として開発されている[11,12]。自己免疫様の有害事象など問題点が指摘されるが，ほかのがん腫にて標準治療に組み込まれているものもある。グリオーマではランダム化比較試験が行われたが，再発膠芽腫に対する抗PD-1抗体であるニボルマブは，有効性は示せなかった[13]。

参考文献

1) Okada H, Weller M, Huang R, et al. Immunotherapy response assessment in neuro-oncology: a report of the RANO working group. Lancet Oncol. 2015; 16(15): e534-42.
2) Filley AC, Dey M. Dendritic cell-based vaccination strategy: an evolving paradigm. J Neurooncol. 2017; 133(2): 223-35.
3) Ishikawa E, Muragaki Y, Yamamoto T, et al. Phase Ⅰ/Ⅱa trial of fractionated radiotherapy, temozolomide, and autologous formalin-fixed tumor vaccine for newly diagnosed glioblastoma. J Neurosurg. 2014; 121(3): 543-53.
4) Schuster J, Lai RK, Recht LD, et al. A phase Ⅱ, multicenter trial of rindopepimut(CDX-110)in newly diagnosed glioblastoma: the ACT Ⅲ study. Neuro Oncol. 2015; 17(6): 854-61.
5) Hashimoto N, Tsuboi A, Kagawa N, et al. Wilms tumor 1 peptide vaccination combined with temozolomide against newly diagnosed glioblastoma: safety and impact on immunological response. Cancer Immunol Immunother. 2015; 64(6): 707-16.
6) Bloch O, Crane CA, Fuks Y, et al. Heat-shock protein peptide complex-96 vaccination for recurrent glioblastoma: a phase Ⅱ, single-arm trial. Neuro Oncol. 2014; 16(2): 274-9.
7) Narita Y, Arakawa Y, Yamasaki F, et al. A randomized, double-blind, phase Ⅲ trial of personalized peptide vaccination for recurrent glioblastoma. Neuro Oncol. 2019; 21(3): 348-59.
8) Galluzzi L, Vacchelli E, Bravo-San Pedro JM, et al. Classification of current anticancer immunotherapies. Oncotarget. 2014; 5(24): 12472-508.
9) Brown CE, Alizadeh D, Starr R, et al. Regression of Glioblastoma after Chimeric Antigen Receptor T-Cell Therapy. N Engl J Med 2016; 375(26): 2561-9.
10) O'Rourke DM, Nasrallah MP, Desai A, et al. A single dose of peripherally infused EGFRvⅢ-directed CAR T cells mediates antigen loss and induces adaptive resistance in patients with recurrent glioblastoma. Sci Transl Med 2017; 9(399): eaaa0984.
11) Hodi FS, O'Day SJ, McDermott DF, et al. Improved survival with ipilimumab in patients with meta-

static melanoma. N Engl J Med. 2010 ; 363(8) : 711-23.
12) Topalian SL, Sznol M, McDermott DF, et al. Survival, durable tumor remission, and long-term safety in patients with advanced melanoma receiving nivolumab. J Clin Oncol. 2014 ; 32(10) : 1020-30.
13) Filley AC, Henriquez M, Dey M. Recurrent glioma clinical trial, CheckMate-143 : the game is not over yet. Oncotarget. 2017 ; 8(53) : 91779-94.

Ⅶ NovoTTFields

　脳腫瘍治療法の一つとして，tumor treating fields(TTFields)について解説する[1]。TTFの略語が time-to-treatment-failure(TTF)を想起させることから，TTFields と記載するようになった。本稿では，この治療法の基本的な概念とエビデンスについて述べる。

1 TTFields とは

　TTFields は脳に交流電場をかける治療法である。頭皮上に電極を貼付し，200 kHz のスピードで＋/－が入れ替わる交流電場を，脳の中心部における電場が 0.7 V/cm 強になるような強度で付加する。すると，*in vitro* においては，腫瘍細胞の分裂が阻止されアポトーシスあるいはオートファジーに陥ることが観察されている[2,3]。

2 エビデンス

　当初，再発膠芽腫を対象とした EF-11 試験が行われたが，期待されたほどの効果は得られなかった[4]。その後，EF-14 試験では初発膠芽腫を対象としたランダム化比較第Ⅲ相試験が発表された。Stupp レジメンによる TMZ 併用放射線照射終了後の症例が 2 群にランダム化され，TMZ 維持療法群を対照として TMZ 維持療法＋TTFields 治療群の優位性の検証が行われた[5]。この試験のプライマリーエンドポイントは intend to treat 集団における無増悪生存割合 progression free survival(PFS)であった。多くの専門家の予想に反して，発表された中間解析の結果は positive であった。PFS のハザード比(hazard ratio：HR)は 0.62，98.7％信頼区間 confidence interval(CI)，0.43-0.89 で，p＝0.001 であった。そして OS でも HR 0.64，99.4％ CI，0.42-9.98，p＝0.004 で，TTFields 治療群の優位性が示されたため，試験は有効中止が勧告された。

　最終的には初発膠芽腫患者において，TTFields 療法併用群と TMZ 単独併用群を比較したところ，PFS 中央値は 6.7 カ月 vs 4.0 カ月(p＝0.00005)で，OS 中央値は 20.9 カ月 vs 16.0 カ月(p＝0.00006)であり，4.9 カ月有意に延長した[6]。さらに 2 年生存率が，43％ vs 31％(p＝0.001)に向上した。これらの症例におけるサブ解析では，MGMT メチル化の有無に関わらず TTFields 療法の OS 延長効果がみられ，生検，部分摘出，全摘出といった摘出度別に解析したところ，いずれも OS 延長効果がみられた。

　一般に TTFields 療法は 1 日 18 時間以上，月間 75％以上のアドヒアランスで治療成績が向上することが報告されている[7]。EF14 試験のサブ解析では TMZ 単独療法と比較し，アドヒアランスが 50％以上で優位に PFS・OS が延長することがわかった。また，アドヒアランスが高いほど，PFS・OS が延長する相関関係がみられ，その効果は KPS，年齢，

MGMTメチル化の有無などには影響されず，アドヒアランスが独立した予後因子であることが示された。さらにはアドヒアランス90％以上の患者のOS中央値は24.9％であり，3年・4年・5年生存率はいずれも29.3％であった。

　TTFields療法とTMZ併用で重篤で全身的な有害事象発生の有意な増加はなく，最も一般的な有害事象は軽度から中等度のアレイ貼付部位の皮膚反応であり，回復が容易であり治療中断には至らなかった。2020年1.1万例を超えるTTFields療法の市販後の有害事象調査報告でも同様であった[8]。

参考文献

1) Cloughesy TF, Lassman AB. NovoTTF：where to go from here? Neuro Oncol. 2017；19(5)：605-8.
2) Mittal S, Klinger NV, Michelhaugh SK, et al. Alternating electric tumor treating fields for treatment of glioblastoma：rationale, preclinical, and clinical studies. J Neurosurg. 2018；128(2)：414-21.
3) Giladi M, Schneiderman RS, Voloshin T, et al. Mitotic Spindle Disruption by Alternating Electric Fields Leads to Improper Chromosome Segregation and Mitotic Catastrophe in Cancer Cells. Sci Rep. 2015；5：18046.
4) Stupp R, Wong ET, Kanner AA, et al. NovoTTF-100A versus physician's choice chemotherapy in recurrent glioblastoma：a randomised phase III trial of a novel treatment modality. Eur J Cancer. 2012；48(14)：2192-202.
5) Stupp R, Taillibert S, Kanner AA, et al. Maintenance Therapy With Tumor-Treating Fields Plus Temozolomide vs Temozolomide Alone for Glioblastoma：A Randomized Clinical Trial. JAMA. 2015；314(23)：2535-43.
6) Stupp R, Taillibert S, Kanner A, et al. Effect of Tumor-Treating Fields Plus Maintenance Temozolomide vs Maintenance Temozolomide Alone on Survival in Patients With Glioblastoma：A Randomized Clinical Trial. JAMA. 2017；318(23)：2306-16.
7) Toms SA, Kim CY, Nicholas G, et al. Increased compliance with tumor treating fields therapy is prognostic for improved survival in the treatment of glioblastoma：a subgroup analysis of the EF-14 phase III trial. J Neurooncol. 2019；141(2)：467-73.
8) Shi W, Blumenthal DT, Oberheim Bush NA, et al. Global post-marketing safety surveillance of Tumor Treating Fields(TTFields)in patients with high-grade glioma in clinical practice. J Neurooncol. 2020；148(3)：489-500.

VIII 脳腫瘍診療ガイドラインの制定

　診療ガイドライン medical guideline とは，医療現場において適切な診断と治療を補助することを目的として，当該疾患の予防・診断・治療・予後予測など診療の根拠や手順についての最新の情報を専門家の手でわかりやすくまとめた指針である。古くより存在していたいわゆる大御所による感想や作成過程を追跡できない総説とは一線を画し，evidence-based medicine に基づき，医学論文を一定の方針により渉猟し（システマティック・レビュー），一定の要素を拾い上げ（outcome 評価），臨床的疑問に推奨の強さを付加した答えを提示した診療手引き書である。

　一般社団法人日本脳神経外科学会からの委託を受け，特定非営利活動法人日本脳腫瘍学会が作成した脳腫瘍診療ガイドライン2016年版[1]は，公益財団法人医療機能評価機構が提供する医療情報サービス事業 Medical Information Network Distribution Service（Minds）

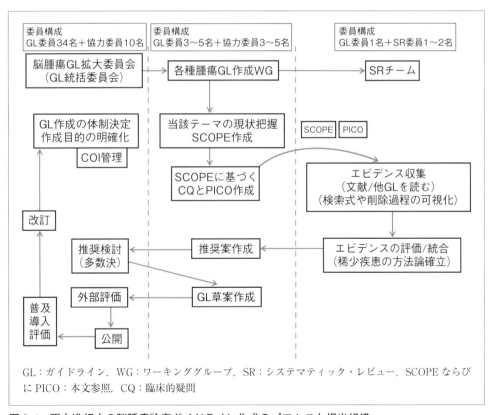

図3-4　現在進行中の脳腫瘍診療ガイドライン作成のプロセスと担当組織
統括委員会，作成 WG，SR チームの役割が明確化され，ある程度の独立性が担保されている。
（文献2）を参考に作成）

による診療ガイドライン作成の手引き2007年版[2]に準拠して作成された．このガイドラインは脳腫瘍の日常臨床に携わる医療者を主な利用者として想定し，成人膠芽腫，中枢神経系悪性リンパ腫，成人転移性脳腫瘍の3項目について，主に術後治療計画に関する計26の臨床的疑問に対して推奨文とわかりやすい解説が掲載されている．また，同年12月には日本脳腫瘍学会ホームページにそのweb版が掲載された．Web版には出版された内容に加えて，引用文献の構造化抄録（文献サマリー）とPubMedサイトへのリンクが張られており，利用者の学問体系に対する一層の理解へのマイルストーンとなっている．2019年には同3部門を小改定し，さらには上衣下巨細胞性星細胞腫（SEGA）加えた脳腫瘍診療ガイドライン2019年版を出版した[3]．

　2022年には小児脳腫瘍編として，上衣下巨細胞性星細胞腫（SEGA），中枢神経原発胚細胞腫瘍，びまん性橋膠腫（DIPG），視神経視床下部神経膠腫，小児・AYA世代上衣腫，髄芽腫の各ガイドラインをMinds診療ガイドライン作成の手引き2014年版[4]に準拠して，作成し出版した[5]．近日中にGrade Ⅱ/Ⅲ神経膠腫（成人脳腫瘍編）ガイドラインを公開予定である．ガイドライン統括委員会とガイドライン作成ワーキンググループの役割を明確に振り分け，ガイドラインの設計書ともいえるSCOPE，推奨決定のもとになるPICO format（臨床的疑問に関して論文のエビデンスを抽出する際に要素であるpatients, interventions, comparisons, outcomesをまとめたもの）を厳密に作成し，検索式に基づいたシステマティック・レビューを行い，作成過程を第三者が追跡できるように配慮している（図3-4）．また，推奨文の提示様式もより客観的なものとなっている．

　日常診療において脳腫瘍診療ガイドラインは脳腫瘍取扱い規約と相補的な関係にあるため，是非ご一読をお勧めする次第である．

参考文献
1) 日本脳腫瘍学会編．脳腫瘍診療ガイドライン2016年版，第1版，金原出版，2016．
2) 福井次矢，吉田雅博．Minds診療ガイドライン作成の手引き2007，第1版，医学書院，2007．
3) 日本脳腫瘍学会編．脳腫瘍診療ガイドライン2019年版，金原出版，2019．
4) 福井次矢，山田直人．Minds診療ガイドライン作成の手引き2014，第1版，医学書院，2014．
5) 日本脳腫瘍学会編．脳腫瘍診療ガイドライン小児脳腫瘍編，第1版，金原出版，2022．

IX 脳脊髄腫瘍種類別治療法

1 膠芽腫

A．疫学と予後

　WHO grade 4の膠芽腫は神経上皮性腫瘍の約45％を占める。その膠芽腫の12％に*IDH1*または*IDH2*遺伝子の点変異が認められることが報告され[1,2]，WHO 2021における改訂で，*IDH*野生型のみを膠芽腫とし，従来*IDH*変異を有する膠芽腫とされた腫瘍は，astrocytoma, IDH-mutant, grade 4と呼ぶこととなった。この*IDH*変異を有するastrocytoma, IDH-mutant, grade 4の患者の臨床的特徴として，若年で，astrocytoma, grade 2/3が悪性化して生じることが多い。一方，de novoとして発症する典型的な膠芽腫 primary glioblastomaでは*IDH*野生型であることがほとんどである。前者は後者と比較して予後良好であることが示されている[2]。脳腫瘍全国集計によれば，膠芽腫の5年生存割合は10％程度である。このように膠芽腫は最も治療困難な疾患である。

B．治療

　手術によるmaximal safe resection（最小限の手術合併症と最大限の摘出率を達成）後の，1日線量2 Gy，6週間で総線量60 Gyの局所照射と，テモゾロミドを用いた化学放射線療法（Stuppレジメン）が標準治療である[3]。テモゾロミドは放射線治療に併用して投与し，放射線療法終了後も維持療法を6コース行うもので，全生存期間 overall survival（OS）の中央値は14.6カ月と報告されている。なお維持療法は，欧米およびJCOG脳腫瘍グループも6～12コースが日常診療で標準的に用いられている。高齢者に対しても，テモゾロミドを用いた化学放射線療法が行われるが，放射線治療の総線量の減量と照射期間の短縮をし，例えば総線量40 Gyを3週間で15回分割照射することを考慮する。

　その他，腫瘍摘出後，摘出腔壁にカルムスチン徐放性ポリマーを留置する場合がある[4]。また，初発および再発成人膠芽腫患者に対する抗VEGF（血管上皮成長因子）ヒト化モノクローナル抗体であるベバシズマブの投与が，OS延長効果はないものの，国内において保険適用されている[5-7]。また，初発テント上膠芽腫に対し，手術と化学放射線療法の初期治療後に交流電場腫瘍治療システム（NovoTTF-100Aシステム）を使用することの有効性が示され，保険適用されている[8]。

C．再発/増悪形式

　膠芽腫は可及的腫瘍摘出術，術後の補助療法として化学放射線療法を行っても，ほぼ全例再発をきたす。術後から再発までの期間は約7カ月である。膠芽腫の再発形式には，摘出部位での局所再発，脳脊髄液を介した髄腔内播種，微小な浸潤による原発巣から離れた

脳実質内での再発があるが，そのうち局所再発が最も多く70〜90％程度とされる[9]。また局所再発が最も早期に出現する。それぞれの再発形式について以下に示す。

1．局所再発

膠芽腫は浸潤性発育をするため手術によって完全に摘出することは不可能であり，摘出断端には腫瘍が残存している。そのため，放射線照射を行ったとしても摘出腔周囲から局所再発をきたすことが多い。しかも，再発の際には摘出腔を埋める形ではなく，さらに深部へと進展する傾向がある。

2．脳脊髄液を介した髄腔内播種

腫瘍細胞が脳表面や脳室などの脳脊髄液と接する部分にあると髄腔内播種をきたす。くも膜下腔に沿って脳表あるいは脊髄表面のいかなる部位にも新病巣を作り得る。

3．微小浸潤による再発

脳実質内で原発部とは異なる部位に腫瘍が出現する場合もある。画像診断上，一見連続性が認められないこともあるが，ほとんどの場合，顕微鏡レベルでは神経線維に沿った腫瘍の進展が認められることから，多中心的に腫瘍が発生したのではなく，浸潤によるものと考えられている。

D．予後因子/予測因子

Curran らは，米国 Radiation Therapy Oncology Group(RTOG)の第Ⅲ相試験に登録された1,672例の悪性グリオーマの背景因子を分析した結果，予後を左右する因子として，年齢，手術摘出度(亜全摘＋肉眼的全摘 vs. 部分摘出)，術前の performance status(PS)と神経症状を抽出し，この4因子によって予後が4群に分類されることを報告している[10]。これをもとに recursive partitioning analysis(RPA)を行い，膠芽腫が分類される Class Ⅲ，Ⅳ，Ⅴ，Ⅵの生存期間中央値(mOS)はそれぞれ17.9カ月，11.1カ月，8.9カ月，4.6カ月であった。

テモゾロミドに対する主たる感受性規定因子は，O^6-methylguanine-DNA methyltransferase(MGMT)という特異的な DNA 修復酵素である[11]。MGMT の発現は *MGMT* 遺伝子プロモーター領域のメチル化により制御されており，メチル化されると発現が抑制される。初発膠芽腫に対する EORTC/NCIC 試験では，*MGMT* プロモーターメチル化陽性例(すなわちMGMT発現陰性例)(45％)は非メチル化例に比べ有意に全生存期間 overall survival(OS)が長く(medianOS 18.2カ月 vs. 12.2カ月，HR＝0.45，$p<0.001$)，また，テモゾロミドによる有意な延命効果が認められた(21.7カ月 vs. 15.3カ月，$p=0.007$)。一方，非メチル化例(MGMT発現陽性例)ではテモゾロミドの有無による OS の有意差はなく[12]，初発膠芽腫においては予後因子かつ治療効果予測因子と考えられている。高齢者膠芽腫の臨床試験においても *MGMT* プロモーターのメチル化は，予後因子であり，治療効果予測因子であることが示唆されている[13]。

これら予後因子/予測因子が存在するが，現時点では，高齢者を除くいずれの膠芽腫患者に対しても摘出後のテモゾロミドを用いた化学放射線療法(Stupp レジメン)が標準治療である。

参考文献

1) Parsons DW, Jones S, Zhang X, et al. An integrated genomic analysis of human glioblastoma multiforme. Science. 2008；321(5897)：1807-12.
2) Yan H, Parsons DW, Jin G, et al. IDH1 and IDH2 mutations in gliomas. N Engl J Med. 2009；360(8)：765-73.
3) Stupp R, Mason WP, van den Bent MJ, et al. European Organisation for Research and Treatment of Cancer Brain Tumor and Radiotherapy Groups；National Cancer Institute of Canada Clinical Trials Group. Radiotherapy plus concomitant and adjuvant temozolomide for glioblastoma. N Engl J Med. 2005；352(10)：987-96.
4) Westphal M, Hilt DC, Bortey E, et al. A phase 3 trial of local chemotherapy with biodegradable carmustine(BCNU)wafers(Gliadel wafers)in patients with primary malignant glioma. Neuro Oncol. 2003；5(2)：79-88.
5) Gilbert MR, Dignam JJ, Armstrong TS, et al. A randomized trial of bevacizumab for newly diagnosed glioblastoma. N Engl J Med. 2014；370(8)：699-708.
6) Chinot OL, Wick W, Mason W, et al. Bevacizumab plus radiotherapy-temozolomide for newly diagnosed glioblastoma. N Engl J Med. 2014；370(8)：709-22.
7) Wick W, Gorlia T, Bendszus M, et al. Lomustine and Bevacizumab in Progressive Glioblastoma. N Engl J Med. 2017；377(20)：1954-63.
8) Stupp R, Taillibert S, Kanner AA, et al. Maintenance Therapy With Tumor-Treating Fields Plus Temozolomide vs Temozolomide Alone for Glioblastoma：A Randomized Clinical Trial. JAMA. 2015；314(23)：2535-43.
9) Hochberg FH, Pruitt A. Assumptions in the radiotherapy of glioblastoma. Neurology. 1980；30(9)：907-11.
10) Curran WJ Jr, Scott CB, Horton J, et al. Recursive partitioning analysis of prognostic factors in three Radiation Therapy Oncology Group malignant glioma trials. J Natl Cancer Inst. 1993；85(9)：704-10.
11) Esteller M, Garcia-Foncillas J, Andion E, et al. Inactivation of the DNA-repair gene MGMT and the clinical response of gliomas to alkylating agents. N Engl J Med. 2000；343(19)：1350-4.
12) Hegi ME, Diserens AC, Gorlia T, et al. MGMT gene silencing and benefit from temozolomide in glioblastoma. N Engl J Med. 2005；352(10)：997-1003.
13) Perry JR, Laperriere N, O'Callaghan CJ, et al.；Trial Investigators. Short-Course Radiation plus Temozolomide in Elderly Patients with Glioblastoma. N Engl J Med. 2017；376(11)：1027-37.

2 Grade 2/3 神経膠腫

　歴史的に神経膠腫の治療戦略は，WHO grade Ⅰ/Ⅱの低悪性度神経膠腫とgrade Ⅲ/Ⅳの悪性神経膠腫に分けて立案され，新治療法開発は悪性神経膠腫が対象であった。

　2010年代にIDH変異が基盤的な遺伝子異常であることがわかり，乏突起膠腫の1p19q遺伝子共欠損とともに，WHO 2016で分子生物学的分類が付与された。WHO 2021ではこの分子分類が基本となり，基本であったgradeがアラビア数字で付与される表記となった。2020年代は，grade 2/3の総称であるlower-grade glioma[1]とgrade 4の膠芽腫に分けて治療戦略となるが，grade 2/3の臨床試験には10年近い時間を要するため，本章では，WHO 2016分類を基本とした。

　現在の標準的な治療戦略は，WHO grade 2の低リスク群に対して摘出術後経過観察で高リスク群は術後補助療法，grade 3も摘出術後放射線化学療法である。

A. 手術

　Grade 2/3 の神経膠腫が疑われる病変に対する手術の目的は、確定診断と摘出による予後改善である。脳梗塞や変性疾患などの非腫瘍病変の可能性もあるため、手術適応の検討を要する症例もある。急激な増大や悪性転化リスクが低い機能組織内の病変に対して、厳密な MRI による経過観察を行うことも考慮してよい。手術法は、診断のための生検術と診断的治療の開頭腫瘍摘出術がある。生検術には穿頭による定位的腫瘍生検術と小開頭による腫瘍生検術がある。前者は機能組織内や深部あるいは多発性病変に対し、高齢者や QOL の低い患者にも可能な低侵襲な方法であるが、術後出血が重篤な合併症となるリスクもある。積極的摘出が可能と判断する病変に対し、組織学的な全摘出は困難であるが、腫瘍細胞数を減少させるための肉眼的全摘出や画像上の全摘出を目指した開頭腫瘍摘出術を施行する。

　生存予後と摘出との関連を検証したランダム化比較試験(RCT)はない。Grade Ⅱを対象に前向き観察研究が施行され、生検後経過観察群と比較して早期摘出群の生存率が有意に高く、機能温存を前提に病変の可及的摘出術を推奨する根拠となった。Grade Ⅲを対象の補助療法に関する RCT のサブ解析でも、摘出度と予後に有意差が認められている[2-4]。神経膠腫全体でも、grade、IDH1 遺伝子変異、1p/19q 共欠失、年齢とともに手術摘出度が予後因子である。

　摘出率も予後との関連が指摘され、grade Ⅱでは、FLAIR や T2 画像上 90％以上摘出[5]が予後と相関との報告が多く、長期観察[6]では 75％以上という。組織型では星細胞系[7]や IDH 変異型星細胞腫[8]が相関し、乏突起膠腫は相関がないとされたが、長期観察では相関を認めた。Grade Ⅲでは T2 画像上 53％以上摘出、星細胞系(星細胞腫と乏突起星細胞腫)の摘出率と関連したと grade Ⅱと同様の結果であった。

　技術開発も進み、手術ナビゲーションや術中画像、運動誘発電位(MEP)などの術中機能モニタリングや覚醒下手術による機能マッピング、術中迅速組織診断や蛍光診断などが用いられる。Grade Ⅱ/Ⅲに対して、術中 MRI や機能マッピングが有用であるとの報告がある。また、術中補助療法として grade Ⅲに対して BCNU wafer はエビデンスをもち、保険上光線力学療法やウイルス療法は使用可能である。

　画像上 9 割以上の摘出が予後と関連し、星細胞系腫瘍は乏突起細胞系腫瘍と比較し手術の役割が相対的に高いと考えられ、機能温存を図りつつ可及的最大限に腫瘍を切除することが治療として重要である。

B. 放射線治療

　Grade Ⅱでは低リスク症例に経過観察、高リスク症例に放射線治療(RT)が推奨され、grade Ⅲ症例では RT が強く推奨される。放射線治療の目的は、残存腫瘍が大きい場合は腫瘍縮小による PS や神経症状の改善やてんかん発作の減少などであるが、残存腫瘍細胞数をできる限り減少させることによる生存期間の延長である。

1. Grade Ⅱ 神経膠腫

　時期を問わない RT が標準治療と考えられている。根拠となった RCT は術後早期 RT(54

Gy)と経過観察後 RT を比較した試験(EORTC22845)で，OS 中央値(mOS)は有意差を認めなかったため[9]，認知機能障害などの懸念から MRI などの画像診断で経過観察し再発時に RT を施行する方法が grade Ⅱ 神経膠腫の治療戦略の一つとなった。一方，PFS 中央値(mPFS)は有意に早期 RT が長く，こちらも治療戦略の一つである。たとえば，若年者でけいれんのみで全摘出された低リスクの場合経過観察可能であるが，頭蓋内圧亢進で発症した高リスクの場合は摘出後に早期 RT が必要であり，リスクに応じた戦略がとられる。リスク分類[10]には予後不良 5 因子(40 歳以上，腫瘍径 6 cm 以上，対側進展，星細胞腫，神経症状)の内，3 因子以上を高リスク群とするものが有名であるが，40 歳以上あるいは残存腫瘍あり[11]を高リスク群として術後早期 RT の適応とする施設が多い。なお，治療長期後に実行機能，情報処理速度，注意機能などの認知機能障害のリスクがある[12]。

照射量について，RCT の結果効果に大きな違いが認められず，海外試験で 54 Gy，国内では 45 Gy や 50 Gy が用いられ，照射法は 3 次元原体照射法(3D-CRT)が基本で，強度変調放射線治療(IMRT)の普及が進んでいる。

2．Grade Ⅲ 神経膠腫

術後放射線治療を行うことが標準治療である。根拠となった Walker らの RCT は grade Ⅲ/Ⅳに対して，手術後経過観察，術後化学療法(BCNU)，術後 RT，術後 RT＋BCNU の 4 群比較試験であり，RT を含む後者 2 群は経過観察群と比較して有意に生存期間が長く標準治療となった。現在，照射量は 59.4 Gy や 60 Gy が用いられ，照射範囲は腫瘍と周辺 T2 信号域＋2 cm への拡大局所照射が一般的である。

上記 RCT は grade Ⅳ が中心であったが，RT は当時同じ悪性神経膠腫カテゴリーの grade Ⅲ の標準治療をともなった。そこで，grade Ⅲ に対して改めて標準治療を検討した RCT(NOA-04)がある。RT 単独→再発時化学療法(CT)群と，CT 単独(PCV or TMZ)→再発時 RT 群を比較し，両群間で TTF(2 度目の再発までの期間)と OS に有意差なく，CT 間にも有意差を認めなかった[3]。サブ解析では，乏突起系(AO と AOA)において，TMZ と比較して PCV や RT で TTF が延長し，初発時 PCV により RT をスキップできる可能性が示唆された。後述の EORTC26951 の結果から，AO と AOA は RT＋PCV が標準治療だが，この RCT に参加した長期生存者の 30％ に重度認知機能を認めており[13]，RT を回避する治療を，回避が生存期間を短縮するリスクとの trade-off のうえで，考慮すべきと考える。

今後は，WHO 2021 分類において分子分類ごとに grade 2/3 でまとめて扱う治療戦略に関するエビデンスの構築が期待される。

C．化学療法

Grade Ⅱ では低リスク群に経過観察，高リスク群に化学療法(CT)が推奨され，grade Ⅲ では CT が強く推奨される。全身療法である CT の目的は，局所療法の手術や RT で残存した浸潤性の腫瘍細胞への，基本血液脳関門を通過する薬剤による殺細胞効果による，生存期間の延長である。主な薬剤は，grade Ⅳ 膠芽腫で効果を示したテモゾロミド(TMZ)と乏突起膠腫で最初に効果が示唆された PCV 療法である。なお，RT と併用する初期治療

とその後単独で使用する維持療法からなり，GBM に対する TMZ は両者を用いる(Stuppレジメン)。また，PCV はプロカルバジンと CCNU とビンクリスチンの3種薬剤によるレジメンであるが，CCNU は国内未承認のため同系の ACNU に変えた PAV 療法が用いられる。

1. Grade Ⅱ 神経膠腫

低リスク群は経過観察，高リスク群は RT に CT を加えることが標準治療と考えられる。

根拠の RCT は，高リスク群に対する RTOG9802 試験[14]で，術後 RT + PCV が術後 RT に対し mOS と mPFS 共に有意に長かった。分子分類では，IDH 野生型の PCV 上乗せ効果はなく，IDH 変異型に PCV の上乗せ効果を認めた。なお，PCV 群では好中球減少，血小板減少などの重篤な有害事象を51%に認めた。また，術後 RT と術後 CT(増量 TMZ)を比較した RCT がある[15]。mOS は未達で mPFS は両群で有意差を認めなかったが，サブ解析で IDH 変異型星細胞腫群のみが，RT 単独が ddTMZ に比べ有意に PFS が長く，TMZ 単独治療は標準とは考えにくい。異なる TMZ 用法(維持療法と同じ)の単群第Ⅱ相試験の結果で IDH 野生型は有意に予後不良であり TMZ 単独治療の治療候補とならない一方，1p19q 共欠失は TMZ による放射線待機戦略が期待できる[16]。ただし，IDH 変異神経膠腫で TMZ 後に悪性転化を伴う hypermutation[17]を認めたとの報告から，TMZ 単独投与は要検討と考えられる。同じく単群第Ⅱ相で術後 RT + TMZ を検討した RTOG0424 試験では，TMZ の RT への上乗せ効果が示唆された。なお，国内では高リスクの DA と OA に対し RT と RT + TMZ を比較した JCOG1303 が経過観察中である。

化学療法では血液毒性と共に，白血病などの二次発がんの長期有害事象のリスクがある。妊孕性低下リスクも否定できず，治療前の卵子凍結保存などの説明が望ましい。

2. Grade Ⅲ 神経膠腫

術後 RT + CT が標準治療と考えられている。化学療法剤は，乏突起系に対して RT + PCV，星細胞系に対して RT + TMZ 維持化学療法が検証されている。

PCV 化学療法の根拠となる RCT は，AO と AOA を対象とした 2RCT(EORTC26951[2] と RTOG9402[18])である。術後 RT に対して，前者は RT 後 PCV 化学療法，後者は PCV 後 RT と比較した。EORTC26951 は，RT + PCV 併用群の OS，PFS が有意に長く，分子分類の AO(1p/19q 共欠失あり)でより顕著であった。RTOG9402 では，両群間で OS に有意差を認めず，分子的 AO のみで PCV の上乗せ効果が示唆された。

TMZ 化学療法に関して，分子分類の AA に対して，CATNON 試験が根拠の RCT となる[19]。4群すなわち A：RT 単独，B：RT + TMZ 初期治療，C：RT + TMZ 維持療法，D：RT + TMZ 初期・維持療法をランダム化し，2×2で解析した。TMZ 維持療法なし群(A + B)とあり群(C + D)の比較で，あり群の OS が長く，TMZ 維持療法の RT への上乗せ効果が検証された。サブ解析で IDH 野生型では有意差なく，この効果が IDH 変異型への反応と考えられた。なお，重篤な有害事象は TMZ 維持療法群の15%で認めた。並行して，分子分類の AO に対して CODEL 試験[20]が A：RT 群，B：RT + TMZ 群，C：TMZ 群による3群比較の RCT として行われ，TMZ 群が RT あり(A + B)群より PFS が有意に短く，C：TMZ 単独は選択肢から外れた。EORTC26951 の RT 群に優った結果から，RT + PCV

群が乏突起系で標準治療となるが，PCVは完遂率が44〜70％と血液毒性が強く，直接比較したことがないため，A群をRT＋PCV群としB群と比較する再設計のCODELが行われる。国内ではACNU単剤も使用され，神経膠腫全体に対し，RT＋TMZとRT＋ACNUを比較するJCOG1016試験が施行中である。Grade Ⅲの標準治療は確立したかにみえるが，WHO 2021の分子分類に基づいた乏突起膠腫とIDH変異星細胞腫をgrade 2/3含めて対象にした治療戦略が求められている。保険適用のある他化学療法剤は，ベバシズマブがある。

参考文献

1) Suzuki H, Aoki K, Chiba K, et al. Mutational landscape and clonal architecture in grade Ⅱ and Ⅲ gliomas. Nat Genet. 2015；47：458-68.
2) van den Bent MJ, Brandes AA, Taphoorn MJ, et al. Adjuvant procarbazine, lomustine, and vincristine chemotherapy in newly diagnosed anaplastic oligodendroglioma：long-term follow-up of EORTC brain tumor group study 26951. J Clin Oncol. 2013；31：344-50.
3) Wick W, Hartmann C, Engel C, et al. NOA-04 randomized phase Ⅲ trial of sequential radiochemotherapy of anaplastic glioma with procarbazine, lomustine, and vincristine or temozolomide. J Clin Oncol. 2009；27：5874-80.
4) Cairncross G, Berkey B, Shaw E, et al. Phase Ⅲ trial of chemotherapy plus radiotherapy compared with radiotherapy alone for pure and mixed anaplastic oligodendroglioma：Intergroup Radiation Therapy Oncology Group Trial 9402. J Clin Oncol. 2006；24：2707-14.
5) Smith JS, Chang EF, Lamborn KR, et al. Role of extent of resection in the long-term outcome of low-grade hemispheric gliomas. J Clin Oncol. 2008；26：1338-45.
6) Hervey-Jumper SL, Zhang Y, Phillips JJ, et al. Interactive Effects of Molecular, Therapeutic, and Patient Factors on Outcome of Diffuse Low-Grade Glioma. J Clin Oncol. 2023；41：2029-42.
7) Nitta M, Muragaki Y, Maruyama T, et al. Proposed therapeutic strategy for adult low-grade glioma based on aggressive tumor resection. Neurosurg Focus. 2015；38：E7.
8) Wijnenga MMJ, French PJ, Dubbink HJ, et al. The impact of surgery in molecularly defined low-grade glioma：an integrated clinical, radiological, and molecular analysis. Neuro Oncol. 2018；20：103-12.
9) van den Bent MJ, Afra D, de Witte O, et al. Long-term efficacy of early versus delayed radiotherapy for low-grade astrocytoma and oligodendroglioma in adults：the EORTC 22845 randomised trial. Lancet. 2005；366：985-90.
10) Pignatti F, van den Bent M, Curran D, et al. Prognostic factors for survival in adult patients with cerebral low-grade glioma. J Clin Oncol. 2002；20：2076-84.
11) Shaw EG, Wang M, Coons SW, et al. Randomized trial of radiation therapy plus procarbazine, lomustine, and vincristine chemotherapy for supratentorial adult low-grade glioma：initial results of RTOG 9802. J Clin Oncol. 2012；30：3065-70.
12) Douw L, Klein M, Fagel SS, et al. Cognitive and radiological effects of radiotherapy in patients with low-grade glioma：long-term follow-up. Lancet Neurol. 2009；8：810-8.
13) Habets EJ, Taphoorn MJ, Nederend S, et al. Health-related quality of life and cognitive functioning in long-term anaplastic oligodendroglioma and oligoastrocytoma survivors. J Neurooncol. 2014；116：161-8.
14) Buckner JC, Shaw EG, Pugh SL, et al. Radiation plus Procarbazine, CCNU, and Vincristine in Low-Grade Glioma. N Engl J Med. 2016；374：1344-55.
15) Baumert BG, Hegi ME, van den Bent MJ, et al. Temozolomide chemotherapy versus radiotherapy in high-risk low-grade glioma（EORTC 22033-26033）：a randomised, open-label, phase 3 intergroup study. Lancet Oncol. 2016；17：1521-32.
16) Wahl M, Phillips JJ, Molinaro AM, et al. Chemotherapy for adult low-grade gliomas：clinical outcomes

by molecular subtype in a phase II study of adjuvant temozolomide. Neuro Oncol. 2017；19：242-51.
17) Touat M, Li YY, Boynton AN, et al. Mechanisms and therapeutic implications of hypermutation in gliomas. Nature. 2020；580：517-523.
18) Cairncross G, Wang M, Shaw E, et al. Phase III trial of chemoradiotherapy for anaplastic oligodendroglioma：long-term results of RTOG 9402. J Clin Oncol. 2013；31：337-43.
19) van den Bent MJ, Tesileanu CMS, Wick W, et al. Adjuvant and concurrent temozolomide for 1p/19q non-co-deleted anaplastic glioma（CATNON；EORTC study 26053-22054）：second interim analysis of a randomised, open-label, phase 3 study. Lancet Oncol. 2021；22：813-23.
20) Jaeckle KA, Ballman KV, van den Bent M, et al. CODEL：phase III study of RT, RT ＋TMZ, or TMZ for newly diagnosed 1p/19q codeleted oligodendroglioma. Analysis from the initial study design. Neuro Oncol. 2021；23：457-67.

3 Ependymal tumors 上衣腫

A．手術

　上衣腫の治療予後には手術摘出状況，すなわち肉眼的・画像上の残存腫瘍の有無が最も影響することには同意が得られている。そのため上衣腫は"surgical disease"と呼ばれている。後頭蓋窩上衣腫では，脳幹部への浸潤がその摘出状況に大きく影響する。

　2021年に発表された日本脳腫瘍学会からの上衣腫ガイドライン[1]でも「生命予後の改善が期待できるので肉眼的全摘出を強く推奨する」としているが，エビデンスレベルとしてはランダム化比較試験やそのメタアナリシスをもとにした「今後さらなる研究を実施しても，効果推定への確信性は変わりそうにない」という高いレベルではなく，さまざまな予後に関係するとみなされている因子が整えられていない後方視的検討をもとにしたものであるため，「今後さらなる研究が実施された場合，効果推定への確信性に重大な影響を与える可能性が高く，その推定が変わる可能性が高い」という低いレベルとしている。しかし近年比較的症例数の多い前向き研究結果から，残存腫瘍が確認されない状態を得た症例の予後が良いことは報告されている[2]。稀少疾患で，既に後方視的検討結果によりエビデンスレベルが低いながら手術摘出が予後に大きく影響するということが判明している場合，摘出率を操作するようなランダム化比較試験は倫理的に行うことができない。そのため，残存腫瘍量を減らすことが予後を改善するのか，予後が良い原因が残存腫瘍量を減らす手術自体が可能な浸潤性の少ない腫瘍自体の性格によるのかは確定できない。いずれにしても，正常脳機能を障害せずに可能な限り腫瘍残存量を少なくする手術を行う必要性がある。これは脳神経外科医の使命である。

B．放射線治療

　放射線治療追加が生命予後を改善させることは同意されている。また，照射範囲も播種のない場合には腫瘍局所に限局したものが推奨されている。放射線治療は特に小児上衣腫に対して行った場合，高次機能障害・脳血管障害・汎下垂体機能低下症・二次発がんといった晩期合併症は無視できるものではない。したがって，抗腫瘍効果があるからといって，手術後にすぐ全例に照射することが長期生存可能な症例に対する最適の治療には相当しな

い。解決されていない問題点は2つある。残存腫瘍のない摘出が行われたWHO grade 2で照射を追加するか，照射開始する妥当な年齢はいくつなのか，が判明していない2点である。

　日本脳腫瘍学会からの上衣腫ガイドライン[1]では，①肉眼的に全摘出された退形成性上衣腫の症例に対しては，摘出術後に放射線治療を行うことを弱く推奨する，②3歳未満の症例に対しては，放射線治療を回避するか，できるだけ長期の開始遅延を目指すことを弱く推奨する，としている。一方，2018年にEuropean Association of Neuro-Oncology（EANO）から公表されたガイドライン[3]では，①小児WHO grade 2，3ともに術後腫瘍残存ありなし関係なく放射線治療を推奨する，②成人ではWHO grade 3とgrade 2の術後腫瘍残存ありで放射線治療を推奨する，③12カ月未満もしくは成人再発で手術や放射線治療ができない場合化学療法単独を推奨する，と記載されており，12カ月以上であれば積極的に局所放射線治療を行うことを推奨している。National Comprehensive Cancer Network（NCCN）Clinical Practice Guidelines in Oncology（NCCN guidelines®）2021年版[4]では，WHO grade 3とgrade 2の術後腫瘍残存ありで放射線治療を推奨しており，National Cancer Insititute（NIH）からのChildhood Ependymoma Treatment（PDQ®）-Health Professional Version[5]では，WHO grade 2の術後残存腫瘍なしでも放射線治療を推奨している。

　このように臨床現場としては，上記2点の問題は早急な解決が望まれるが，WHO grade分類方法はWHO 2021においても記載が不明瞭であることと，分子生物学的解析が今後先行するであろうこと，さらには前向き試験を行ったとしても最終的な結果が出るには10年単位の時間が必要であることから，しばらくは混迷を極めると予想される。

C．薬物療法

　腫瘍縮小効果を確認した報告は少数認められるが，生存期間延長に寄与することを証明した薬物療法は存在しない。

　そのため日本脳腫瘍学会からの上衣腫ガイドライン[1]では，基本的概念として上衣腫に対しては化学療法を行わないことを推奨し，特別な状況として，①残存腫瘍を縮小させて二期的摘出術を行う，②3歳未満で放射線治療開始時期を遅延させる，目的での化学療法を限定的に弱く推奨した。

　化学療法の有効性を示す目的で行われた，もしくは現在進行中の臨床試験としては，ACNS0831とSIOP-EP-Ⅱ試験が挙げられる。両者ともに登録症例数500例を超える大規模なものであり，結果報告が待たれる。上衣腫に対する化学療法の意義が確認されるかどうかにより，今後の上衣腫に対する治療計画は大きく影響されるだろう。

D．予後・予後因子

　予後不良因子としては，3歳未満発症・摘出率（残存腫瘍の有無）・治療前の播種病変の存在，が挙げられている。WHO 2021より前の分類に従った検討結果でも，WHO grade 2と3の鑑別が予後予測因子としてどれくらい重要であるかが明瞭にされなかったが，その

理由の一つとして病理学的に WHO grade 2 と 3 への診断一致率が極めて低かったことが指摘されている[6]。一方で ACNS0121（後述）という前向き試験[2]の中で，登録施設と中央診断での診断は一致しており，WHO grade 2，3 の鑑別は予後予測因子として有用であったという報告があることも知っておかなければならない。PFA と spinal ependymoma, *MYCN*-amplified の予後が悪いことはすでに報告されている[7]が，WHO 2021 に完全に即した分類別・治療方法別生存率は現時点では不明である。今後も治療プロトコールが統一されたとしても，多数症例を対象にした数値が出揃うには時間がかかると予想される。

脳腫瘍全国調査集計[8]では，2005～2008 年に本邦にて手術と放射線治療を受けた上衣腫の 5 年生存率は，grade 2(n＝33)で 78.5％，grade 3(n＝20)で 82.8％であった。全摘出された上衣腫の 5 年生存率は，grade 2(n＝29)で 84.4％，grade 3(n＝37)で 81.7％であった。大規模前向き試験の結果としては，テント上 grade 2 で全摘された場合は経過観察する・部分摘出に終わった場合は化学療法を行い可能であれば二期的摘出術を行う・3 歳未満でも積極的に術後早期に局所放射線治療を行う，といった治療方法に特徴を有する 1～21 歳の 356 上衣腫症例（grade 2，215 例；grade 3，141 例）を対象とした The Children's Oncology Group trial ACNS0121 試験[2]の 5 年生存率は 83.8％であった。テント上 grade 2 で全摘された場合は経過観察する，という治療方針をとった 11 例の 5 年無増悪生存率は 61.4％，5 年生存率は 100％であった。3～21 歳の 74 例の上衣腫に対して，部分摘出後の化学療法の有用性を明らかにすることを目的とした SIOP Ependymoma Ⅰ試験[9]では，5 年生存率は 69.3％であった。全摘出はやはり予後良好因子で，1p gain, H3K27me3 loss, hTERT expression が予後不良因子であったと報告されている。

参考文献

1) 日本脳腫瘍学会．2021 年版脳腫瘍診療ガイドライン．小児脳腫瘍編．小児 AYA 世代上衣腫．http://www.jsn-o.com/guideline/index.html（2022 年 7 月 1 日引用）
2) Merchant TE, Bendel AE, Sabin ND, et al. Conformal Radiation Therapy for Pediatric Ependymoma, Chemotherapy for Incompletely Resected Ependymoma, and Observation for Completely Resected, Supratentorial Ependymoma. J Clin Oncol. 2019；37(12)：974-83.
3) Rudà R, Reifenberger G, Frappaz D, et al. EANO guidelines for the diagnosis and treatment of ependymal tumors. Neuro Oncol. 2018；20(4)：445-56.
4) National Comprehensive Cancer Network(NCCN)Clinical Practice Guidelines in Oncology. Version2. 2021；Adult Intracranial and Spinal Ependymoma(exclucing Subependymoma).
5) Childhood Ependymoma Treatment(PDQ®)-Health Professional Version. https://www.cancer.gov/types/brain/hp/child-ependymoma-treatment-pdq(Assessed July 1, 2022)
6) Ellison DW, Kocak M, Figarella-Branger D, et al. Histopathological grading of pediatric ependymoma：reproducibility and clinical relevance in European trial cohorts. J Negat Results Biomed. 2011；10：7.
7) WHO Classification of Tumours Editorial Board. World Health Organization Classification of Tumours of the Central Nervous System. 5th ed. Lyon：International Agency for Research on Cancer；2021.
8) Brain Tumor Registry of Japan(2005-2008). Neurol Med Chir(Tokyo). 2017；57(Suppl 1)：9-102.
9) Ritzmann TA, Chapman RJ, Kilday JP, et al. SIOP Ependymoma Ⅰ：Final results, long-term follow-up, and molecular analysis of the trial cohort-A BIOMECA Consortium Study. Neuro Oncol. 2022；24(6)：936-48.

4 中枢神経系原発悪性リンパ腫

中枢神経系原発悪性リンパ腫 primary central nervous system lymphoma（PCNSL）の治療の原則は，生検術による病理組織診断確定後の大量 high-dose（HD）メトトレキサート（MTX）療法を基盤とする薬物による寛解導入療法，および放射線照射や薬物による地固め療法である．通常治療へよく反応し，治療目標は完全寛解である．高齢者患者の多い PCNSL では全脳照射により高度の認知機能障害を伴う遅発性神経毒性のリスクが高まることから[1]，薬物による寛解導入療法を強化し，全脳照射を減量ないし待機する傾向にある．また，自家幹細胞移植（ASCT）支援大量化学療法（HDC）による地固め療法の導入，再発/難治性 PCNSL に対しては分子標的治療薬の BTK 阻害薬チラブルチニブが承認されている．

A．手術・ステロイド

PCNSL は，脳実質ならびに血管周囲腔へ高度に浸潤するため，摘出による予後改善への寄与は一般的に乏しく，高度の頭蓋内圧亢進症状がある場合以外は診断確定を目的とした生検術が通常行われる．ステロイド療法（糖質コルチコイド）は急速な腫瘍の一過性縮小をきたし，生検による腫瘍細胞検出が困難となることがあるため，高度の脳浮腫や腫瘍の mass effect があるなどやむを得ない場合を除き，可能な限り生検術前には投与を控える．生検術後には速やかにステロイド投与を行ってよい．

B．薬物療法

PCNSL に対する治療の主体は薬物療法である．血液脳関門 blood-brain barrier（BBB）の透過性が不良な CHOP 療法は生存延長に寄与しないため，大量投与（$3\ g/m^2$ 以上）により BBB を透過する MTX を基盤とする化学療法が用いられる．この治療では，MTX 投与後に引き続きロイコボリンによる救済治療を行うことで毒性を緩和でき，腎機能が保たれていれば，高齢者でも比較的安全に治療が可能である．HD-MTX 単独療法では完全奏効割合が低く，その後の全脳照射による地固め療法によっても生存期間中央値（mOS）は約 3〜4 年にすぎず，高率に再発および遅発性白質障害が出現するため，現在は MTX に加え多剤を併用した寛解導入療法に薬物による地固め療法を行うレジメンが主として使用される[2]．国内では保険診療で使用可能な R-MPV（R：リツキシマブ，M：MTX，P：プロカルバジン，V：ビンクリスチン）寛解導入療法に大量シタラビン（AraC：A）地固め療法を加えた R-MPV-A 療法が主流であり[3]，第Ⅱ相試験でも好成績が示されている[4]．

末梢血幹細胞移植を伴う大量化学療法（HDC/ASCT）も，若年者や条件の良い患者に対して治療強度を高め，全脳照射を回避する地固め療法として臨床試験が行われており[5,6]，国内ではキードラッグとなるチオテパ（TT）が 2020 年に承認され，ブスルファン（Bu）との併用（BuTT）が前処置として使用可能となった．

また，PCNSL では腫瘍細胞の細胞内シグナル伝達に関与する *MYD88* 遺伝子と *CD79B* 遺伝子の変異が高頻度でみられ，その結果ブルトン型チロシンキナーゼ（BTK）と NF-κB

経路が活性化していることが明らかとなり[7]、BTK阻害薬のチラブルチニブが2020年に再発/難治性PCNSLに対して承認された[8]。今後期待される治療として、PCNSLで高頻度に亢進するその他の細胞内シグナル伝達を阻害する分子標的治療[9]、および免疫調節薬[10]やCAR-T療法[11]などが臨床試験にて試みられている。

C．放射線治療

PCNSLは放射線感受性が高く、極めて浸潤性であるため、放射線治療には全脳照射が推奨される（30～40 Gy，1回線量1.8～2.0 Gy）。しかし、全脳照射単独ではmOSが10～18カ月と不良であり、HD-MTX基盤化学療法後の地固め療法として施行されても治癒は得がたい。さらに、高齢者が多いPCNSL患者への照射は、高率に遅発性の白質障害とそれに伴う認知機能障害を惹起し、QOLやperformance status（PS）を著しく損なうリスクを有する。したがって、初期寛解導入療法や地固め療法で薬物療法を強化し（上述）、全脳照射を行わない治療法が欧米の臨床試験で検討された[4,12,13]。最近の欧米のガイドラインでは、完全奏効が得られれば60歳以上では全脳照射を回避することが推奨されており[14]（https://www.nccn.org/）、日本脳腫瘍学会のPCNSL診療ガイドラインにおいても、高齢者では全脳照射を減量ないし待機とした治療法を考慮するとされている[15]。

D．予後・予後因子

近年の臨床試験結果では、多剤併用MTX基盤薬物療法を中心にPCNSLのmOSは5年を超える報告が多くなった。予後規定因子としては、年齢とPSが最も重要であり、若年者（<50歳）、高いPS（Karnofsky PS：KPS≧70）で予後が良好である[16]。そのほかの臨床的予後不良因子として、血清LDH高値、髄液蛋白高濃度、深部脳病巣も挙げられている[17]。

参考文献

1) Omuro AM, Ben-Porat LS, Panageas KS, et al. Delayed neurotoxicity in primary central nervous system lymphoma. Arch Neurol. 2005；62(10)：1595-600.
2) 永根基雄．中枢神経系原発びまん性大細胞型B細胞リンパ腫．血液内科．2020；80(5)：623-35.
3) Sasaki N, Kobayashi K, Saito K, et al. Consecutive single-institution case series of primary central nervous system lymphoma treated by R-MPV or high-dose methotrexate monotherapy. Jpn J Clin Oncol. 2020；50(9)：999-1008.
4) Morris PG, Correa DD, Yahalom J, et al. Rituximab, methotrexate, procarbazine, and vincristine followed by consolidation reduced-dose whole-brain radiotherapy and cytarabine in newly diagnosed primary CNS lymphoma：final results and long-term outcome. J Clin Oncol. 2013；31(31)：3971-9.
5) Ferreri AJM, Cwynarski K, Pulczynski E, et al. International Extranodal Lymphoma Study Group (IELSG). Whole-brain radiotherapy or autologous stem-cell transplantation as consolidation strategies after high-dose methotrexate-based chemoimmunotherapy in patients with primary CNS lymphoma：results of the second randomisation of the International Extranodal Lymphoma Study Group-32 phase 2 trial. Lancet Haematol. 2017；4(11)：e510-23.
6) Houillier C, Taillandier L, Dureau S, et al. Intergroupe GOELAMS―ANOCEF and the LOC Network for CNS Lymphoma. Radiotherapy or Autologous Stem-Cell Transplantation for Primary CNS Lymphoma in Patients 60 Years of Age and Younger：Results of the Intergroup ANOCEF-GOELAMS Randomized Phase II PRECIS Study. J Clin Oncol. 2019；37(10)：823-33.
7) Grommes C, Nayak L, Tun HW, et al. Introduction of novel agents in the treatment of primary CNS

lymphoma. Neuro Oncol. 2019 ; 21(3) : 306-13.
 8) Narita Y, Nagane M, Mishima K, et al. Phase Ⅰ/Ⅱ study of tirabrutinib, a second-generation Bruton's tyrosine kinase inhibitor, in relapsed/refractory primary central nervous system lymphoma. Neuro Oncol. 2021 ; 23(1) : 122-33.
 9) Schaff LR, Grommes C. Update on Novel Therapeutics for Primary CNS Lymphoma. Cancers(Basel). 2021 ; 13(21) : 5372.
10) Ghesquieres H, Chevrier M, Laadhari M, et al. Lenalidomide in combination with intravenous rituximab(REVRI)in relapsed/refractory primary CNS lymphoma or primary intraocular lymphoma : a multicenter prospective 'proof of concept' phase Ⅱ study of the French Oculo-Cerebral lymphoma (LOC)Network and the Lymphoma Study Association(LYSA)†. Ann Oncol. 2019 ; 30(4) : 621-8.
11) Alcantara M, Houillier C, Blonski M, et al. CAR T-cell therapy in primary central nervous system lymphoma : the clinical experience of the French LOC network. Blood. 2022 ; 139(5) : 792-6.
12) Rubenstein JL, Hsi ED, Johnson JL, et al. Intensive chemotherapy and immunotherapy in patients with newly diagnosed primary CNS lymphoma : CALGB 50202(Alliance 50202). J Clin Oncol. 2013 ; 31(25) : 3061-8.
13) Thiel E, Korfel A, Martus P, et al. High-dose methotrexate with or without whole brain radiotherapy for primary CNS lymphoma(G-PCNSL-SG-1) : a phase 3, randomised, non-inferiority trial. Lancet Oncol. 2010 ; 11(11) : 1036-47.
14) Hoang-Xuan K, Deckert M, Ferreri AJM, et al. European Association of Neuro-Oncology(EANO) guidelines for treatment of primary central nervous system lymphoma(PCNSL). Neuro Oncol. 2023 ; 25(1) : 37-53.
15) 日本脳腫瘍学会編, 日本脳神経外科学会監. 中枢神経系原発悪性リンパ腫. 脳腫瘍診療ガイドライン2019年版 第2版. 金原出版, 2019, pp108-55.
16) Abrey LE, Ben-Porat L, Panageas KS, et al. Primary central nervous system lymphoma : the Memorial Sloan-Kettering Cancer Center prognostic model. J Clin Oncol. 2006 ; 24(36) : 5711-5.
17) Ferreri AJ, Blay JY, Reni M, et al. Prognostic scoring system for primary CNS lymphomas : the International Extranodal Lymphoma Study Group experience. J Clin Oncol. 2003 ; 21(2) : 266-72.

5 転移性脳腫瘍

A．手術

　転移性脳腫瘍に対する摘出術は腫瘍が大きく（3 cm以上が目安とされる），腫瘍による症状が出現し，摘出により改善の見込みが高いと判断される場合適応となることが多い．小型で無症状の場合や，髄膜癌腫症，腫瘍が深部あるいは機能野近傍に存在し，摘出術により症状の悪化が予想される場合は，摘出術の対象にはならない．また術前のKPS不良な場合，原発巣，ほかの部位の転移巣のコントロールが不良で生命予後が数カ月しか見込めない場合も通常は摘出術の対象にはならない．

B．放射線治療

　転移性脳腫瘍の治療において放射線治療は重要な役割を果たしている．通常の放射線治療は30～37.5 Gy程度の全脳照射が選択され，単発腫瘍に対する手術後，あるいは単発～複数個転移における単独あるいは定位放射線照射stereotactic irradiation（STI）との併用治療として幅広く行われている．一方でSTIは近年急速に普及しており，以前は3 cmより小さい腫瘍でかつ1～4個までという少ない個数の腫瘍に対し経験的に治療が行われていたが，近年の国内外における大規模試験の結果，STIの治療成績は全脳照射に対し劣らな

いことが証明され，現在では小型の少数個転移の腫瘍に対しては厳重な経過観察を行うことを前提にSTIも標準治療とみなされている(JCOG0504)[1]。また5〜9個の複数個転移に関しても，総体積15cc以下を上限にSTIの有効性が報告されている[2]。髄膜癌腫症に関しては全脳照射が選択されている。

C．薬物療法

血液脳関門の存在により，薬物療法の転移性脳腫瘍に対する効果は限定的とされ，一部の薬物療法高感受性腫瘍を除き放射線治療や摘出術が優先されてきた。しかしながら，脳転移が無症状の場合は高感受性でない腫瘍に対しても全身化学療法は許容される。特に上皮成長因子受容体(EGFR)変異を有する非小細胞肺癌では，EGFRチロシンキナーゼ受容体阻害薬ゲフィチニブやエルロチニブによる脳転移に対する有効性が報告されている[3]。

D．予後・予後因子

転移性脳腫瘍の予後は，ほとんどが原発巣あるいは脳以外の転移巣のコントロールによると考えられてきた。しかしながら近年の薬物療法の進歩に伴い，頭蓋外病変の腫瘍制御は急速に進歩している。病態，腫瘍の性質をよく理解し，上記3つの治療法を組み合わせた集学的治療を行っていく必要がある。

参考文献
1) Kayama T, Sato S, Sakurada K, et al.; Japan Clinical Oncology Group. Effects of Surgery With Salvage Stereotactic Radiosurgery Versus Surgery With Whole-Brain Radiation Therapy in Patients With One to Four Brain Metastases(JCOG0504): A Phase Ⅲ, Noninferiority, Randomized Controlled Trial. J Clin Oncol. 2018; 36(33): 3282-89
2) Yamamoto M, Serizawa T, Shuto T, et al. Stereotactic radiosurgery for patients with multiple brain metastases(JLGK0901): a multi-institutional prospective observational study. Lancet Oncol. 2014; 15(4): 387-95.
3) Jamal-Hanjani M, Spicer J. Epidermal growth factor receptor tyrosine kinase inhibitors in the treatment of epidermal growth factor receptor-mutant non-small cell lung cancer metastatic to the brain. Clin Cancer Res. 2012; 18(4): 938-44.

6 中枢神経原発胚細胞腫

A．手術

基本的に胚細胞腫の治療は化学放射線治療が中心であり，手術に関しては，診断確定のための生検術，水頭症に対する手術，化学放射線治療に抵抗性の腫瘍に対する手術が行われる。診断においてはまず胚細胞腫瘍に特徴的な血清もしくは髄液腫瘍マーカー(AFP，HCG，β-HCG)の測定を行う。中枢神経原発胚細胞腫瘍の外科的介入の方法とタイミングに関しては，腫瘍マーカーの上昇，水頭症合併の有無，腫瘍の局在，化学放射線治療の反応性などによって決定する。純粋なジャーミノーマや成熟奇形腫の場合は腫瘍マーカーが上昇しないので，その場合は外科的に組織を採取し診断を確定する必要がある[1]。成熟奇

形腫の場合は化学放射線治療なしに全摘出を目指すが，ジャーミノーマの場合は外科的な組織生検術として最近では内視鏡を用いて行うことが多く，水頭症を伴っている場合は，同時に第三脳室底開窓術が推奨されている[1]。腫瘍マーカーが上昇しているジャーミノーマ以外の胚細胞腫に関しては，化学放射線治療を行っても腫瘍が残存する場合は，残存している腫瘍を摘出する方が再発率は低いと考えられている[2]。

B．放射線治療・化学療法

中枢神経原発胚細胞腫瘍における治療において，化学療法と放射線治療は非常に重要である。3歳未満は放射線治療を控えるが，3歳以上であれば放射線治療を行うことが多い。腫瘍の診断によって放射線治療の方法はさまざまであり，ジャーミノーマでは全脳室系を含む照射野に24 Gy程度照射するのが一般的である。また，ジャーミノーマにおいて脊髄に対する予防的な照射は推奨しない[1]。腫瘍の組織の悪性度が高いほど放射線の照射範囲や量が増える傾向である。化学療法はシスプラチン，カルボプラチンなどの白金製剤を中心のレジメンが考慮され，イホマイド，エトポシドなどを組み合わせて行う。中枢神経原発胚細胞腫瘍の治療において，化学療法を積極的に取り入れることは，放射線の照射量を減量でき，治療成績を下げることなく放射線治療の晩発的な有害事象を減じる効果に有用であると考えられている。

C．予後

ジャーミノーマに関しては，再発率は低いものの，いったん再発すると治療は困難な場合がある。ジャーミノーマ以外の胚細胞腫に関してはジャーミノーマよりさらに再発における治癒率は低い。10年以上経過して再発する症例もあり，長期的なフォローアップが必要な疾患である。ジャーミノーマにおいては長期生存が期待できるために，治療による長期的なフォローにて観察された脳血管障害，二次性がんなどの晩期合併症が問題になる場合がある。ジャーミノーマのKaplan-Meier生存曲線は，治療20年後より，人口統計に比べてはるかに速いペースで，ほぼコンスタントに下がり続けている[3]。今後，晩期合併症をできるだけ起こさせない治療法を開発が期待される。

参考文献

1) Nakamura H, Takami H, Yanagisawa T, et al. The Japan Society for Neuro-Oncology guideline on the diagnosis and treatment of central nervous system germ cell tumors. Neuro Oncol. 2022；24(4)：503-15.
2) Nakamura H, Makino K, Kochi M, et al. Evaluation of neoadjuvant therapy in patients with nongerminomatous malignant germ cell tumors. J Neurosurg Pediatr. 2011；7(4)：431-8.
3) Acharya S, DeWees T, Shinohara ET, et al. Long-term outcomes and late effects for childhood and young adulthood intracranial germinomas. Neuro Oncol. 2015；17(5)：741-6.

7 髄芽腫

A. 手術とリスク分類

　髄芽腫の治療方針は手術により腫瘍の全摘出を目指すことが基本になる。手術の目的には高率に合併する水頭症の解除も含まれる。腫瘍の摘出度は長期予後に相関することが知られており，年齢，播種の有無，摘出量からの臨床リスク分類が用いられる。すなわち，①診断時の年齢が3歳未満，②術後のMRIにおける残存腫瘍面積が$1.5\,cm^2$以上，③髄腔内播種所見あり，により高リスク群(high-risk group)と標準リスク群(average-risk group)に大別する。標準リスク群は①〜③のいずれにも該当しないグループ，高リスク群は①〜③のいずれかに該当するグループとなる。さらに①の3歳未満の症例では当面の放射線治療を回避する治療計画が立てられる[1]。

　近年では遺伝子変異に基づいた分子生物学的4型分類が提唱され，予後との相関からWHO分類2016, 2021に取り入れられた。当初WNT遺伝子変異群，sonic hedgehog(SHH)遺伝子変異群，group 3，group 4とされたが，group 3と4の判別は困難で，まずWNT群，SHH群，non-WNT/non-SHH群の3群に分け，SHH群はTP53遺伝子変異の有無にて予後が大きく異なるため，さらに2群に分けることとしている。これらは予後との相関が認められているとともに，この分類を加味すると，total resection群とnear-total resection(残存腫瘍$<1.5\,cm^2$)での予後に差はなく，神経脱落症状を惹起してまでの全摘出は推奨されない[2]。

B. 放射線化学療法

1. 標準リスク群

　術後に放射線化学療法を行う。放射線治療は，24 Gy程度の全脳脊髄照射と総線量54 Gy程度の局所照射を組み合わせた通常分割放射線治療が推奨され，照射後にはシスプラチン，シクロホスファミド，ビンクリスチンを中心とした多剤併用化学療法が行われる[3]。

2. 高リスク群

　3歳以上の高リスク群には，36 Gy程度の全脳脊髄照射と54 Gy程度の局所照射を術後に行い，その後にシスプラチン，シクロホスファミド，ビンクリスチンを中心とした治療強度を増した多剤併用化学療法を複数コースで行う。

3. 3歳未満

　放射線治療を避け，化学療法を先行させる群である。メトトレキサート，プラチナ製剤，アルキル化剤，ビンクリスチン，エトポシドを中心とした多剤併用化学療法が行われる。早期再発や進行の際は放射線治療や大量化学療法による強化治療を行わざるを得ない場合がある。

参考文献

1) Packer RJ, Gajjar A, Vezina G, et al. Phase III study of craniospinal radiation therapy followed by adjuvant chemotherapy for newly diagnosed average-risk medulloblastoma. J Clin Oncol. 2006 ; 24

(25):4202-8.
2) Thompson EM, Hielscher T, Bouffet E, et al. Prognostic value of medulloblastoma extent of resection after accounting for molecular subgroup:a retrospective integrated clinical and molecular analysis. Lancet Oncol. 2016;17(4):484-95.
3) 日本脳腫瘍学会編 髄芽腫診療ガイドライン
http://www.jsn-o.com/guideline2021/medulloblastoma2022.html

8 Diffuse midline glioma

A．手術

　Diffuse midline glioma(DMG)は視床，脳幹，脊髄といった中枢神経系の正中部に発生するびまん性浸潤性のグリオーマを指す名称であり，古くから知られてきたびまん性橋膠腫(diffuse intrinsic pontine glioma：DIPG)はその代表である。発生部位と腫瘍の進展形式の関係で切除術の対象とはなりにくく，水頭症を合併した際の髄液シャント術以外には外科的治療について否定的な意見が多い[1-3]。なお，髄液シャント術(脳室腹腔短絡術，第三脳室開窓術など)の術式選択についてはさまざまな意見があり，病状に応じた検討が必要である。

　多くの研究でDIPGの診断は主にMRIによる画像診断で十分とされており，組織診断のための生検術の必要性は重視されていないが，2016年版WHO脳腫瘍分類よりヒストンH3をコードする遺伝子のK27M変異を有することと定義されたため，この是非についても今後の検討が必要である。視床や脊髄のDMGについての一定の見解は出されていない。視床については画像所見で高悪性度の腫瘍が疑われた場合に切除術が試みられることもあるが，そうした腫瘍がDMGの定義に合った腫瘍であるかは不明なことが多い。

B．放射線化学療法

　DIPGに対する標準的治療は放射線治療であり，通常の局所照射(総線量54 Gy, 1.8 Gy/日)が行われる[4]。化学療法については，大脳の悪性グリオーマに準じてテモゾロミド(TMZ)が併用されることがあるが，上乗せ効果は認められていない[5]。そのほかの化学療法についても有効性が認められたものはない。視床のDMGに対する標準的治療は確立されていないが，有効性が示された薬物療法はなく，現状ではTMZ併用の放射線治療を行うことが多い。

　DMGに対する新規の治療薬としてドパミン受容体D2/3アンタゴニストであるONC201についての治験が進められている[6]。

C．予後・予後因子

　定義に合致したDMGは組織学的所見に関係なくgrade 4に分類される。旧分類に従ったDIPGにおいては生存期間中央値は9〜12カ月であるが，K27M-H3変異が独立予後不良因子であることが報告され，DMGとしての分類確立に至った[7,8]。ただし，本腫瘍が外科的手術の対象とならないことが多いため，現在の分類に応じた臨床データは乏しく，正

確な情報を得ることは難しい。視床グリオーマに限定した生命予後のデータはないが，大脳半球のグリオーマに比べ予後不良との意見が多い。

参考文献

1) Walker DA, Liu J, Kieran M, et al.；CPN Paris 2011 Conference Consensus Group. A multi-disciplinary consensus statement concerning surgical approaches to low-grade, high-grade astrocytomas and diffuse intrinsic pontine gliomas in childhood(CPN Paris 2011)using the Delphi method. Neuro Oncol. 2013；15(4)：462-8.
2) Wagner S, Warmuth-Metz M, Emser A, et al. Treatment options in childhood pontine gliomas. J Neurooncol. 2006；79(3)：281-7.
3) Roujeau T, Di Rocco F, Dufour C, et al. Shall we treat hydrocephalus associated to brain stem glioma in children? Childs Nerv Syst. 2011；27(10)：1735-9.
4) Wagner S, Warmuth-Metz M, Emser A, et al. Treatment options in childhood pontine gliomas. J Neurooncol. 2006；79(3)：281-7.
5) Bailey S, Howman A, Wheatley K, et al. Diffuse intrinsic pontine glioma treated with prolonged temozolomide and radiotherapy--results of a United Kingdom phase II trial(CNS 2007 04). Eur J Cancer. 2013；49(18)：3856-62.
6) Duchatel RJ, Mannan A, Woldu AS, et al. Preclinical and clinical evaluation of German-sourced ONC201 for the treatment of H3K27M-mutant diffuse intrinsic pontine glioma. Neurooncol Adv. 2021；3(1)：vdab169.
7) Khuong-Quang DA, Buczkowicz P, Rakopoulos P, et al. K27M mutation in histone H3.3 defines clinically and biologically distinct subgroups of pediatric diffuse intrinsic pontine gliomas. Acta Neuropathol. 2012；124(3)：439-47.
8) Buczkowicz P, Bartels U, Bouffet E, et al. Histopathological spectrum of paediatric diffuse intrinsic pontine glioma：diagnostic and therapeutic implications. Acta Neuropathol. 2014；128(4)：573-81.

9 視神経膠腫・毛様細胞性星細胞腫

約90％の症例が20歳までに発症し，神経線維腫症Ⅰ型(neurofibromatosis type Ⅰ：NF1)を合併することが比較的多いため，NF1合併例か非合併例かをはじめに検討する[1]。およそ半分の視神経膠腫は定常状態を保ち，治療介入が不要であると報告されている。臨床所見，画像所見が視神経膠腫に典型的な特徴を有していれば，生検せず治療方針を決定することも推奨される。非典型的な臨床的/画像的特徴を呈する場合は，生検して病理組織診断を行う。NF1合併例は経過が緩徐で退縮する場合もあり，経過良好が多いと報告されているため，経過観察する方針がしばしば用いられる。また，切迫した症状のない場合も経過観察が妥当であるとされている[1]。画像上の腫瘍増大もしくは症状悪化時に治療介入することになるが，治療法に関するエビデンスレベルの高い確定的なガイドラインが存在するわけではないため，症例ごとに，小児科・眼科・放射線治療科・腫瘍内科・放射線診断科・脳神経外科などが治療チームを組んで治療法を決定すべきである。

A．手術

視機能を温存し，悪化を予防することを考慮して外科治療介入を行う。介入時期は症例ごとに異なり，小児科・眼科・放射線治療科・放射線診断科・脳神経外科などから成り立

つ治療チームによる検討のうえ決定する．手術は，①診断のための生検術，②周囲組織の圧迫軽減のための切除術，③水頭症改善目的の手術，に分けて考える．切除術は，①腫瘍が片側の視神経に限局し進行性に視力障害や眼球突出が悪化している場合，②腫瘤としての著しい問題を生じている場合，③水頭症をきたしている場合，に限って行うことが推奨される．しかし，可及的摘出によって治療成績が上がるというエビデンスはなく，手術操作に伴った合併症も無視できず，摘出率を追求するような摘出は行わないことを推奨する[2]．また，初発のみならず再発時にも腫瘍切除により局所コントロールが可能であれば，積極的に腫瘍切除を行う考え方も提唱されている[3]．水頭症を合併している場合，切除によって水頭症の改善が望めなければ脳室腹腔短絡術などを考慮する．

B．化学療法

プロトコールを評価するための大規模ランダム化臨床試験は施行されていない．しかし，初期治療としての化学療法は，腫瘍の縮小や進行の抑制を期待できるため，治療手段として最初に用いることが推奨されている．カルボプラチン・ビンクリスチンによる治療が頻用され，3年無増悪生存率は77％と報告されている[4]．シスプラチン＋ビンクリスチンの治療も有効と報告されている[5]．また，second lineとしてビンブラスチンを用いられることが多い．テモゾロミドは治療選択として有効と報告されているが，奏効率は高くない[6]．そのほか，カルボプラチン単剤，シスプラチン・エトポシド，ビンクリスチン・アクチノマイシンD，経口エトポシド，ビンブラスチン，テモゾロミドなど，さまざまな薬剤が用いられるが，どれが一番確定的に有効なのかは判明していない．さらに，判定基準として用いられたのは画像診断であり，視機能回復に関してはさらに情報が少ない．分子標的治療薬としては，BRAF変異を有するものは，その阻害薬が有効との報告がある[7]．

C．放射線治療

手術および化学療法が優先されるが，手術による腫瘍コントロールが困難であったり，化学療法が不応であったり，視機能温存が不能であったりする場合は放射線治療を提案する．放射線治療効果は良好で，10年無増悪生存率は66～90％が得られる[8]．視機能が低下してから，もしくは化学療法後の病態進行後に放射線治療を用いるよりも，早期に導入した方が視機能温存の観点からは優れているという結果が得られている一方，放射線治療による，ホルモン分泌障害・血管障害・高次機能障害・二次発がんといった晩期合併症は長期生存例において無視できない問題である．一般的に5歳未満の場合，放射線治療導入は避けるべきである．また，正常な組織への放射線照射を減量することで晩期障害のリスクが軽減できると考えられることから，強度変調放射線治療（IMRT），強度変調回転放射線治療（VMAT），陽子線治療の放射線治療が推奨される[1]．

参考文献
1) Aihara Y, Chiba K, Eguchi S, et al. Pediatric Optic Pathway/Hypothalamic Glioma. Neurol Med Chir (Tokyo). 2018；58(1)：1-9.

2) Mishra MV, Andrews DW, Glass J, et al. Characterization and outcomes of optic nerve gliomas: a population-based analysis. J Neurooncol. 2012; 107(3): 591-7.
3) Goodden J, Pizer B, Pettorini B, et al. The role of surgery in optic pathway/hypothalamic gliomas in children. J Neurosurg Pediatr. 2014; 13(1): 1-12.
4) Packer RJ, Ater J, Allen J, et al. Carboplatin and vincristine chemotherapy for children with newly diagnosed progressive low-grade gliomas. J Neurosurg. 1997; 86(5): 747-54.
5) Sawamura Y, Kamoshima Y, Kato T, et al. Chemotherapy with cisplatin and vincristine for optic pathway/hypothalamic astrocytoma in young children. Jpn J Clin Oncol. 2009; 39(5): 277-83.
6) Gururangan S, Fisher MJ, Allen JC, et al. Temozolomide in children with progressive low-grade glioma. Neuro Oncol. 2007; 9(2): 161-8.
7) Fangusaro J, Onar-Thomas A, Young Poussaint T, et al. Selumetinib in paediatric patients with BRAF-aberrant or neurofibromatosis type 1-associated recurrent, refractory, or progressive low-grade glioma: a multicentre, phase 2 trial. Lancet Oncol. 2019; 20(7): 1011-22.
8) Thomas RP, Gibbs IC, Xu LW, et al. Treatment options for optic pathway gliomas. Curr Treat Options Neurol. 2015; 17(2): 333.

10 髄膜腫

　髄膜腫の治療は，患者の年齢や全身状態，腫瘍の大きさ，発生部位と進展度，周囲脳浮腫の有無，増殖速度，症状などを考慮して検討する．髄膜腫は組織学的には大部分が良性であるため，無症候のものは原則経過観察になることが多い．症候性腫瘍，無症候性でも腫瘍が大きく周囲脳浮腫を認める場合，軟膜の破壊を伴う脳内への葉状進展や腫瘍内壊死巣など悪性が疑われる場合には治療適応となる．

　初発の髄膜腫で治療を検討する場合，摘出可能な部位であれば基本的に手術が第一選択となる．しかし，定位放射線治療の成績も良好なので，主治医が得意とする治療法に偏ることなく，手術，定位放射線照射，両者を組み合わせた治療など，患者にとって最良と考えられる治療計画を立案する．

A．経過観察

　経過観察を行う場合，まずは短期間での増大がないことを確認し，以後は半年〜1年ごとに画像を撮影していく．経時的増大，症候化，周囲脳浮腫の出現や増悪などが認められた場合には加療を検討する．

B．外科的摘出

　摘出度は再発率と相関があるので，原則的に初回手術で全摘出を目指し，可能な限り発生部硬膜も除去する．しかし，再発や再増大が確認されてから加療が必要と判断されるまでには一定期間を要することが多いため，全摘出により症状が出現すると予測される場合には，最大限の摘出と機能維持の両面を考慮した摘出を計画する．開頭術が標準的ではあるが，鞍結節部などに発生した髄膜腫に対しては神経内視鏡を用いた経鼻手術も施行されるようになってきている．

C．術前腫瘍塞栓術

必要に応じて，腫瘍の血流遮断を検討する．術前に栄養動脈内から液体や粒子，コイルなどの塞栓物質を使用し，栄養動脈塞栓術や腫瘍内塞栓術を行う．施行する場合には，正常域を貫流する動脈への塞栓物質迷入には十分注意する．

D．放射線治療

単回または寡分割の定位放射線照射により長期の腫瘍制御が得られる．摘出困難な髄膜腫，手術で残存せざるを得なかった腫瘍，再発髄膜腫などに対しては良い適応となる．また，高悪性度髄膜腫に対しても施行される．摘出可能部位の髄膜腫に対する初回治療として定位放射線照射を検討する場合は，患者さんの生命予後と治療による腫瘍の制御期間について十分吟味しなければならない．

E．化学療法

化学療法の意義は未だ確立していない．髄膜腫における遺伝子変異については徐々に解明されてきているので，今後は遺伝子解析に基づく分子標的治療薬の開発に期待が寄せられている．

11 神経鞘腫

A．手術

頭蓋内神経鞘腫は，後頭蓋窩のいずれの脳神経からも発生するが，前庭神経から発生する前庭神経鞘腫（聴神経腫瘍）が圧倒的に多い．良性腫瘍であることから，全摘により根治可能である．前庭神経鞘腫の場合には，並走する蝸牛神経，顔面神経の機能温存が問題となる．三叉神経，下位脳神経，舌下神経などから発生する場合は，頭蓋内，頭蓋骨貫通部，頭蓋外の複数の compartment に発育することがある．なかでも三叉神経鞘腫は，Meckel 腔内に発生することが多く，後頭蓋窩，眼窩，側頭下窩などへ進展することもある．いずれの頭蓋内神経鞘腫も，さまざまな術式を駆使すれば全摘は可能であるが，専門性を要求される高難度手術であり，必ずしもすべての症例で，安全に全摘できるわけではない．良性腫瘍であることと，放射線治療が有効であることを考慮し，根治性の高い手術を目指すなかで，合併症のリスクが高いと判断される場合には，必ずしも全摘にこだわらず，放射線治療を追加することを考慮する手術戦略もある．また，小さな腫瘍に対しては経過観察されることも多いのが現状である．

摘出術に際しては，並走する神経の機能温存が重要であることから，必要に応じて，顔面神経誘発（自発）筋電図，聴性脳幹反応，蝸牛神経活動電位などの腫瘍近傍を走行する脳神経などのモニタリングを行う．

神経線維腫症 2 型（neurofibromatosis type 2：NF2）では，両側の前庭神経鞘腫をはじめ，三叉神経，下位脳神経や脊髄などに神経鞘腫が多発し，髄膜腫を合併することも多い．多発性の腫瘍に対するマネジメントは複雑であり，個々の症例で異なる．

B. 放射線化学療法

神経鞘腫は，良性腫瘍であるが，ガンマナイフなどの定位放射線治療が有効であることが知られている。治療後の一過性の腫瘍体積の増大や，数％の水頭症合併のリスク，稀ではあるが照射後の悪性転化も報告されている。高齢者や全身麻酔のハイリスク患者では，定位放射線治療が第一選択となる。しかしながら，腫瘍のサイズの制限があり，ガンマナイフでは，腫瘍径の上限が3cm程度とされている。

神経鞘腫に対する化学療法の有効性は確立されていない。NF2に伴う多発神経鞘腫に対して，分子標的薬であるベバシズマブの有効性が報告されている[1]。

C. 予後・予後因子

良性腫瘍であるため，外科的に全摘されれば根治可能であるが，残存腫瘍があれば再発の可能性もあり，術後のMRIによるフォローアップは重要である。NF2に合併する場合は根治困難であり，若年発症の方が予後不良である。

参考文献
1) Plotkin SR, Stemmer-Rachamimov AO, Barker FG 2nd, et al. Hearing improvement after bevacizumab in patients with neurofibromatosis type 2. N Engl J Med. 2009；361(4)：358-67.

12 頭蓋咽頭腫

A. 手術

近年，手術は内視鏡下経鼻的経蝶形骨洞手術が選択される。鞍上部に主座があり第三脳室への進展がある場合でも，内視鏡，手術機器の進歩，手術手技の向上により，開頭手術ではなく，内視鏡下経鼻的拡大経蝶形骨洞手術が行われてきている。一期的または二期的に，内視鏡下経鼻的拡大経蝶形骨洞手術と開頭腫瘍摘出術を行う場合もある。術後の合併症は，視床下部，下垂体機能障害，高次脳機能障害などが起こり得る。

病理学的には良性腫瘍であるが，視床下部への進展，浸潤や周囲脳への浸潤のために全摘出が困難な例がある。全摘出によって治癒が期待できるが，全摘出率は46.0～96.0％との報告がある[1]。下垂体機能障害をきたしてでも下垂体柄部を含めた全摘出を行うべきか，亜全摘として障害を最小限とし，亜全摘＋放射線治療を選択すべきかは未だ議論されている。視床下部に病変が及んでいる例では，低体温，電解質異常や精神症状や性格異常などの症状が出現する場合があり，一部残存させる場合もある。ただし，全摘出が行えなかった症例では，再発率は70～90％と報告されている[2]。

B. 放射線化学療法

放射線治療については，術後残存腫瘍の増大抑制に有効である。定位放射線治療(SRS，SRT)や，強度変調放射線治療(IMRT)などがある。非全摘例に放射線治療を加えることにより，80％の10年生存率が得られる。残存腫瘍への放射線治療は有効であるが，高次脳機

能障害など晩期障害が危惧されるため，ある程度の年齢まで照射を回避し手術を繰り返すという考え方もある。術直後に照射をするタイミングについては議論されているところであるが，手術直後照射と再発時照射に生存率の差は認められていない。

標準的に用いられる全身化学療法はないが，BRAF-V600E変異を有する乳頭状頭蓋咽頭腫に対し，BRAF阻害剤やそれとMEK阻害剤との併用が有効であった症例も報告されている[3]。

C．予後・予後因子

10年生存率は90％前後である。ただし，経過中に再発，再増大する場合が多い。視床下部-下垂体系機能障害があると視床下部肥満や精神病理的症状など，生活の質（QoL）を損なう深刻な後遺症を引き起こす可能性がある。心血管疾患や脳血管障害による死亡率が健常者群と比べ高いとの報告もある[4]。分子生物学的な予後因子についてはまだ明らかでない。

参考文献
1) Schwartz TH, Morgenstern PF, Anand VK. Lessons learned in the evolution of endoscopic skull base surgery. J Neurosurg. 2019；130(2)：337-46.
2) Duff J, Meyer FB, Ilstrup DM, et al. Long-term outcomes for surgically resected craniopharyngiomas. Neurosurgery. 2000；46(2)：291-302；discussion 302-5.
3) Calvanese F, Jacquesson T, Manet R, et al. Neoadjuvant B-RAF and MEK Inhibitor Targeted Therapy for Adult Papillary Craniopharyngiomas：A New Treatment Paradigm. Front Endocrinol (Lausanne). 2022；13：882381.
4) Erfurth EM, Holmer H, Fjalldal SB. Mortality and morbidity in adult craniopharyngioma. Pituitary. 2013；16(1)：46-55.

13 脊髄髄内・髄外腫瘍

脊髄髄内腫瘍として，本邦の多施設共同研究1,033例の報告（2022年）では，上衣腫35％，血管芽腫18.9％，星細胞腫16.2％，海綿状血管腫15.4％であり，その他12.1％（そのほとんどが2％以下）であった[1]。

WHO 2021分類において，星細胞腫は，pilocytic astrocytoma（毛様細胞性星細胞腫）とdiffuse astrocytoma（びまん性星細胞腫）に大きく分かれる。前者はWHO分類grade 1，後者はgrade 2〜4となる。後者の約半数にH3 K27M変異がみられ，diffuse midline glioma（DMG），H3 K27-altered（WHO grade 4）と総称されるようになり，分子病理診断が必須となった。

髄外腫瘍として，神経鞘腫，髄膜腫が代表的な疾患である。神経鞘腫は脊髄神経のシュワン細胞から発生し，髄膜腫は，脊髄の硬膜や，神経根鞘くも膜細胞から発生する。いずれも境界明瞭な腫瘍である。

A. 手術
1. 髄内腫瘍
　脊髄腫瘍の摘出においては，臨床経過・MRIなどの画像所見から得られた術前診断に基づいて，手術方針を決定する。

　約10%で術前診断と病理診断が異なることが報告されており[2]，術中迅速診断は方針を決定するうえでは不可欠である。

　全摘出術が考慮される疾患は，上衣腫，血管芽腫，海綿状血管腫，毛様細胞性星細胞腫が挙げられる。しかし，その可否はサイズや境界の明瞭さなどにも影響される。

　びまん性星細胞腫は浸潤性であり，全摘出を目指すことは多くの場合困難であり，診断確定後，集学的治療が必要となる[3,4]。

　脊髄血管芽腫では，術中のIndocyanine green(ICG)蛍光撮影による栄養血管の同定が安全な摘出に有効とされ[5]，また血管内治療医による術前腫瘍塞栓が有用との報告がある[6]。

2. 髄外腫瘍
　神経鞘腫は2/3が神経後根から発生する。術中に発生母地となった神経根糸を同定し，神経刺激にて反応がないことを確認した後，離断することで一塊に摘出できる[7]。神経の反応がみられるときは，腫瘍被膜を神経に残す形で腫瘍を摘出する。

　脊柱管内から脊柱管外に腫瘍が進展するダンベル型腫瘍[8](Eden type 2・type 3)では，後方手術および前方手術の二期的手術を計画する場合がある。また，椎間不安定性を伴う場合には，罹患椎間の固定を考慮する。

　髄膜腫は，理論上，頭蓋内同様に発生母地である硬膜を含めた摘出や硬膜内層の摘出(Simpson grade I)が望ましいが，摘出後，十分な凝固を加えた場合(Simpson grade II)で再発率に大きな差はないとする報告もあり，神経機能の温存も考慮すると議論の余地がある[9]。

B. 放射線治療・化学療法
　放射線治療・化学療法の有効性は希少疾患であるため，大規模試験に基づいた検証はされていない。後療法として，基本的には頭蓋内発生と同様の治療プロトコルに準じて行われていることが多いが，エビデンスに乏しい。

1. 放射線治療
　放射線治療の対象となるのは，髄内腫瘍では高悪性度星細胞腫，悪性リンパ腫，制御困難な毛様細胞性星細胞腫・上衣腫，髄外腫瘍では異型髄膜腫などである。

　退形成性上衣腫では術後照射が予後良好因子であると報告されている[10]。

　神経鞘腫，髄膜腫，血管芽腫の術後の残存腫瘍や多発腫瘍に対しては，CyberKnife®やNovalis®などの定位放射線治療が考慮される[11-13]。

2. 化学療法
　化学療法の対象となるのは，星細胞腫，悪性リンパ腫が挙げられる。

　脊髄星細胞腫は頭蓋内発生に準じてテモゾロミド投与と分割放射線治療が行われ，その有効性が報告されているが，標準治療は定まっていない[4,14]。毛様細胞性星細胞腫に対しても頭蓋内病変と同様にカルボプラチンの有効例が報告されている[15]。

3. ベバシズマブ療法

　高悪性度グリオーマ(WHO grade Ⅲ，Ⅳ)では，テモゾロミドとベバシズマブは初発・再発悪性グリオーマに保険適用があり，有効性を示唆する報告が散見される[16]。そのほか切除不能な脊髄血管芽腫[17]や神経線維腫症2型に関連した脊髄上衣腫[18]についてもベバシズマブ療法の報告がみられる。

参考文献

1) Endo T, Inoue T, Mizuno M, et al.; Investigators of intramedullary spinal cord tumors in the Neurospinal Society of Japan. Current Trends in the Surgical Management of Intramedullary Tumors: A Multicenter Study of 1,033 Patients by the Neurospinal Society of Japan. Neurospine. 2022; 19(2): 441-52.
2) Arima H, Hasegawa T, Togawa D, et al. Feasibility of a novel diagnostic chart of intramedullary spinal cord tumors in magnetic resonance imaging. Spinal Cord. 2014; 52(10): 769-73.
3) Westphal M, Mende KC, Eicker SO. Refining the treatment of spinal cord lesions: experience from 500 cases. Neurosurg Focus. 2021; 50(5): E22.
4) Helal A, Alvi MA, Everson M, et al. Prognostic Factors Independently Associated With Improved Progression-Free Survival After Surgical Resection in Patients With Spinal Cord Astrocytomas: An Institutional Case Series. Oper Neurosurg(Hagerstown). 2022; 22(3): 106-14.
5) Hwang SW, Malek AM, Schapiro R, et al. Intraoperative use of indocyanine green fluorescence videography for resection of a spinal cord hemangioblastoma. Neurosurgery. 2010; 67(3 Suppl Operative): ons300-3; discussion ons303.
6) Parker F, Aghakhani N, Ducati LG, et al. Results of microsurgical treatment of medulla oblongata and spinal cord hemangioblastomas: a comparison of two distinct clinical patient groups. J Neurooncol. 2009; 93(1): 133-7.
7) Safavi-Abbasi S, Senoglu M, Theodore N, et al. Microsurgical management of spinal schwannomas: evaluation of 128 cases. J Neurosurg Spine. 2008; 9(1): 40-7.
8) Eden K. The dumb-bell tumours of the spine. Br J Surg. 1941; 28(112): 549-70.
9) Tsuda K, Akutsu H, Yamamoto T, et al. Is Simpson grade I removal necessary in all cases of spinal meningioma? Assessment of postoperative recurrence during long-term follow-up. Neurol Med Chir(Tokyo). 2014; 54(11): 907-13.
10) Chen P, Sui M, Ye J, et al. An integrative analysis of treatment, outcomes and prognostic factors for primary spinal anaplastic ependymomas. J Clin Neurosci. 2015; 22(6): 976-80.
11) Kufeld M, Wowra B, Muacevic A, et al. Radiosurgery of spinal meningiomas and schwannomas. Technol Cancer Res Treat. 2012; 11(1): 27-34.
12) Niazi TN, Bowers CA, Schmidt MH. Role of adjuvant radiosurgery after thoracoscopic microsurgical resection of a spinal schwannoma. Case Rep Neurol Med. 2012; 2012: 345830.
13) Bridges KJ, Jaboin JJ, Kubicky CD, et al. Stereotactic radiosurgery versus surgical resection for spinal hemangioblastoma: A systematic review. Clin Neurol Neurosurg. 2017; 154: 59-66.
14) Minehan KJ, Brown PD, Scheithauer BW, et al. Prognosis and treatment of spinal cord astrocytoma. Int J Radiat Oncol Biol Phys. 2009; 73(3): 727-33.
15) Hassall TE, Mitchell AE, Ashley DM. Carboplatin chemotherapy for progressive intramedullary spinal cord low-grade gliomas in children: three case studies and a review of the literature. Neuro Oncol. 2001; 3(4): 251-7.
16) Kaley TJ, Mondesire-Crump I, Gavrilovic IT. Temozolomide or bevacizumab for spinal cord high-grade gliomas. J Neurooncol. 2012; 109(2): 385-9.
17) Seystahl K, Weller M, Bozinov O, et al. Neuropathological characteristics of progression after prolonged response to bevacizumab in multifocal hemangioblastoma. Oncol Res Treat. 2014; 37(4): 209-12.
18) Morris KA, Afridi SK, Evans DG, et al. The response of spinal cord ependymomas to bevacizumab in patients with neurofibromatosis Type 2. J Neurosurg Spine. 2017; 26(4): 474-82.

各種分類表・スケール

　各疾患の病期分類・スケールは，異なる地域や施設において，予後や治療の効果を相互に比較検討するために重要である。原発性脳腫瘍全体にわたる病期分類として1987年に提唱されたUICC（International Union Against Cancer：国際対がん連合）のTNM分類に準じた病期分類がよく知られている。この病期分類はほかの癌腫と同様に腫瘍の大きさ（T因子），遠隔転移の有無（M因子），さらに組織学的悪性度（G因子）で分類がなされている。しかし，この分類に従えば髄膜腫やシュワン細胞腫，下垂体腺腫ではほとんどがⅠ期となるなど数多くの不都合があり，実地臨床上，定着していない。

　膠芽腫や中枢神経系原発悪性リンパ腫，転移性脳腫瘍については，大規模な臨床試験データをもとに，変数の値に基づいて対象者を逐次二分してリスクを同定する再帰分割分析 recursive partitioning analysis（RPA）が提示されており，各種悪性脳腫瘍のRPA分類として日常臨床で使用されている。悪性脳腫瘍の病態は急速な病状の進行と，PS（performance status）の悪化である。PS・KPS（Karnofsky PS）は，ほとんどの悪性脳腫瘍の予後因子となっている（**表1-9，10**）。

1 グリオーマの病期分類

　1993年にCurranらは，RTOG（Radiation Therapy Oncology Group）の臨床試験に登録された1,578例の退形成性星細胞腫と膠芽腫について，病理・年齢・KPS・神経所見・手術・放射線治療の内容に基づき，膠芽腫をRPA Ⅲ-Ⅵに分類した[1]。さらにこの分類を，年齢・KPS・手術摘出度（生検と生検以外）・神経症状をもとに単純化し，RPA Ⅲ-Ⅴに分類したLiらの分類[2]が汎用されている（**図3-5**）。この分類に基づくRPA Ⅲ・Ⅳ・ⅤのMSTはそれぞれ16.3・11.3・6.7カ月であった。Stupp試験に基づくRPA分類ではMMSEが用いられているため[3]，治療前のMMSEが取られていない症例の分類は困難である。再発グリオーマについてはCarsonらが2007年にRPA分類を行った[4]。RPA分類は臨床試験例をもとに検討されているため，年齢が18〜70歳と限られているが，臨床試験や施設間の治療成績を比較するうえの分類として参考になる。最近では，MGMTのメチル化の有無やIDH変異別にRPAが再検証されている[5,6]。

　国内で作られた膠芽腫の分類として，1999年に厚生労働省がん研究助成金野村班によりテント上グリオーマの手術ステージ分類が提唱された（**表3-4**）[7]。この手術前ステージ分類と手術摘出率は逆相関を示し，患者の予後と相関することが示されている。

　GradeⅡグリオーマに対する局所照射線量を比較したEORTC 22844試験を解析し，予後不良因子として，①40歳以上，②腫瘍最大径が6 cm以上，③正中を超えた対側への進展，④星細胞腫，⑤神経症状あり，を報告した。また①〜⑤の所見を0または1点でスコ

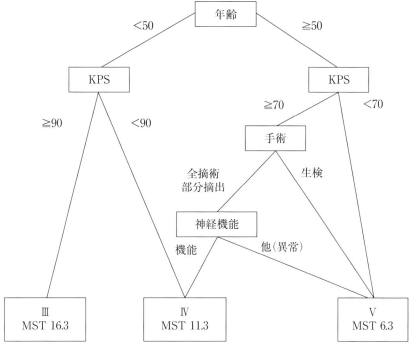

図 3-5　初発膠芽腫についての Li らの RPA 分類

(文献 2) より引用)

表 3-4　テント上グリオーマの手術分類

Stage 1：T size (≦1 cm) or within one gyrus
Stage 2：Stage 1 (+1) or T size (1＜T＜3 cm)
Stage 3：Stage 2 (+1) or T size (＞3 cm)
Stage 4：Stage 3 (+1) or Stage 2 (+1+1)
Stage 5：Stage 3 (+1；1) or Stage 2 (+1+1+1) or Multiple lesions, Disseminated lesions, Extra CNS lesions
　+1：Eloquent area (motor, speech, visual), Thalamus, Basal ganglia, Bilateral lesions, Sylvian fissure (insular cortex)

T：tumor，CNS：central nervous system

(文献 7) より引用)

ア化すると，0〜5 点までの総スコア別の生存期間中央値 median survival time (MST) は 9.2，8.8，5.5，3.6，1.9，0.7 年とスコアが上がるほど MST が短くなるため，総スコアが 0〜2 点を low risk 群，3〜5 点を high risk 群に分けられる (表 3-5)[8]。

② 中枢神経系原発悪性リンパ腫の病期分類

中枢神経系原発悪性リンパ腫においても年齢 (若年) と良好な PS が重要な予後因子であることが知られているが，International Extranodal Lymphoma Study Group scoring system (IELSG) からは，①年齢，②PS，③血清 LDH 値，④CSF 蛋白濃度，⑤脳内深部病変

表 3-5　Grade II グリオーマのリスク分類

①40 歳以上
②腫瘍最大径が 6 cm 以上
③正中を超えた対側への進展あり
④星細胞腫
⑤神経症状あり（Medical Research Council
　Neurologic scale で 2 点以上）
上記①〜⑤の合計スコア
　3〜5 点：高リスク
　0〜2 点：低リスク

Score	MST
0	9.2
1	8.8
2	5.5
3	3.6
4	1.9
5	0.7

（文献 8）を参考に作成）

表 3-6　中枢神経系原発悪性リンパ腫の IELSG 分類

①年齢が 61 歳以上
②ECOG PS 2 以上
③血清 LDH の上昇
④髄液中の蛋白濃度の上昇
⑤脳内深部病変あり
上記①〜⑤の合計スコア
　4〜5 点：高リスク
　2〜3 点：中リスク
　0〜1 点：低リスク

Score	2 年生存割合
0〜1	80%
2〜3	48%
4〜5	15%

（文献 9）より引用）

表 3-7　中枢神経系原発悪性リンパ腫の RPA 分類

RPA		MST
Class 1	年齢≦50	8.5
Class 2	年齢＞50＋KPS≧70	3.2
Class 3	年齢＞50＋KPS＜70	1.1

（文献 10）より引用）

の 5 項目からなる分類が提唱された（表 3-6）[9]。最近では，Memorial Sloan-Kettering Cancer Center（MSKCC）の，年齢と PS のみからなる簡便な RPA 分類が用いられる（表 3-7）[10]。

3 頭蓋内胚細胞性腫瘍

　Germinoma, non-germinoma の 2 群に分類されることが多い。Matsutani らの臨床病期分類とそれに対応する治療プロトコルがともに推奨されている（表 3-8）[11]。

4 髄芽腫の分類

　1969 年に Chang らが提唱した TNM 分類に準じた手術後の病期分類が長らく汎用され

表 3-8　頭蓋内胚細胞性腫瘍の病期分類

Good Prognosis 群
　　Germinoma, pure
Intermediate Prognosis 群
　　Germinoma with STGC（HCG 産生 germinoma）
　　Malignant Teratoma
　　Mixed Tumor のうち
　　　　Germinoma＋Teratoma
　　　　Germinoma あるいは Teratoma が主体で，少量の Poor Prognosis 群の
　　　　3 要素（下記）を含むもの
Poor Prognosis 群
　　Choriocarcinoma
　　Yolk Sac Tumor（Endodermal Sinus Tumor）
　　Embryonal Carcinoma
　　Mixed Tumor のうち上記 3 要素が主体のもの

STGC：syncytiotrophoblastic giant cell
HCG：human chorionic gonadotropin

（文献 11）より引用）

表 3-9　髄芽腫の病期分類

T1	3 cm 以下で，しかも小脳虫部に限局
T2	3 cm 超で，近接組織あるいは第四脳室に一部浸潤
T3 a	2 つの近接組織に浸潤しているか，第四脳室から中脳水道に充満，あるいは第四脳室の開口部まで充満
T3 b	第四脳室を充満し，第四脳室底および脳幹部に浸潤
T4	第三脳室，中脳，あるいは脊髄に進展
M0	転移なし
M1	髄液に鏡検にて腫瘍細胞を認める
M2	脳室，脳槽に裸眼でわかる細胞の増殖を認める
M3	脊髄腔に結節性の腫瘍増殖を認める
M4	中枢神経外への転移を認める

（文献 12）より引用）

ていた（**表 3-9**）[12]。しかし，画像診断の進歩に伴い Children Oncology Group（COG）が提唱した患者年齢・残存腫瘍量・播種病変の有無と状況から，手術後に average-risk 群/high-risk 群の 2 群に分類する方法が推奨されている（**表 3-10**）[13]。また，播種病変の評価も変遷しているが，これも COG の病期分類が推奨されている（**表 3-11**）[14]。これらの病期分類は髄芽腫以外の中枢神経系原始神経外胚葉性腫瘍 CNS primitive neuroectodermal tumor（PNET）や松果体芽腫にも適応されている。

5　髄膜腫の Simpson 分類

1957 年に提唱された手術での摘出度，硬膜付着部の処理程度による Simpson の病期分類（**表 3-12**）[15] は簡便で，再発率ともよく相関し，汎用されている。

表 3-10 髄芽腫の病期分類

Average-risk 群　以下 A, B, C いずれにも該当しないもの
high-risk 群　以下 A, B, C いずれかに該当するもの

A. 診断時の年齢が 3 歳未満
B. 術後, MRI 上残存腫瘍が 1.5 cm^2 以上
C. （術後の腰椎穿刺より採取された）髄液細胞診陽性，あるいは MRI 上原発巣以外の播種病変を認める

(文献 13)を参考に作成)

表 3-11 播種の病期分類

M0：播種を疑う所見なし
M1：（術後の腰椎穿刺より採取された）髄液細胞診陽性
M2：造影 MRI 上, 非結節性播種性病変(sugar-coated lesion)を認める
M3：造影 MRI 上, 結節性病変を認める
M4：中枢神経外への転移を認める

(文献 14)を参考に作成)

表 3-12 髄膜腫の病期分類

Grade I ：腫瘍の肉眼的全摘出に，硬膜付着部および異常骨の除去を加えたもの
Grade II ：腫瘍の肉眼的全摘出に，硬膜付着部の電気凝固を加えたもの
Grade III ：腫瘍は肉眼的全摘出を行うが，硬膜付着部除去や電気凝固しないか，硬膜外進展部, 例えば腫瘍進展のある静脈洞や骨増殖部をそのままにする
Grade IV ：腫瘍そのものの部分切除
Grade V ：生検(biopsy)の有無にかかわらず，単に減圧術のみを行ったもの

(文献 15)より引用)

6 下垂体神経内分泌腫瘍の病期分類

下垂体神経内分泌腫瘍については，第4部の冠状断 MRI を用いた下垂体神経内分泌腫瘍の側方進展(海綿静脈洞浸潤)分類(Knosp 分類)(**表 4-1**)と，腫瘍の浸潤性と増殖性に基づいた下垂体神経内分泌腫瘍の病期分類(Trouillas 分類)(**表 4-2**)を参照のこと。

7 聴神経腫瘍の病期分類

日本聴神経腫瘍研究会から提唱された比較的小さな腫瘍を対象とした分類(**表 3-13**)[18]と腫瘍サイズの違いによる分類(**表 3-14**)[19]がある。

8 転移性脳腫瘍

転移性脳腫瘍の治療成績を議論する際には Recursive-partitioning analysis(RPA)分類

表 3-13　聴神経腫瘍の病期分類

T1	内耳道内に限局している
T2	内耳道内から小脳橋角槽に進展している
T3 a	小脳橋角槽に充満しているが、脳幹には及んでいない
T3 b	小脳橋角部に充満し、脳幹に接している
T4 a	脳幹を圧迫している
T4 b	脳幹が圧迫により著しく転位し、第四脳室も変形している

(文献 18)より引用)

表 3-14　聴神経腫瘍の病期分類

Grade 1	長径 10 mm 以下で、内耳道内に限局している
Grade 2	長径 20 mm 以下で、脳槽まで突出している
Grade 3	長径 30 mm 以下で、脳幹に及ぶ
Grade 4	長径 30 mm 超で、脳幹を圧迫している

(文献 19)より引用)

表 3-15　転移性脳腫瘍の RPA 分類

RPA		WBRT[20]	SRS[21]	WBRT + SRS[21]	OPE + WBRT[22]
Class I	KPS≧70 年齢＜65 歳 原発巣が制御・ 他臓器転移なし	7.1	14	15.2	14.8
Class II	KPS≧70 かつ Class I 以外	4.2	8.2	7	9.9
Class III	KPS＜70	2.3	5.3	5.5	6

がよく用いられる。これは 1990 年代の Radiation Therapy Oncology Group (RTOG) による全脳照射の臨床試験を行った 1,200 人の解析結果に基づくものである。転移性脳腫瘍患者の予後良好因子としては、KPS≧70、脳以外に遠隔転移がないこと、原発巣が制御されていること、65 歳以下であることが挙げられ、RPA class I (全体の 20％) に分類された。KPS＜70 は予後が悪く、RPA class III (全体の 15％) に、それ以外のグループを RPA class II (全体の 65％) に分類された。手術や定位放射線照射による RPA 分類に基づくデータを表 3-15[20-22]に示す。

参考文献

1) Curran WJ Jr, Scott CB, Horton J, et al. Recursive partitioning analysis of prognostic factors in three Radiation Therapy Oncology Group malignant glioma trials. J Natl Cancer Inst. 1993 ; 85(9) : 704-10.
2) Li J, Wang M, Won M, et al. Validation and simplification of the Radiation Therapy Oncology Group recursive partitioning analysis classification for glioblastoma. Int J Radiat Oncol Biol Phys. 2011 ; 81 (3) : 623-30.
3) Mirimanoff RO, Gorlia T, Mason W, et al. Radiotherapy and temozolomide for newly diagnosed glio-

blastoma: recursive partitioning analysis of the EORTC 26981/22981-NCIC CE3 phase Ⅲ randomized trial. J Clin Oncol. 2006; 24(16): 2563-9.
4) Carson KA, Grossman SA, Fisher JD, et al. Prognostic factors for survival in adult patients with recurrent glioma enrolled onto the new approaches to brain tumor therapy CNS consortium phase Ⅰ and Ⅱ clinical trials. J Clin Oncol. 2007; 25(18): 2601-6.
5) Bell EH, Pugh SL, McElroy JP, et al. Molecular-Based Recursive Partitioning Analysis Model for Glioblastoma in the Temozolomide Era: A Correlative Analysis Based on NRG Oncology RTOG 0525. JAMA Oncol. 2017; 3(6): 784-92.
6) Wee CW, Kim E, Kim N, et al. Novel recursive partitioning analysis classification for newly diagnosed glioblastoma: A multi-institutional study highlighting the MGMT promoter methylation and IDH1 gene mutation status. Radiother Oncol. 2017; 123(1): 106-11.
7) 野村和弘. がん研究助成金 計画研究11-9 神経膠腫の標準的治療の確立に関する研究. 厚生労働省がん研究助成金. 1999.
8) Pignatti F, van den Bent M, Curran D, et al. Prognostic factors for survival in adult patients with cerebral low-grade glioma. J Clin Oncol. 2002; 20(8): 2076-84.
9) Ferreri AJ, Reni M. Prognostic factors in primary central nervous system lymphomas. Hematol Oncol Clin North Am. 2005; 19(4): 629-49, vi.
10) Abrey LE, Ben-Porat L, Panageas KS, et al. Primary central nervous system lymphoma: the Memorial Sloan-Kettering Cancer Center prognostic model. J Clin Oncol. 2006; 24(36): 5711-5.
11) Matsutani M, Sano K, Takakura K, et al. Primary intracranial germ cell tumors: a clinical analysis of 153 histologically verified cases. J Neurosurg. 1997; 86(3): 446-55.
12) Chang CH, Housepian EM, Herbert C Jr. An operative staging system and a megavoltage radiotherapeutic technic for cerebellar medulloblastomas. Radiology. 1969; 93(6): 1351-9.
13) Packer RJ, Gajjar A, Vezina G, et al. Phase Ⅲ study of craniospinal radiation therapy followed by adjuvant chemotherapy for newly diagnosed average-risk medulloblastoma. J Clin Oncol. 2006; 24(25): 4202-8.
14) Zeltzer PM, Boyett JM, Finlay JL, et al. Metastasis stage, adjuvant treatment, and residual tumor are prognostic factors for medulloblastoma in children: conclusions from the Children's Cancer Group 921 randomized phase Ⅲ study. J Clin Oncol. 1999; 17(3): 832-45.
15) Simpson D. The recurrence of intracranial meningiomas after surgical treatment. J Neurol Neurosurg Psychiatry. 1957; 20(1): 22-39.
16) Rhoton AL Jr, Hardy DG, Chambers SM. Microsurgical anatomy and dissection of the sphenoid bone, cavernous sinus and sellar region. Surg Neurol. 1979; 12(1): 63-104.
17) Knosp E, Steiner E, Kitz K, et al. Pituitary adenomas with invasion of the cavernous sinus space: a magnetic resonance imaging classification compared with surgical findings. Neurosurgery. 1993; 33(4): 610-7; discussion 617-8.
18) Samii M, Matthies C. Management of 1000 vestibular schwannomas (acoustic neuromas): the facial nerve--preservation and restitution of function. Neurosurgery. 1997; 40(4): 684-94; discussion 694-5.
19) Koos WT, Day JD, Matula C, et al. Neurotopographic considerations in the microsurgical treatment of small acoustic neurinomas. J Neurosurg. 1998; 88(3): 506-12.
20) Gaspar L, Scott C, Rotman M, et al. Recursive partitioning analysis (RPA) of prognostic factors in three Radiation Therapy Oncology Group (RTOG) brain metastases trials. Int J Radiat Oncol Biol Phys. 1997; 37(4): 745-51.
21) Sneed PK, Suh JH, Goetsch SJ, et al. A multi-institutional review of radiosurgery alone vs. radiosurgery with whole brain radiotherapy as the initial management of brain metastases. Int J Radiat Oncol Biol Phys. 2002; 53(3): 519-26.
22) Agboola O, Benoit B, Cross P, et al. Prognostic factors derived from recursive partition analysis (RPA) of Radiation Therapy Oncology Group (RTOG) brain metastases trials applied to surgically resected and irradiated brain metastatic cases. Int J Radiat Oncol Biol Phys. 1998; 42(1): 155-9.

第4部
下垂体腫瘍

I 下垂体腫瘍

　下垂体腫瘍には，大きく下垂体前葉/腺性下垂体に由来する腫瘍と下垂体後葉/神経性下垂体に由来する腫瘍に分けられる。WHO 分類では「2021 年中枢神経系腫瘍分類」だけではなく，「2022 年内分泌/神経内分泌腫瘍分類」(以下，WHO 2022)でより詳細に記載されている。

　下垂体前葉から発生する腫瘍には，pituitary neuroendocrine tumor(PitNET)下垂体神経内分泌腫瘍と下垂体芽腫がある。下垂体後葉から発生する腫瘍には，下垂体細胞腫，トルコ鞍部顆粒細胞腫，紡錘形オンコサイトーマが挙げられるが，いずれも下垂体(後葉)細胞由来の腫瘍として一括して扱われている(pituicyte-derived tumors, pituicyte tumor family)。このほかに神経細胞系腫瘍も後葉～視床下部腫瘍に分類されている。

1 病理検査のために

1．標本の取り扱い

　分子遺伝学的解析，標本の保存，取り扱いなどについては脳腫瘍診断・病理カラーアトラス(第 2 部 II 脳腫瘍の分子診断および III 脳腫瘍の病理診断)を参照。

2．電子顕微鏡

　下垂体腫瘍，特に神経内分泌腫瘍の分類には，電子顕微鏡を用いた検索が長く用いられてきたため，現在の診断にもその影が色濃く残る。免疫組織化学に基づいた分類法，定義に従い可能な範囲で診断を行うが，PitNET のうち多ホルモン産生腫瘍の亜型分類などでは，電顕所見は診断の補助として有用なことがある。

3．迅速診断

　機能性 PitNET の鑑別診断や切除断端部の腫瘍細胞の残存の判定などのため，術中迅速診断への期待は大きい。凍結切片では，腫瘍と前葉の区別に索状構造の有無を指標とするが，細胞形態の判断には捺印細胞診の併用が有用である。標本は生理食塩水などに浸さないことがポイントで，凍結切片と同時に施行できる HE 染色で十分診断できる。

4．免疫組織化学

　下垂体腫瘍の病理診断には，a. 転写因子，b. 産生ホルモン，c. サイトケラチンを主に用いる。

a．転写因子

　PIT1：下垂体前葉ホルモン産生細胞のうち，成長ホルモン(GH)，プロラクチン(PRL)，甲状腺刺激ホルモン(TSH)産生細胞の分化に関わる。

　TPIT：副腎皮質刺激ホルモン(ACTH)産生細胞の分化に関わる。

　SF1：性腺刺激ホルモン(ゴナドトロピン)である卵胞刺激ホルモン(FSH)，黄体化ホル

モン（LH）産生細胞の分化に関わる。
　GATA2/3：TSH，ゴナドトロピン産生細胞の分化に関わる。
　ERα：PRL，ゴナドトロピン産生細胞の分化に関わる。
　これらの発現が確認されれば，ホルモン染色陰性でも，各系統の PitNET と診断する。
　下垂体後葉細胞腫瘍では転写因子 TTF1 が陽性となる。

b．産生ホルモン

GH，PRL，TSH，ACTH，FSH，LH の既知の前葉ホルモンの産生性を同定する。

c．サイトケラチン（CK）（CAM5.2，CK18）

細胞骨格を形成する細胞内中間径フィラメントなどを認識する。PitNET では，分布パターン（核周囲性，fibrous body，陰性など）が，亜型分類に有用であり，これらが認識できる条件設定が必要である。

d．その他

PitNET の薬剤感受性を予測するためにソマトスタチンレセプター（SSTR）2A，5，あるいはドパミン受容体 D2R，MGMT（化学療法耐性に関与する因子の項を参照）を用いる。
　下垂体部には髄膜腫，孤立性線維性腫瘍なども発生するが，これらに用いる免疫組織化学は脳腫瘍で紹介されている（免疫組織化学の項を参照）。

2 Anterior neuroendocrine neoplasms 下垂体前葉神経内分泌腫瘍

　定義：下垂体前葉のホルモン産生細胞から発生する腫瘍。①前葉細胞は純粋な上皮細胞ではなく神経内分泌細胞であること，②「下垂体腺腫」は周囲組織を破壊し浸潤するなど，しばしば良性腫瘍の枠を超えることがあるため，ほかの全身臓器の神経内分泌腫瘍（Neuroendocrine tumor：NET）と同様に benign から potentially malignant を含む疾患概念として，Pituitary NET（PitNET）という名称が 2017 年に提唱された[1]。この名称には臨床医からの反対意見も多いが[2]，WHO 2022 では全身の臓器に発生する NET の概念と名称の統一がメインテーマとなり，その一環として「Pituitary adenoma」は「PitNET」へ名称が変更された[3,4]。これに伴い本邦でも下垂体腺腫に代わり，「下垂体神経内分泌腫瘍（下垂体NET）」とする。
　組織学的に下垂体 NET と過形成の鑑別点は，下垂体前葉の索状構造が破壊されていることで，鍍銀染色などで索状構造を取り巻く線維の有無を確認できる（図 4-1，2）。
　特徴：脳腫瘍の約 15％を占め，臨床診断されるのは約 4 人/10 万人/年。主に成人にみられるが，腫瘍型により好発年齢や性比は異なる。大多数はトルコ鞍内から発生するが，しばしば周囲硬膜，骨への浸潤・破壊を認める。臨床的に腫瘍のホルモン産生分泌能の有無により機能性と非機能性 PitNET に分類されるが，後者もその大多数はホルモン産生分化能を有しておりそれに基づいて組織分類される。腫瘍の大きさによりミクロ腫瘍（10 mm 未満），マクロ腫瘍（10 mm 以上）と巨大腫瘍（40 mm 以上）に分類される。機能性 PitNET はホルモン過剰症状で発症するため比較的小型の腫瘍で，非機能性 PitNET は周囲の圧迫

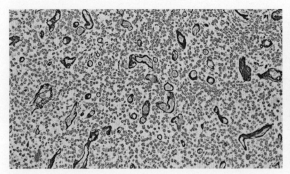

図 4-1 Pituitary neuroendocrine tumor (PitNET)
鍍銀染色で，線維に巻かれるような索状構造を欠き，血管を中心に配列する。

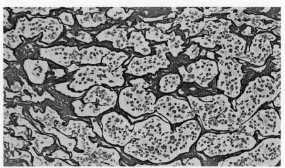

図 4-2 Anterior pituitary gland
鍍銀染色で，索状構造が保たれていて，線維に覆われる。

症状（頭痛，視力視野障害や下垂体機能低下症）をきたすマクロ腫瘍（または巨大腫瘍）で見つかることが多い。

各組織型は，産生するホルモン別に分類されるが，細胞分化を司る転写因子別に分けられる系統に従い，①PIT1 系統下垂体神経内分泌腫瘍（GH，PRL，TSH を産生する細胞の性質をもつ腫瘍），②TPIT 系統下垂体神経内分泌腫瘍（ACTH），③SF1 系統下垂体神経内分泌腫瘍（ゴナドトロピン），および④系統分化を示さない下垂体神経内分泌腫瘍に大別される。また，⑤多発性下垂体神経内分泌腫瘍，⑥転移性下垂体神経内分泌腫瘍がある。

診断は症状，理学所見，内分泌所見，画像所見（MRI）により行う。各機能性 PitNET が引き起こす下垂体内分泌機能障害は分泌するホルモンにより異なるが，先端巨大症/下垂体性巨人症，高プロラクチン血症，下垂体性 TSH 産生腫瘍，クッシング病の診断基準は厚生労働科学研究費補助金 難治性疾患政策研究事業 間脳下垂体機能障害に関する調査研究班「間脳下垂体機能障害と先天性腎性尿崩症および関連疾患の診療ガイドライン 2023 年版」を参照。

基本的に症候例が治療の対象となる。PitNET の治療法には手術（主に経蝶形骨洞手術），薬物治療と放射線治療があるが，腫瘍型により治療戦略は大きく異なる。

A. Pituitary neuroendocrine tumors of PIT1-lineage PIT1 系統下垂体神経内分泌腫瘍

1．Somatotroph PitNET/adenoma 下垂体成長ホルモン細胞神経内分泌腫瘍/成長ホルモン細胞腺腫（図 4-3〜8）

GH とインスリン様成長因子 1（IGF-1）過剰を引き起こし，先端巨大症（アクロメガリー）を呈し，糖尿病，高血圧などの全身合併症と QOL 低下，さらに生命予後に影響する。GH を産生する PitNET は PIT1 陽性の複数の組織型からなるが，somatotroph PitNET は GH のみを産生する。約半数に *GNAS* 遺伝子の活性化変異を認める。大多数は孤発例だが，一部は多発性内分泌腫瘍症（MEN）1 型，Carney 複合（PRKAR1α は原因遺伝子の 1 つ），家族性アクロメガリー（*AIP* 遺伝子の生殖細胞変異）などに合併する。

Somatotroph PitNET は densely granulated somatotroph tumor（DGST）と，sparsely

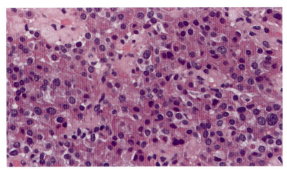

図4-3　Densely granulated somatotroph PitNET
好酸性細胞質をもつ腫瘍細胞の充実性増殖を認める。

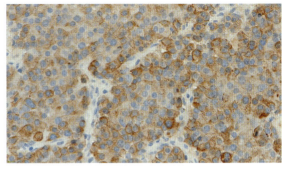

図4-4　Densely granulated somatotroph PitNET
ホルモンは一般に，細胞内分泌顆粒の分布に依存し染色されるが，DGSTのGHは主に細胞膜下〜細胞質びまん性陽性となる。

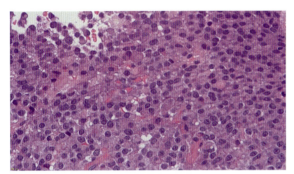

図4-5　Sparsely granulated somatotroph PitNET
類円形で核が偏在する腫瘍細胞からなる。細胞接着性が弱く，個細胞性に浮遊する像をみる。

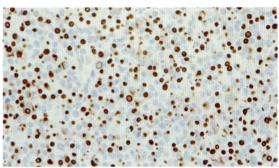

図4-6　Sparsely granulated somatotroph PitNET
サイトケラチンでfibrous bodyはドット状に染まる。SGSTはfibrous bodyをもつ細胞が>70%と定義されている。

granulated somatotroph tumor(SGST)に分けられる。DGSTは，以前好酸性腺腫と呼ばれたように，細胞質に好酸性顆粒が充満するが，その量は細胞ごとに差がある(図4-3)。GHは細胞質にびまん性陽性となるが細胞ごとに濃淡がある(図4-4)。CKは核周囲性〜ごく弱い。SGSTの細胞質の好酸性はDGSTに比し弱く，GHの染色性も弱いことがある(図4-5)。SGSTでは腫瘍サイズに比し血中GH値が低く，マクロ腫瘍として発見されることが多い。SGSTではfibrous bodyと呼ばれる中間径フィラメントや変性した細胞内小器官が凝集した構造が細胞質内にみられることが特徴的で，これらはCKでドット状に陽性となる(図4-6)。また，SGSTはDGSTに比して若年者の浸潤性腫瘍で，やや aggressiveな経過を示すことが多い。

　治療の第一選択肢は外科治療で，約70〜80%で内分泌学的完全寛解が得られる。最大の摘出阻害因子は腫瘍の海綿静脈洞浸潤であり，術後内分泌非完全寛解例には薬物治療を行う。その中心となるのがソマトスタチンアナログ製剤(ソマトスタチンレセプター(SSTR)2Aに親和性の高い第一世代のオクトレオチドLAR・ランレオチド，SSTR5にも親和性の高い第二世代のパシレオチド)だが，SGSTは第一世代製剤の治療効果不良例が多い。ソマ

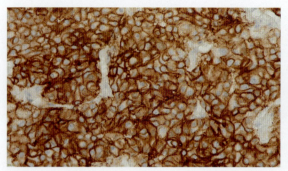

図4-7　Densely granulated somatotroph PitNET
SSTR2Aは細胞膜の染色性をみるが，多くの症例で陽性となる。

図4-8　Somatotroph PitNET
稀にSSTR2A陰性となる。本例はソマトスタチンアナログ治療後。VolanteらのScore 1（陰性）に相当。

トスタチンレセプターに対する免疫組織化学は，細胞膜の染色性で評価され，効果予測に有用である（図4-7，8）[5]。このほかにGH受容体拮抗剤（ペグビソマント）やドパミン作動薬（ブロモクリプチンが保険適用）があり，薬物治療抵抗例や浸潤性腫瘍などは放射線治療や再手術の適応となる。

2．Lactotroph PitNET/adenoma 下垂体プロラクチン細胞神経内分泌腫瘍/プロラクチン細胞腺腫（図4-9，10）

臨床上は，最も頻度の高い組織型（全PitNETの30〜50％）であるが，ドパミン作動薬が著効する症例が多く，手術摘出例は少ない。成人女性に多くみられ，月経障害や乳汁漏出で発症する小型の腫瘍が多い。男性例は少ないが，性欲低下や視力視野障害を呈するマクロ腫瘍が多い。腫瘍の大きさと血中プロラクチン値は強く正相関する。

治療は性別や腫瘍の大きさとは関係なく薬物治療（ドパミン作動薬）が第一選択肢である。超長時間作動薬であるカベルゴリンがプロラクチン正常化率（約90％），腫瘍縮小率，性腺機能回復率，副作用発現率のすべてにおいて優れており，2年以上の内服後に中止可能な症例もある（約10〜40％）。手術適応となるのは薬物治療抵抗例，副作用で継続が困難な症例など。最も頻度が高いsparsely granulated lactotroph tumor（SGLT）は薬物に奏効することが多く，外科切除の対象となることは少ない。免疫組織化学でPRLがゴルジ野に染まることが特徴（図4-9，10）。Densely granulated lactotroph tumor（DGLT）は極めて稀である。いずれもCKは極弱〜陰性。

3．Thyrotroph PitNET/adenoma 下垂体甲状腺刺激ホルモン細胞神経内分泌腫瘍/甲状腺刺激ホルモン細胞腺腫（図4-11）

稀な組織型（全PitNETの約2％）。頻脈，発汗過多，体重減少，頭痛や倦怠感などの甲状腺中毒症状を呈するが，その多くは軽度であり，症状が乏しいことも少なくない。血中甲状腺ホルモンが高値にもかかわらず，TSHは抑制されない（正常または軽度高値）不適切TSH分泌症候群（SITSH）を呈する。甲状腺ホルモン不応症との鑑別が重要。線維性で硬い腫瘍であることが多い。腫瘍細胞は短紡錘形〜多角形で，核内偽封入体構造，くびれが目立つ（図4-11）。Densely/sparselyの分類はない。免疫組織化学でTSHは細胞膜直下〜細

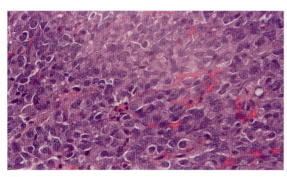
図4-9　Sparsely granulated lactotroph PitNET
暗好酸性細胞の充実性増殖からなる。

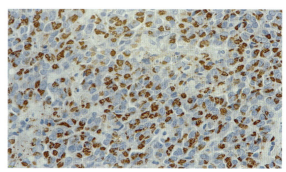
図4-10　Sparsely granulated lactotroph PitNET
PRLは，ゴルジ野に染まる。

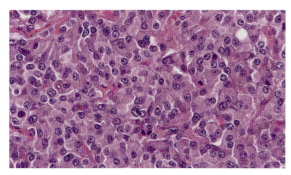
図4-11　Thyrotroph PitNET
淡〜暗好酸性短紡錘形細胞の増殖からなるが，線維化が目立つことがある。

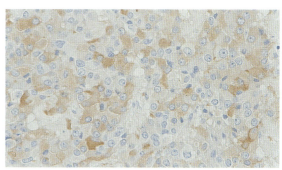
図4-12　Thyrotroph PitNET
TSHは細胞膜下あるいは細胞質びまん性に染まるが細胞毎に濃淡が目立つ。

胞質びまん性に染まる。CKは弱〜陰性。

　治療の第一選択肢は外科治療（経蝶形骨洞手術）だが，第一世代のソマトスタチンアナログ製剤（ランレオチド）が甲状腺機能改善と腫瘍縮小に有効である。周術期の甲状腺クリーゼ予防のため，術前薬物治療で甲状腺機能の正常化を得ておく必要がある。

4．Mature plurihormonal PIT1-lineage PitNET/adenoma 下垂体成熟型PIT1系統多ホルモン細胞神経内分泌腫瘍/成熟型PIT1系統多ホルモン細胞腺腫

5．Immature PIT1-lineage PitNET/adenoma 下垂体未熟型PIT1系統細胞神経内分泌腫瘍/未熟型PIT1系統細胞腺腫

6．Acidophil stem cell PitNET/adenoma 下垂体好酸性幹細胞神経内分泌腫瘍/好酸性幹細胞腺腫

7．Mixed somatotroph-lactotroph PitNET/adenoma 下垂体成長ホルモン細胞-プロラクチン細胞混合神経内分泌腫瘍/成長ホルモン-プロラクチン産生細胞混合腺腫

　上記の3つのGH，PRL，TSHが単独で陽性となる組織型以外に相当。PIT1系統腫瘍では，GH，PRL，TSHがさまざまな割合で陽性になるが，特にGH-PRL産生細胞が発生過程で存在するため，両者同時産生性のmonomorphousな腫瘍としてmammosomatotroph

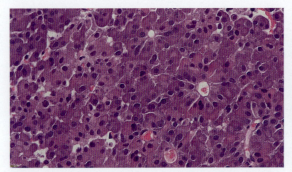

図 4-13　Densely granulated corticotroph PitNET
好塩基性細胞の血管周囲性配列〜充実性増殖を認める。

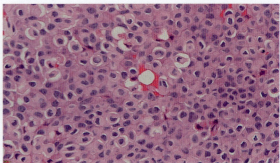

図 4-14　Crooke cell PitNET
細胞質に淡好酸性の硝子様変性を伴う aggressive な腫瘍。

PitNET, acidophil stem cell PitNET がある。前者は分泌顆粒が多く DGST に類似する。CK では核周囲性。後者は fibrous body をもつので，CK 染色はドット状。また，GH, PRL をそれぞれ違う細胞が分泌する mixed somatotroph-lactotroph PitNET がある。TSH を含む場合には mature plurihormonal PIT1-lineage PitNET, immature PIT1-lineage PitNET がある。特に後者は，以前は電顕所見から診断されていた組織型であるため，光顕所見のみでは，各 variant の中間的な所見を呈する症例も多く，免疫組織化学に依存した分類では診断困難となることがある。無理をせず，例えば GH-PRL 細胞 PitNET と記載するなど，臨床医の了解を得ることを考慮する。

　免疫組織化学でホルモン陽性となる PitNET にも，臨床的非機能性 PIT1 系統腫瘍が含まれる。やや大型の腫瘍であることが多く，カベルゴリンやソマトスタチンアナログ製剤による治療効果は症例によって異なるが，概して効果不良例が多い。また，acidophil stem cell PitNET や immature PIT1-lineage PitNET も，臨床的に aggressive な経過を呈することが多い。

B．Pituitary neuroendocrine tumors of TPIT-lineage TPIT 系統下垂体神経内分泌腫瘍

1．Corticotroph PitNET/adenoma 下垂体副腎皮質刺激ホルモン細胞神経内分泌腫瘍/副腎皮質刺激ホルモン細胞腺腫（図 4-13〜15）

　機能性腫瘍（クッシング病）では満月様顔貌，中心性肥満，糖尿病，高血圧，骨粗鬆症，精神障害などの症状，著明な QOL 低下と生命予後の短縮をきたす。大多数はミクロ腫瘍であり，MRI による腫瘍の同定が困難な症例も少なくない。多くは densely granulated corticotroph PitNET で，以前は好塩基性腺腫と呼ばれた（図 4-13）。PAS 染色で陽性となる。亜型である Crooke cell PitNET（Crooke 細胞 PitNET）（図 4-14）は，悪性転化を含めて臨床的に aggressive な経過を呈することが多い（Crooke 変化とは，高コルチゾル血症時に非腫瘍性 ACTH 細胞にみられる反応性変化で，機能性腫瘍（クッシング病）切除時の背景前葉組織にもみられる。同様の形態変化が Crooke 細胞 PitNET 細胞にみられる。核を巻

I 下垂体腫瘍　257

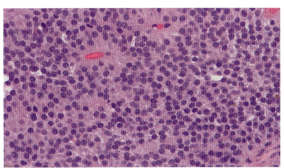

図 4-15　Sparsely granulated corticotroph PitNET
短紡錘形細胞のロゼット様血管周囲性配列が目立つ。

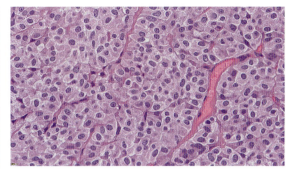

図 4-16　Gonadotroph PitNET
類円形細胞の血管周囲性配列からなり，oncocytic change が目立つことが多い。

くように中間径フィラメントが増加し，細胞質に淡好酸性の硝子化を認める）。

　ACTH 細胞腫瘍の約半数に *USP8*・*USP48* 変異などの体細胞変異を認める。治療の第一選択肢は外科手術である。約 60〜80％で内分泌学的治癒が得られるが，長期の再発も少なくない。術後非寛解例や診断困難例には薬物治療を行う。腫瘍に直接作用するソマトスタチンアナログ製剤（パシレオチド）やドパミン作動薬（保険適用外，効果予測には脳腫瘍と同様に MGMT が有用）とステロイド合成酵素阻害薬（オシロドロスタット，メチラポンなど）がある。Densely granulated corticotroph PitNET の多くは SSTR5 陽性。術後残存腫瘍には定位放射線治療も有効だが，治療抵抗例には両側副腎切除術やテモゾロミド治療（保険適用外）を検討する。

　一方，臨床的に非機能性 PitNET の約 10〜20％は ACTH 分化能を有するがクッシング症候を呈さない silent corticotroph PitNET（サイレント ACTH 細胞 PitNET）である。浸潤性のやや大型腫瘍が多く，視力視野障害や頭痛などの腫瘍による圧迫症状を呈する。中年以降の女性に多く，その組織型はほとんどが sparsely granulated corticotroph PitNET である。血管周囲に短紡錘形細胞がロゼット様に並ぶ構造が目立つ（図 4-15）。少数の腫瘍細胞に散在性に ACTH 陽性となる。有効な薬物治療はなく，症候例には外科治療が選択される。術後残存腫瘍などには（定位）放射線治療を検討する。

C. Pituitary neuroendocrine tumors of SF1-lineage SF1 系統下垂体神経内分泌腫瘍

1．Gonadotroph PitNET/adenoma 下垂体ゴナドトロピン細胞神経内分泌腫瘍/ゴナドトロピン産生細胞腺腫（図 4-16）

　臨床的非機能性 PitNET の多く（約 70％）を占める。中高年の男性に多く，多くは腫瘍による圧迫症状で発症する。症候例はマクロ腫瘍あるいは巨大腫瘍が多いが，脳ドックなどでみつかる小型腫瘍（偶発腫）もある。

　Gonadotroph PitNET では，分類に densely/sparsely あるいは FSH/LH の区別はない。血管周囲に並ぶ配列が目立つが，細胞は類円形で，部分的に oncocytic change がみられる（淡好酸性，顆粒状細胞質が豊富となる。電顕ではミトコンドリアが充満）（図 4-16）。

有効な薬物治療はなく，症候例には外科治療が第一選択肢。多くは経蝶形骨洞手術が選択されるが，一部は開頭術や開頭-経鼻同時手術の適応となる。術後残存あるいは再発腫瘍に対しては，腫瘍の部位や組織所見などから放射線治療や再手術を検討する。

D. Pituitary neuroendocrine tumors without distinct lineage differentiation 系統分化を示さない下垂体神経内分泌腫瘍

1．Null cell PitNET/adenoma 下垂体ナルセル神経内分泌腫瘍/ナルセル腺腫

WHO 2017以降の診断基準(前葉ホルモンだけでなく転写因子も免疫組織化学で陰性)により，極めて稀な組織型となった(PitNETの1〜5％以下)。臨床的にやや aggressive な腫瘍の可能性がある。

2．Plurihormonal PitNET/adenomas 下垂体多ホルモン細胞神経内分泌腫瘍/多ホルモン細胞腺腫

転写因子の系統を超えた多ホルモン細胞PitNET。臨床像や治療に関する報告は乏しい。

E. Multiple pituitary neuroendocrine tumors 多発性下垂体神経内分泌腫瘍

1．Multiple synchronous PitNET/adenomas of distinct lineages 下垂体同時発生多系統細胞神経内分泌腫瘍/同時発生多系統細胞腺腫

多系統(PIT1系統とTPIT系統など)多発性PitNETが含まれる。臨床像や治療に関する報告は乏しい。

F. Metastatic pituitary neuroendocrine tumors 転移性下垂体神経内分泌腫瘍

1．Metastatic PitNET 転移性下垂体神経内分泌腫瘍

Metastatic PitNET は全身転移・髄腔内播種をきたしたPitNETと定義され，極めて稀(0.2％)。多くは浸潤性 PitNET が再発を繰り返し悪性転化する。組織型はcorticotroph PitNET と lactotroph PitNET が多い。

これに対して，転移はしていないが浸潤性で増殖能が高く，標準治療抵抗性・早期再発を呈する腫瘍は aggressive (または refractory) PitNET[6]である。両者には臨床病理学的な違いは乏しいとされている[7]。TP53, ATRX, PTEN の変異などが報告されている。これら難治性・悪性 PitNET の一部(約1/3)にはアルキル化剤であるテモゾロミドが有効である(保険適用外)[6]。

G. Grading

公式な Grading system はない。

H. 病期分類

PitNET の画像所見による分類としては，腫瘍径とトルコ鞍底の形状による分類(Hardy分類，Wilson分類)と腫瘍の側方(海綿静脈洞)進展の分類(Knosp分類；**表4-1**)[8]がある。

これまでに，腫瘍の予後予測に有用な単一の組織・形態的指標は報告されていない。腫

表 4-1　冠状断 MRI を用いた下垂体神経内分泌腫瘍の側方進展（海綿静脈洞浸潤）分類（Knosp 分類）

Grade 0	腫瘍が内頸動脈の内側縁を結ぶ線を超えない。
Grade 1	腫瘍が内頸動脈の中央を結ぶ線を超えない。
Grade 2	腫瘍が内頸動脈の外側縁を結ぶ線を超えない。
Grade 3A	腫瘍が内頸動脈の外側縁を結ぶ線を超え，海綿静脈洞上部コンパートメントに進展する。
Grade 3B	腫瘍が内頸動脈の外側縁を結ぶ線を超え，海綿静脈洞下部コンパートメントに進展する。
Grade 4	腫瘍が海綿静脈洞内の内頸動脈を完全に包み込む。

（文献 8）より引用）

瘍の「増殖能（Ki-67 標識率＞3％，核分裂像，p53 核染色）」により定義された atypical adenoma（異型性腺腫）は，再発予測の有用性に乏しく，WHO 内分泌腫瘍 2017 で削除された。Ki-67 標識率の有用性は認められているが，カットオフ値の設定はない。

　現在，確立した PitNET の病期分類はないが，腫瘍の「増殖能」と「浸潤性」による grade 分類が提唱され予後（再発）予測に有用と報告されている（Trouillas 分類：表 4-2）[9]。また，特定の組織型の腫瘍が aggressive な臨床経過をたどることが多いことが WHO 内分泌腫瘍 2017 で示された（sparsely granulated somatotroph PitNET, Crooke cell PitNET, immature PIT-lineage PitNET など）。今回の WHO 2022 では新たな病期分類の提唱はないが，「増殖能」，「浸潤性」と「組織型」を組み合わせた PitNET 病期分類の早期確立が望まれる。

表 4-2 腫瘍の浸潤性と増殖性に基づいた下垂体神経内分泌腫瘍の病期分類（Trouillas 分類）

評価項目
1. 浸潤性　組織所見またはMRI所見による海綿静脈洞または蝶形骨洞への浸潤
2. 増殖性　下記項目の2つ以上
    - Ki-67 標識率：＞1％（Bouin-Hollade 固定）または≧3％（ホルマリン固定）
    - 核分裂像：＞2/10 HPF
    - p53：陽性（＞10 核強陽性/10 HPF）

PitNET grade 分類
Grade 1a：非浸潤性腫瘍
Grade 1b：非浸潤性・増殖性腫瘍
Grade 2a：浸潤性腫瘍
Grade 2b：浸潤性・増殖性腫瘍
Grade 3：転移性腫瘍（全身または髄腔内）

	非増殖性	増殖性
非浸潤性	Grade 1a	Grade 1b
浸潤性	Grade 2a	Grade 2b

Grade 3：転移性腫瘍（全身または髄腔内）

HPF：高倍率視野（high power field）

（文献9）より引用し，一部改変）

3 Other anterior pituitary tumors その他の下垂体前葉腫瘍

A. Pituitary blastoma 下垂体芽腫

定義：胎児期の下垂体前葉から発生する極めて稀な腫瘍。*DICER1* 遺伝子の生殖細胞変異（*DICER1* 症候群）に伴う。

特徴：大多数は乳幼児期（2歳以下）にクッシング病で発症する。大型分葉状の腫瘍が多く，予後は極めて不良。*DICER1* 症候群は常染色体優性遺伝を示すが，臨床像は同一家系内においても多彩である。

4 Posterior pituitary and hypothalamic neoplasms 下垂体後葉，視床下部腫瘍

A. Pituicyte-derived tumors 後葉細胞派生腫瘍

定義：いずれも神経下垂体（下垂体後葉と下垂体茎）から発生する稀な良性グリア系腫瘍（CNS WHO grade 1）（図 4-17）。下記3つの組織亜型のほか，WHO 2022 では，ependymal pituicytoma が挙げられている。いずれも成人にみられ，局所圧迫症状，すなわち頭痛，視力視野障害や下垂体前葉機能障害などで発症するが，尿崩症は少ない。症候例には外科治療（主に経蝶形骨洞手術）を行うが，易出血性（動脈性）で境界不明瞭であることが多い。組織学的にはいずれも TTF1 が核に陽性となる。これら亜型分類は，電顕なしでは難しい。

1. Pituicyte tumor family 後葉細胞腫瘍家系

a. Pituicytoma 下垂体細胞腫（図 4-17）

やや男性に多い。放射線治療の効果は不定。Lysosome やミトコンドリアの著増がみられない TTF1 陽性後葉紡錘形細胞腫瘍といえる。

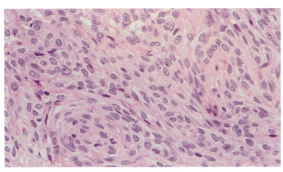

図 4-17　Pituicytoma
紡錘形細胞からなる下垂体後葉腫瘍。本例は電顕でミトコンドリアや lysosome の異常集積なし。

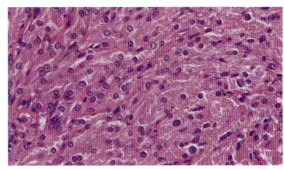

図 4-18　Granular cell tumor of the sellar region
紡錘形細胞の細胞質に好酸性顆粒（lysosome）が充満する。

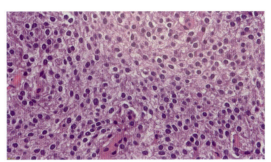

図 4-19　Sellar neurocytoma
類円形小型の増殖からなるが，繊細な線維をもつ。PitNET 同様 synaptophysin に陽性であるが，NeuN が核に陽性。

b．Granular cell tumor of the sellar region トルコ鞍部顆粒細胞腫（図 4-18）

やや女性に多く，やや硬い腫瘍が多い。残存腫瘍の再発（再増大）率は報告により大きく異なる。好酸性のざらざらした顆粒状の細胞質をもつ多角形細胞からなる（図 4-18）。PAS 染色で顆粒状に染色される。電顕では lysosome が充満する。

c．Spindle cell oncocytoma 紡錘形細胞オンコサイトーマ

好酸性細胞質をもつ紡錘形細胞腫瘍で，電顕ではミトコンドリアが充満する。ミトコンドリアに対する免疫組織化学も有用であるが，抗体により染色性が異なること，非腫瘍性細胞もミトコンドリア染色陽性となることなどから，染色条件の設定や評価は難しい。

【付記】Ependymal pituicytoma 上衣系下垂体細胞腫

淡好酸性紡錘形細胞腫瘍で，上衣分化，細胞内あるいはロゼット配列による管腔構造が特徴的。これらに EMA が陽性で，電顕では微絨毛をもつ微小管腔形成を認める。

B. Neuronal tumors 神経細胞系腫瘍

1. Gangliocytoma and mixed gangliocytoma-PitNET/pituitary adenoma 神経節細胞腫，神経節細胞腫-下垂体神経内分泌腫瘍(PitNET)混合腫瘍

定義：神経下垂体から発生する稀な神経節細胞腫と下垂体神経内分泌腫瘍(PitNET)が混在する腫瘍(CNS WHO grade 1)。

特徴：稀に神経節細胞腫成分が視床下部ホルモン(GHRHやCRH)，PitNET成分が下垂体前葉ホルモン(GHやACTH)を産生分泌することがあり，先端巨大症やクッシング病を呈することが報告されている。

2. Sellar neurocytoma トルコ鞍部神経細胞腫(図4-19)

定義：神経下垂体から発生する極めて稀な神経細胞腫。類円形小型の増殖からなるが，繊細な神経線維を伴う(図4-19)。NeuN陽性。TTF1陽性あるいはバソプレシン陽性の報告がある。

特徴：バソプレシン陽性症例では，ADH不適切分泌症候群(SIADH)が報告されている。

参考文献

1) Asa SL, Casar-Borota O, Chanson P, et al. From pituitary adenoma to pituitary neuroendocrine tumor(PitNET)：an International Pituitary Pathology Club proposal. Endocr Relat Cancer. 2017；24：C5-8.
2) Ho K, Fleseriu M, Kaiser U, et al. Pituitary neoplasm nomenclature workshop：does adenoma stand the test of time? J Endocr Soc. 2021；5(3)：bvaa205.
3) Asa SL, Mete O, Perry A, et al. Overview of the 2022 WHO classification of pituitary tumors. Endocr Pathol. 2022；33(1)：6-26.
4) Rindi G, Inzani F. Neuroendocrine neoplasm update：toward universal nomenclature. Endocr Relat Cancer. 2020；27(6)：R211-8.
5) Volante M, Brizzi MP, Faggiano A, et al. Somatostatin receptor type 2A immunohistochemistry in neuroendocrine tumors：a proposal of scoring system correlated with somatostatin receptor scintigraphy. Mod Pathol. 2007；20：1172-82.
6) Raverot G, Burman P, McCormack A, et al. European Society of Endocrinology. European Society of Endocrinology Clinical Practice Guidelines for the management of aggressive pituitary tumours and carcinomas. Eur J Endocrinol. 2018；178(1)：G1-24.
7) Trouillas J, Jaffrain-Rea ML, Vasiljevic A, et al. Are aggressive pituitary tumours and carcinomas two sides of the same coin? Pathologists reply to clinician's questions. Rev Endocr Metab Disord. 2020；21(2)：243-51.
8) Micko AGS, Wöhrer A, Wolfsberger S, et al. Invasion of the cavernous sinus space in pituitary adenomas：endoscopic verification and its correlation with an MRI-based classification. J Neurosurg. 2015；122(4)：803-11.
9) Trouillas J, Roy P, Sturm N, et al. A new prognostic clinicopathological classification of pituitary adenomas：a multicentric case-control study of 410 patients with 8 years post-operative follow-up. Acta Neuropathol. 2013；126(1)：123-35.

索 引

和文

あ
アレイ CGH ……………… 49, 53
悪性リンパ腫 …………………… 161

い
一塩基多型 ……………………… 49

え
エヌトレクチニブ ……………… 208
エベロリムス …………………… 209
エルロチニブ …………………… 230

お
オクトレオチド LAR …………… 253
オシロドロスタット …………… 257
オリエ病 ………………………… 84
黄体化ホルモン ………………… 250

か
カベルゴリン …………………… 254
カルボプラチン ………………… 205
カルムスチン …………………… 204
ガンマナイフ …………………… 238
下垂体神経内分泌腫瘍 ………… 250
下垂体 NET …………………… 251
画像誘導放射線治療 …………… 196
拡散テンソル画像 ……………… 13
顆粒細胞 ………………………… 93

き
奇形腫 …………………………… 167
乏突起細胞様細胞 ……………… 93
強度変調放射線治療法 ………… 196

く
クッシング病 …………………… 252

け
ゲフィチニブ …………………… 230
血管周囲偽ロゼット …………… 112
血管内皮増殖因子 ……………… 200
血管内リンパ腫 ………………… 15
結節性硬化症 …………………… 209

こ
ゴナドトロピン ………………… 250
コピー数 ………………………… 49

好酸性顆粒小体 ………………… 78
甲状腺刺激ホルモン …………… 250
抗 PD-1 抗体 …………………… 190
国際対がん連合 ………………… 242

さ
サイトケラチン ………………… 250
サンガーシークエンス ………… 46
再帰分割分析 …………………… 242
細胞傷害性 T 細胞 ……………… 210
柵状配列 ………………………… 90
産生ホルモン …………………… 250

し
シスプラチン …………………… 205
シタラビン ……………………… 205
次世代シークエンサー ………… 73
次世代シークエンス …………… 47
縦列型反復配列多型 …………… 49
上衣下巨細胞性星細胞腫 ……… 209
上皮化生 ………………………… 93
神経細胞性ロゼット …………… 112

せ
セムスチン ……………………… 204
性腺刺激ホルモン ……………… 250
成長ホルモン …………………… 250
全国がん登録 …………………… 4
先端巨大症 ……………………… 252

そ
ソマトスタチンアナログ製剤
……………………………………… 253
ソマトスタチンレセプター …… 253

た
ダブラフェニブ ………………… 209
タラポルフィリン ……………… 182
単純ヘルペスウイルスⅠ型 …… 189

ち
チラブルチニブ ………………… 208
中間径フィラメント …… 81, 251
中枢神経系腫瘍分類 …………… 36

て
定位手術的照射 ………………… 196
定位放射線治療 ………………… 196
定量 PCR ………………………… 53
転写因子 …………………… 80, 250

と
ドパミン作動薬 ………………… 254
ドパミン受容体 ………………… 233
トラメチニブ …………………… 209
統合診断 ………………………… 2

に
ニボルマブ ……………………… 211
ニムスチン ……………………… 204

の
脳腫瘍全国集計調査 …………… 7

は
パイロシークエンス …………… 46
パシレオチド ………… 253, 257
バソプレシン …………………… 262
長谷川式簡易知能評価スケール
……………………………………… 33

ひ
ビンクリスチン ………………… 205
肥胖細胞 ………………………… 93
びまん性橋膠腫 ………………… 233

ふ
ブラッグピーク ………………… 197
プロラクチン …………………… 250
副腎皮質刺激ホルモン ………… 250
分子標的治療薬 ………………… 228

へ
ペグビソマント ………………… 254
ヘテロ接合性の消失 …………… 49
ベバシズマブ …………………… 200
ペプチド ………………………… 210

ま
マイクロアレイ ………………… 53
マイクロサテライト …………… 73

み
ミトコンドリア ……… 260, 261
未確定 …………………………… 78
未分類 …………………………… 78

め
メチオニン ……………………… 61
メチラポン ……………………… 257

索引

メトトレキサート ……………… 227

ら
ラニムスチン ………………… 204
ランレオチド ……………… 253, 255
卵胞刺激ホルモン …………… 250

り
リ・フラウメニ症候群 ……… 66, 84

ろ
ローゼンタール線維 …………… 78
ロムスチン …………………… 204

欧文

A
ABCB1 ………………………… 207
ABCC1 ………………………… 207
ABCG2 ………………………… 207
ACNU ………………………… 204
AFP …………………………… 230
AKT 経路 ……………………… 60
Ara-C ………………………… 205

B
BCNU ………………………… 204
BCNU water ………………… 185
boron neutron capture therapy (BNCT) …………………… 197
break-apart FISH ……………… 51

C
C11orf95::RELA 融合遺伝子 ……………………………… 63
C19MC ………………………… 67
CBDCA ………………………… 205
CBTRUS ………………………… 4
CCNU ………………………… 204
CD34 …………………………… 60
CDDP ………………………… 205
CDKN2A/CDKN2B(9p21) …… 105
CIC(19q13.2) ………………… 58
cIMPACT ……………………… 44
comparative genome hybridization ……………………………… 53
Controlled Oral Word Association (COWA) ……………………… 33
cytotoxic T cell(CTL) ……… 210

D
D2R …………………………… 251
densely granulated lactotroph tumor(DGLT) ……………… 254
densely-granulated somatotroph tumor(DGST) ……………… 252
DICER1 症候群 ……………… 260
diffuse intrinsic pontine glioma (DIPG) ……………………… 98
diffusion tensor imaging(DTI) ……………………………… 13
dose limiting toxicity(DLT) … 23

E
EGFRvIII ……………………… 210
EORTC BN-20 ………………… 33
EORTC QLQ-C30 ……………… 33
Epithelial metaplasia ………… 93
EQ-5D(EuroQoL) …………… 33
ERα …………………………… 251

F
FACT-Br ……………………… 33
fibrous body ………………… 251
FISH …………………………… 50
fluorescence in situ hybridization ……………………………… 50
fractional anisotrophy(FA) … 14
FUBP1(1p31.1) ……………… 58

G
G207 …………………………… 191
G47Δ ………………………… 191
GATA2/3 ……………………… 251
G-CIMP ………………………… 57
gemistocyte …………………… 93
GLI2 …………………………… 65
glioma-CpG island methylator phenotype …………………… 57
granular cell ………………… 93

H
H3.1 …………………………… 61
H3.3 …………………………… 45
H3F3A K27M ………………… 59
HDS-R ………………………… 33
health related-quality of life(HR-QOL) ………………………… 33
HEY1::NCOA2 融合遺伝子 … 157
Homer Wright ロゼット …… 127
Hopkins Verbal Learning Test-Revised(HVLT-R) …… 33
HSV1716 ……………………… 191

I
IDH1 変異 ……………… 46, 56, 84
IDH2 変異 ……………………… 84
image-guided radiation therapy (IGRT) ……………………… 196
Immunotherapy Response Assessment in Neuro-Oncology (iRANO) …………………… 210
integrated diagnosis …………… 2
intensity modulated radiation therapy(IMRT) …………… 196
International Extranodal Lymphoma Study Group scoring system(IELSG) …… 243
International Union Against Cancer ……………………… 242
intravascular lymphoma(IVL) 15

K
karnofsky performance status (KPS) ……………………… 32
KIAA1549::BRAF 融合遺伝子 ……………………………… 50
Knosp 分類 …………………… 259

L
loss of heterozygosity(LOH) … 49

M
MAPK 経路 …………………… 60
maximum tolerated dose(MTD) ……………………………… 23
MCNU ………………………… 204
M. D. Anderson Symptom Inventory Brain Tumor module(MDASI-BT) ……… 33
MDR1 ………………………… 207
Memorial Sloan-Kettering Cancer Center(MSKCC) … 244
methyl-CCNU ………………… 204
Mini-Mental State Examination ……………………………… 33
MMSE ………………………… 33
MN1::BEND2 融合遺伝子 …… 63
mRNA 発現解析 ……………… 53
MRP1 ………………………… 207
MR spectroscopy(MRS) ……… 14
MTX …………………………… 227
multidrug-resistant-associated protein ……………………… 207

Multiplex Ligation-dependent Probe Amplification(MLPA) ……51
MYB::QKI 融合遺伝子 ……60, 95, 96
MYC ……66
MYCN ……66

N

NAB2::STAT6 融合遺伝子 ……83
next generation sequence(NGS) ……47
not elsewhere classified(NEC) ……78
not otherwise specified(NOS) ……78
NTRK 融合遺伝子 ……208

O

oligodendrocyte-like cells ……93
open ring sign ……14

P

Packer レジメン ……205
PDGFRA 増幅 ……61
PDL1 ……176
Pediatric Quality of Life Inventory(PedsQL) ……33
p-glycoprotein ……207
PIT1 ……250
PitNET ……250
PRKCA 融合遺伝子 ……111
PRL ……250
pseudoresponse ……28
PTCH1 ……66
PTEN 点突然変異 ……59

Q

quality adjusted life year(QALY) ……33
quality of life questionnaire(QLQ) ……32

R

Radiation Therapy Oncology Group(RTOG) ……218
radiogenomics ……19
randomized controlled trial(RCT) ……23
RANO-HGG ……30
RB1 経路 ……60
recursive partitioning analysis(RPA) ……218
RELA ……64

S

SF1 ……250
SF-36 ……33
SHH 経路 ……66
short tandem repeat(STR) ……51
Simpson 分類 ……245
single nucleotide polymorphism(SNP) ……49
SMARCA4(BRG1) ……82
SMO ……145
sparsely granulated lactotroph tumor(SGLT) ……254
sparsely granulated somatotroph tumor(SGST) ……252
spongioblastic pattern ……89
SSTR ……251
stereotactic radiosurgery(SRS) ……196
stereotactic radiotherapy(SRT) ……196
Stupp レジメン ……217
subependymal giant cell astrocytoma(SEGA) ……63
SUFU ……66
surrogate marker ……23

T

T2WI-DRIVE・造影 T1WI 差分画像 ……13
TERT プロモーター変異 ……57, 58, 60
TNM 分類 ……242
TP53 ……66
TPIT ……250
trail making test(TMT) ……33
Trouillas 分類 ……260
TSC1(9q34) ……63
TSC2(16p13) ……63
TTF1 ……251
tuberous sclerosis complex(TSC) ……209

U

UICC ……242

V

vascular endothelial growth factor(VEGF) ……200

W

Wechsler Adult Intelligence Scale-Revised(WAIS-R) ……33
WHO 内分泌/神経内分泌腫瘍分類 ……36, 250
WHO 中枢神経系腫瘍分類 ……36
WNT 経路 ……65
WT1 ……210

Y

YAP1 融合遺伝子 ……118
YAP1::MAMLD1 融合遺伝子 ……120

Z

ZFTA 融合遺伝子 ……118
ZFTA(*C11orf95*)::*RELA* 融合遺伝子 ……120

数字・その他

1p/19q codeletion ……50
2-hydroxyglutarate(2-HG) ……19
5-アミノレブリン酸(5-ALA) ……182
^{11}C-Met-PET ……16, 19
^{11}C-メチオニン-PET ……14
^{18}F-FDG-PET ……19
^{201}Tl-SPECT ……16
α-fetoprotein ……169
α-internexin ……89, 115
β-human chorionic gonadotropin(β-hCG) ……170

臨床・病理　脳腫瘍取扱い規約　第5版

1995年10月20日　第1版発行
2002年 7月31日　第2版発行
2010年 7月12日　第3版発行
2018年 3月20日　第4版発行
2023年10月25日　第5版第1刷発行

編　集　　一般社団法人　日本脳神経外科学会
　　　　　一般社団法人　日本病理学会

発行者　　福村　直樹

発行所　　金原出版株式会社
　　　　　〒113-0034 東京都文京区湯島2-31-14
　　　　　電話　編集　（03）3811-7162
　　　　　　　　営業　（03）3811-7184　　　Ⓒ日本脳神経外科学会・日本病理学会,
　　　　　FAX　　　　（03）3813-0288　　　　　　　　　　　　　　1995, 2023
　　　　　振替口座　　00120-4-151494　　　　　　　　　　　検印省略
　　　　　http://www.kanehara-shuppan.co.jp/　　　　　　Printed in Japan

ISBN 978-4-307-20463-7　　　　　　　　　　　印刷・製本／三報社印刷㈱

JCOPY ＜出版者著作権管理機構　委託出版物＞
本書の無断複製は著作権法上での例外を除き禁じられています．複製される場合は，そのつど事前に，出版者著作権管理機構（電話 03-5244-5088, FAX 03-5244-5089, e-mail：info@jcopy.or.jp）の許諾を得てください．

小社は捺印または貼付紙をもって定価を変更致しません．
乱丁，落丁のものはお買上げ書店または小社にてお取り替え致します．

WEBアンケートにご協力ください
読者アンケート（所要時間約3分）にご協力いただいた方の中から
抽選で毎月10名の方に図書カード1,000円分を贈呈いたします．
　　　　　　　アンケート回答はこちらから ➡
　　　　　　https://forms.gle/U6Pa7JzJGfrvaDof8